Schultze,

C000090471

Bibliothek wertvo

Band 2

Schultze, Ernst

Bibliothek wertvoller Memoiren

Band 2

Inktank publishing, 2018

www.inktank-publishing.com

ISBN/EAN: 9783747795149

All rights reserved

Bibliothek
wertvoller Memoiren

Lebensdokumente hervorragender Menschen aller Zeiten und Völker

Herausgegeben von

Dr. Ernst Schultze

2. Band

Hamburg
Im Gutenberg-Verlag Dr. Ernst Schultze
1907

Deutsches Bürgertum und deutscher Adel im 16. Jahrhundert

Lebens-Erinnerungen
des Bürgermeisters Bartholomäus Sastrow
und des Ritters Hans von Schweinichen

Bearbeitet von

Dr. Max Goos

Erster Teil
Bartholomäus Sastrow

Hamburg
Im Gutenberg-Verlag Dr. Ernst Schultze
1907

Inhaltsverzeichnis

Seite

Vorwort zu der „Bibliothek wertvoller Memoiren"
von Dr. Ernst Schultze 7
Einleitung zum Sastrow von Dr. Max Goos. . . . 13
Herkommen, Geburt und Lebenslauf des
Bartholomäus Sastrow 19
1. KAPITEL: Sastrows Familie 21
2. KAPITEL: Religiöse und politische Wirren 28
3. KAPITEL: Von dem großen Unglück, das meinem Vater
zugestoßen ist, weil er Jürgen Hartmann entleibt hat . . 34
4. KAPITEL: Kindergeschichten 38
5. KAPITEL: Die Wullenweversche Sache und die bürgerlichen
Händel zu Stralsund 43
6. KAPITEL: Studentengeschichten von ihm selbst und seinem
Bruder 54
7. KAPITEL: Reise nach Speier und Aufenthalt daselbst . . 63
8. KAPITEL: Von Karl V. und den deutschen Fürsten . . . 72
9. KAPITEL: Aufenthalt zu Pforzheim und Worms 77
10. KAPITEL: Als Schreiber beim Komtur des Johanniterordens 83
11. KAPITEL: Die Reise nach Italien 87
12. KAPITEL: Als pommerscher Gesandtschaftssekretär in
Böhmen und vor Wittenberg 105
13. KAPITEL: Vom großen Alarm zu Halle und Weiterreise . 115
14. KAPITEL: Von Herzog Friedrich von Liegnitz 123
15. KAPITEL: Bewerbung um Augsburger Reichstag 128
16. KAPITEL: Von Kaiser Karl V. und von König Ferdinand,
Herzog Moriz und anderen 136
17. KAPITEL: Traurige Geschichte von Sebastian Vogelsberg . 147
18. KAPITEL: Vom Interim 153
19. KAPITEL: Reisen nach Basel und Brüssel 158
20. KAPITEL: Letzte Zeit am Rhein 162
21. KAPITEL: Heirat und eheliches Leben 166

ꔷꔷꔷꔷꔷꔷꔷꔷꔷꔷꔷꔷꔷꔷꔷꔷꔷꔷꔷꔷꔷꔷꔷꔷꔷꔷꔷꔷꔷꔷꔷꔷꔷ

Vorwort des Herausgebers
zu der
Bibliothek wertvoller Memoiren

Seit die Menschen in staatlicher Gemeinschaft leben, haben sie dem bunten Wechsel der Geschehnisse, den wir „Geschichte" nennen, Interesse zugewandt. In ältester Zeit waren es Stammes-Sagen oder Erzählungen von Heldentaten, was die Seelen fesselte und erregte; so finden wir bei allen Völkern den Beginn der Dichtkunst durch die Entstehung von National-Epen bezeichnet, von denen viele noch heut unvergänglichen Reiz ausüben. Später entstand die Geschichtsschreibung, noch später die Geschichtswissenschaft, die kühl und unbestechlich aufzuzeichnen sucht, wie sich die Handlungen der Menschen zu dem wechselnden Spiel und dem blutigen Ernst der Geschehnisse zusammenfügten, und wie sie so die Grundlage aller späteren Geschichte — also auch der unsrigen — wurden.

Aber neben dem ruhigen Strome dieser kühlen, leidenschaftslosen Geschichtsschreibung läuft ein anderer Literatur-Quell frisch sprudelnd einher, von jener viel benutzt, weil sie ihn gar nicht entbehren könnte: die Schilderung eigener Erlebnisse. Im klassischen Altertum noch selten geübt, im Mittelalter wenig gepflegt, kam diese Kunst erst in den letzten drei Jahrhunderten zu wirklich voller Entfaltung. Staatsmänner und Feldherren, Volksführer und -Verführer, Eroberer und Entdecker, Gelehrte und Künstler, hervorragende Frauen, einfache Bürger und Soldaten — kurz alle, deren Leben Elemente enthielt, welche für weitere Kreise Interesse bieten, haben einzelne Episoden ihres Lebens oder auch ihren ganzen Lebenslauf beschrieben; oder sie haben ihre Beziehungen zu berühmten Persönlichkeiten, denen sie nahe standen, geschildert und uns Einblicke in deren Leben tun lassen. Viele Tausende solcher Bücher sind der Nachwelt überliefert worden, und reicher als je blüht dieser Literaturzweig in der Gegenwart.

9

Für die Wissenschaft der Geschichte (insbesondere der Kulturgeschichte) ist er von unschätzbarem Werte, so vorsichtig selbstverständlich bei der Benutzung einzelner Memoiren-Werke verfahren werden muß. Denn natürlich drängen sich oft genug Eigenliebe, verletzte Eitelkeit, Unwille über arge Behandlung, Enttäuschung über unerfüllte Hoffnungen oder der Wunsch, sich weiß zu waschen, vor die klare und gerechte Schilderung der wirklichen Vorgänge und trüben die Zeichnung mehr oder minder stark. Aufgabe der Geschichtswissenschaft ist es, solche gewollten und ungewollten Entstellungen nachzuweisen und unparteiisch das wahre Gesicht der Geschehnisse wiederherzustellen.

Andererseits sind Memoiren zuweilen geradezu die einzige Quelle, aus der sich über die Geschichte bestimmter Zeiträume überhaupt schöpfen läßt. Und was vielen Memoiren einen so besonderen Reiz verleiht — einen Reiz, den nur verhältnismäßig wenige Werke der reinen Geschichtswissenschaft ausüben können — das ist die Anschaulichkeit und der Stimmungsgehalt, die von ihnen ausströmen. Wir mögen schon aus den Werken der Geschichtsschreiber ersehen, welche verheerenden Wirkungen ein Krieg über die Lande brachte, wie ein ganzes Volk sich heldenmütig gegen den Untergang wehrte, oder wie in Friedenszeiten Wohlstand und Gesittung sich mehrten. Mit wieviel greifbarerer Deutlichkeit aber erkennen wir dies alles, wenn wir aus einer guten Selbstbiographie anschaulich erfahren, wie diese Ereignisse dem Einzelnen das Schicksal bitter oder angenehm machten. Das Leben und Treiben in Stadt und Land, gewaltige Unglücksschläge, die auf ein Volk herniederfielen, die Gedanken und Ansichten eines Zeitalters, seine Art, sich zu freuen und Leiden zu tragen, seine Geselligkeit und seine öffentlichen Einrichtungen — kurz interessante Begebenheiten sowohl wie eigenartige Zustände treten uns mit besonderer Klarheit vor Augen, wenn sie uns von Augenzeugen geschildert werden.

10

Häufig rühren wertvolle Memoiren von Menschen her, die an ihrem Lebensabend auf ein an Schicksalen und Erlebnissen überreiches Leben zurückblicken, und denen doch unter der Schneelocke noch ein jugendliches Herz schlägt. Und wenn wir auch nicht den geringsten Grund haben, über die Geschichtswissenschaft unserer Tage so schroff zu urteilen wie G o e t h e über die Geschichtsschreibung seiner Zeit, für den sie „etwas Leichenhaftes", „den Geruch der Totengruft" an sich hatte — so bleibt doch auch jetzt für die Mehrzahl der Gebildeten bestehen, was er von sich über die starke Anziehungskraft berichtete, die „alles wahrhaft Biographische" auf ihn ausübte. In jeder Selbstbiographie sah er eine willkommene Bereicherung unseres Wissens vom Menschen, und über den Benvenuto Cellini, den er selbst bearbeitete, äußerte er: „Er ist für mich, der ich ohne unmittelbares Anschauen gar nichts begreife, von größtem Nutzen; ich sehe das ganze Jahrhundert viel deutlicher durch die Augen dieses konfusen Individui als im Vortrage des klärsten Geschichtsschreibers."

Auch S c h i l l e r hat den Wert guter Memoiren ungemein hoch veranschlagt. Viele Jahre seines Lebens hat er eine bänderreiche „Sammlung historischer Memoires" herausgegeben, und wenn diese heute auch fast ganz vergessen ist, so ist doch das Interesse für wertvolle Memoiren geblieben.

Um so sonderbarer mag es anmuten, daß in keinem Lande der Welt seither der Versuch unternommen wurde, die w e r t v o l l s t e n M e m o i r e n a l l e r Z e i t e n u n d V ö l k e r in einem Sammelwerke zu vereinigen. Wohl gibt es eine Sammlung von Memoiren zur französischen Geschichte — wohl eine solche zur Geschichte der französischen, eine andere zur Geschichte der englischen Revolution — wohl eine Anzahl anderer Memoirensammlungen — aber eine umfassende Sammlung aus der ganzen Weltliteratur ist nicht wieder unternommen worden. Sie ist nicht leicht herzustellen — und je geringeren Umfang sie haben soll, desto schwerer. Aber sie kann von aller-

11

größtem Interesse für jeden sein, für den lebendige Schilderungen aus Geschichte und Kulturgeschichte Reiz besitzen.

Es soll nichts in diese „Bibliothek wertvoller Memoiren" Aufnahme finden, was nicht allgemein menschlich interessant ist; einem Erzähler, der für sich selbst kein Interesse zu erwecken vermag — zu welchem Zwecke er doch keineswegs beständig im Vordergrunde zu stehen braucht — wird sie sich nicht öffnen. Auch wer mit der Wahrheit leichtfertig umspringt, mag draußen bleiben. Kleine Irrtümer werden die Bearbeiter der einzelnen Bände in Anmerkungen richtig zu stellen suchen, von denen auch sonst (zur Aufklärung schwieriger Stellen, zur Erläuterung wenig bekannter Ort- und Zeitumstände) Gebrauch gemacht werden wird. Einleitungen sollen das ihrige zu demselben Zwecke beitragen. Einzelne Sätze oder größere Teile, die wenig Interesse bieten und ohne Schaden für das Ganze entbehrt werden können, werden fortgelassen werden. Denn die „Bibliothek wertvoller Memoiren" ist mehr für den gebildeten Laien bestimmt als für den Historiker von Fach, der doch immer nach den Originalen selbst greifen muß.

Kein Volk hat eine reichere Memoirenliteratur geschaffen als die Franzosen. Aber auch die Deutschen, die Engländer, die Italiener, die Spanier, einzelne orientalische und manche andere Völker besitzen köstliche Lebens-Dokumente einzelner Männer und Frauen. Nur ist eben vieles davon — selbst für das eigene Volk — so vom Staube der Jahrzehnte oder Jahrhunderte überdeckt, so gänzlich in Vergessenheit geraten, daß eine Wiederbelebung nötig ist. Welche Schätze in diesen vergessenen Memoiren schlummern, das werden schon einige der ersten Bände dieser Sammlung zeigen. Hoffentlich erregen sie das erwünschte Interesse und erfüllen damit ihren Zweck: die Neigung für die Beschäftigung mit Geschichte und Kulturgeschichte zu stärken und Hunderten Wissensdurstiger Stunden interessanter Belehrung zu verschaffen.

Hamburg-Großborstel.   Dr. Ernst Schultze.

Einleitung zu den Erinnerungen des Bartholomäus Sastrow

von

Dr. Max Goos

Die Reformation und mehr noch vielleicht der wiedererwachte Sinn für das klassische Altertum haben im 16. Jahrhundert manch einen in Deutschland veranlaßt, die Geschichte seiner Zeit zu schreiben. Gerade Sastrows engere Heimat Pommern brachte damals eine größere Anzahl von Geschichtsschreibern hervor. Aber die meisten sind über den Durchschnittswert eines mittelalterlichen Lokalchronisten nicht hinausgekommen.

Anders unser Sastrow. Innig verknüpfen sich in seiner Darstellung Vorgänge aus dem eigenen Leben mit den großen Ereignissen seiner Zeit. Und niemand wird ihm den Rang eines Künstlers abstreiten. Mit welcher Anschaulichkeit weiß er seine Gestalten vor unsere Augen hinzustellen! Wie lebendig, fast dramatisch, spielen die Szenen sich ab! Wie bilderreich und kraftvoll ist die Sprache, und welch gewinnender Hauch derben Humors durchweht das Ganze!

Das ist um so bewundernswerter, als Sastrow erst im hohen Greisenalter, als Fünfundsiebziger, an die Ausarbeitung seiner Lebensgeschichte herangetreten ist. Wir wissen nicht, was wir mehr bewundern sollen: seine erstaunliche Geisteskraft oder sein vortreffliches Gedächtnis. Denn es steht außer allem Zweifel, daß dem ehrwürdigen Verfasser nur wenige schriftliche Hilfsmittel zu Gebote standen, sicherlich einige Aktenstücke und vielleicht ein paar kurze Tagebücher aus der Zeit der großen Reichstage.

Über seinen Lebensgang und Charakter nur einige kurze Angaben. 1520 zu Greifswald geboren, verlebt

er hier und in Stralsund eine bewegte Jugend. Schon als Junge beweist er halsbrecherischen Mut. Als er 17 jährig die Universität zu Rostock bezogen hat, verarmt sein Vater. Aus dem wohlhabenden Studenten wird ein bescheidener Stipendiat, der sein Leben durch niedere Dienste fristen muß. Gewaltig stählt sich sein Charakter in dieser harten Schule. Ein unseliger Prozeß des Vaters führt ihn ans Reichskammergericht nach Speier und in den Dienst mancher Herren, oft aber auch an den Rand der Verzweiflung und der bittersten Armut. Ein Sonnenblick ist der Aufenthalt in Pforzheim und die Tätigkeit bei dem Komtur des Johanniterordens. Eine Reise nach Italien im Interesse seines verstorbenen Bruders erweitert seine Anschauungen von Welt und Kirche. Heimgekehrt, tritt er 1547 in den Dienst seiner pommerschen Herzöge. Die Tätigkeit als Diplomat bringt ihm mancherlei Gefahr, führt ihn aber auch auf die Höhen des Lebens, in die Umgebung des Kaisers, auf den Reichstag und ins Kriegslager. 30 jährig tritt Sastrow, ein gefestigter, erprobter Mann, in den Dienst seiner Vaterstadt und zugleich ins Ehejoch. Noch einmal ergreift er den Wanderstab — aber nur nach dem benachbarten Stralsund. In einer fast 50 jährigen Laufbahn hat er hier verschiedene hohe Ämter, zuletzt jahrzehntelang das des Ersten Bürgermeisters, bekleidet, um 83 jährig im Jahre 1603 zu sterben. —

Ein Hauptvorzug der Sastrowschen Lebensgeschichte besteht in dem Reichtum der überlieferten Tatsachen. Kaum ein Gebiet deutschen Lebens in den 40er Jahren des 16. Jahrhunderts ist von seiner Schilderung unberührt geblieben: im Lager, bei Hofe, auf dem Reichstage, zu Hause und im Auslande — überall weiß der Verfasser Bescheid. Und zu allen großen und kleinen Zeitfragen nimmt er lebhaft, oft leidenschaftlich Stellung: bald zu der großen, weltbewegenden religiösen Frage, dann zu den sozialen

und ständischen Verhältnissen seines Vaterlandes. Aber auch Einzelfragen verschmäht er nicht. Von ganz besonderem Reiz ist die stattliche Reihe von historischen Porträts, kühn und sicher entworfen, vom großen Kaiser Karl abwärts bis zu Figuren vom Hofe oder aus dem Lager.

Mehr denn je muß es in unserer raschlebigen Zeit als ein Wagnis gelten, ein historisches Denkmal aus längst vergangenen Tagen zu veröffentlichen. Nicht als ob unserer Generation der Sinn für Geschichte fehlte. Aber mit Recht fordert der moderne Leser von dem alten Schriftwerk, daß es ihn nicht lediglich vom historischen Standpunkt nur interessiere. Über den Strom der Jahrhunderte hinweg soll ihn das Buch allgemein menschlich ergreifen.

Ich bin ganz fest davon überzeugt, daß unser Sastrow diese Probe mit Glanz bestehen wird.

Dreimal im Laufe des 19. Jahrhunderts ist seine Lebensbeschreibung vollständig oder bruchstückweise veröffentlicht worden.

Die erste Ausgabe (aus dem Jahre 1823) entstammt der Feder des gelehrten alten M o h n i k e. Er hat dadurch seinen Landsmann vor der Gefahr bewahrt, im Staube der Archive zu vermodern. Für gelehrte Forschung wird die höchst verdienstliche Arbeit des alten Gelehrten auch fernerhin unentbehrlich bleiben. Der großen Menge aber ist das Werk aus verschiedenen Gründen schwer zugänglich. Um zu den Glanzstellen des Buches zu gelangen, muß der Leser wahre Einöden von langatmigen Aktenstücken durchwandern oder in das Gestrüpp höchst schwieriger Abschnitte eindringen. Und für den ungeübten Leser birgt die wortgetreue Wiedergabe des altertümlichen Textes gar manche sprachliche Schwierigkeit.

Diesem Bedürfnis der Kürzung und Leichtverständlichkeit erscheint L. G r o t e s' Ausgabe vom Jahre 1860 auf den ersten Blick entgegenzukommen. Er hat fast alle Akten-

stücke fortgelassen. Aber dennoch scheint mir seine Ausgabe noch zuviel Ballast zu enthalten. Und vollends hat er sich in der Überlieferung des Textes vergriffen. Ganz willkürlich nimmt der Herausgeber das Wort und berichtet, was er in der Chronik gelesen, um an anderen Stellen wieder dem Autor selbst das Wort zu lassen.

Kein geringerer als G u s t a v   F r e y t a g in seinen unvergänglichen „Bildern aus der deutschen Vergangenheit" hat Sastrow zweimal als Zeugen des 16. Jahrhunderts aufgerufen und in längeren Abschnitten zu Worte kommen lassen. Ich glaube, schon diese hohe Wertschätzung von seiten eines so hervorragenden Kenners der deutschen Vorzeit würde uns zu einer Neuausgabe vollauf berechtigen.

Den treuherzigen Ton der alten Chronik, den Gustav Freytag so wundervoll zu treffen wußte, habe ich nach Kräften zu bewahren versucht. Weniger Zwang durfte ich mir in Satzbau und Wortstellung auferlegen; die schwerfälligen Perioden des alten Bürgermeisters mußten zum größten Teile in kleinere Sätze aufgelöst werden. Ebenso frei bin ich in der stofflichen Auswahl verfahren. Mohnikes dreibändige Ausgabe habe ich auf einen mäßigen Band zusammengestrichen. Erstes Gesetz war dabei die Forderung: das Werk muß interessant sein von der ersten bis zur letzten Seite. Daher sind alle langatmigen Stellen, jede Wiederholung und sämtliche trockenen Aktenstücke fortgeblieben. Denn für wissenschaftliche Zwecke — das wiederhole ich — bleibt nach wie vor Mohnike in Geltung. Über die zahlreichen Auslassungen habe ich keine besonderen Hinweise gegeben. Es hätte zu häufig geschehen müssen und sicherlich auf den Leser nur ermüdend gewirkt. Einige erklärende Anmerkungen habe ich unter den Text gesetzt.

H a m b u r g.   Dr. M a x   G o o s.

Herkommen, Geburt

und Lebenslauf

des

Bartholomäus Sastrow

1. Kapitel
Sastrows Familie

Um das Jahr 1488 ist mein Vater zu Rantzin geboren, da, wo die Straße nach Anklam vorbeiführt, nahe beim Kirchhof. Sein Vater war der Gastwirt Hans Sastrow,[1] ein Hintersasse der Herren von Owstin zu Quilow. Ebendort haben die Herren von Horn gewohnt. Denen ist mein Großvater an Ansehen und Gestalt, sowie an Geld und Verstand himmelweit überlegen gewesen. Vor seiner Verheiratung hat man ihn auch oft und gern auf ihrem Hofe gesehen. Dann aber haben Ärger und Verdruß bei den Leuten gewaltig zugenommen. Sie haben sich alle erdenkliche Mühe gegeben, meinem Ahnherrn allerlei Schimpf und Nachteil an Gesundheit und Leben anzutun. Und weil die feige Sippschaft dergleichen nicht mit eigener Person anzufangen wagte, haben sie ihren Vogt dazu angestiftet. Besagter Pflugvogt, den die vier Herren gemeinsam hatten, sollte in unsern Krug gehen, daselbst eins trinken und mit dem Wirt, meinem Großvater, Streit

---

[1] Der Übergang aus der ländlichen Untertänigkeit zur städtischen Freiheit, wie er hier von Sastrows Großvater berichtet wird, ist ein typischer Vorgang. Der ländliche Leibeigene macht sich durch eine Loskaufsumme von seinen erblichen Verpflichtungen frei und zieht in die Stadt. Hier kann er nach Jahr und Tag Grundbesitz erwerben. Die bürgerliche Freiheit darf er dann gleichfalls in Anspruch nehmen nach dem alten Rechtsgrundsatz: Stadtluft macht frei! —

anfangen. Dabei sollte er ihn zu Tode prügeln. Aber
was geschieht? Der Wirt merkte nur zu gut, daß die
Herren von Horn etwas im Schilde führten. Da war's
nicht schwer zu erraten, was es mit dem Vogt für eine
Bewandtnis hatte. Mein Großvater kommt ihm daher
zuvor und hat ihn so gottsjämmerlich verdroschen, daß
der Vogt nur mit knapper Not auf allen Vieren hat nach
Hause kriechen können.

Wie er aber merkt, daß die Feindschaft der Herren
von Horn jetzt erst recht nicht aufhört, sondern eher
wächst, hat er sich, schon um seine Familie in Sicherheit
zu bringen, um das Jahr 1487 mit seinem Lehnsherrn,
dem alten Hans von Owstin auf Quilow, wegen seiner
Lehnspflicht in aller Güte auseinandergesetzt. Sodann
hat er zu Greifswald das Bürgerrecht erworben. Hier
kaufte er das Eckhaus an der Fleischhauergasse und brachte
alsbald all seine Habe von Rantzin nach Greifswald, wo
er ein Jahr vor der Geburt meines Vaters in den bürgerlichen Stand übergetreten ist.

Was aber geschieht? Merkt auf, welch greuliche
Mordtat ich euch berichte! Im Jahre 1494 ist Kindel-
bier in Gribow, wo auch ein Herr von Horn seinen
Wohnsitz hat, nicht weit von Rantzin. Dazu ist mein
Großvater als nächster Verwandter eingeladen worden.
Er hat auch seinen Sohn, meinen Vater, der damals un-
gefähr 7 Jahre zählte, bei der Hand genommen. Denn
der Weg dahin ist nicht eben weit.

Die Rantzinschen Horns haben nun nichts sehn-
licher gewünscht, als bei dieser Gelegenheit auszuführen,
was sie so viele Jahre bereits im Sinn gehabt hatten.
Sie sind auch nach Gribow geritten, scheinbar um ihren
Vetter zu besuchen. Es machte ihnen nichts aus, bei
einem Bauern Kost und Gesellschaft zu suchen. So sind
sie denn miteinander beim Kindelbier erschienen und

haben sich alle vier an den Tisch gesetzt, wo auch mein
Großvater saß.

Als sie nun schon ziemlich bezecht waren, gegen
Abend, sind sie mit schweren Schritten in den Stall gegangen. Hier glaubten sie allein zu sein. Aber ein Verwandter meines Großvaters hat in der Ecke gestanden
und mit angehört, wie sie beschlossen haben, sobald als
mein Großvater aufstehen würde, eilig zu Pferde zu
steigen, ihm unterwegs aufzulauern und ihn samt seinem
Söhnchen totzuschlagen. — Der Vetter kommt herein und
sagt meinem Großvater, was er im Stall gehört hat. Er
rät ihm, sich noch bei Tage auf den Weg zu machen und
nach Hause zu gehen. Den Rat befolgte mein Ahne.
Er stand auf, nahm sein Söhnlein bei der Hand und machte
sich auf nach Rantzin. Als er aber an das kleine Holz
am Moor kam, halbwegs zwischen Gribow und Rantzin,
wo soviel Buschwerk steht, da haben die Mordbuben ihm
den Weg verlegt und ihn mit ihren Pferden niedergeritten.
Dann haben sie ihm den Leib so lange voll Wunden ge-
hauen, bis sie fest glaubten, er sei tot. Aber damit noch
nicht genug! Sie haben ihn auch an einen großen
Felsblock geschleppt, der noch heutigentages im Moor
liegt, und haben ihm auf diesem Steine die rechte Hand
abgeschlagen.[2]) So blieb er für tot liegen. Der Junge aber,

[2]) Diese Mordgeschichte, wie die zwei später berichteten aus
dem Leben von Sastrows Vater und Bruder, sind recht lebendige
Zeugnisse für die Zeit und ihre Sitten. Sie lassen uns einen
tiefen Einblick tun in die Roheit und Grausamkeit jener Tage. Mit
Schauder betrachten wir die kalte ausgesuchte Gemeinheit, mit der
das Mordwerk vollbracht wird. Und fast noch furchtbarer wirkt die
Gleichgültigkeit der Bauern, die nach der Tat hinausreiten, um sich
die vollbrachte Arbeit anzusehen. Aus allen drei Geschichten spricht
eine Rechtsunsicherheit, die Verwunderung erregt. Bei näherem
Zusehen sind in zwei Fällen Adlige die handelnden Personen.
Ihre Tat gelingt. Und jetzt geschieht das schier Unglaubliche, daß

mein Vater, ist derweil ins Moor gekrochen und hat sich im Gebüsch versteckt, so daß sie zu Pferde nicht zu ihm gelangen konnten. Bei einbrechender Dunkelheit mußten sie ihn dalassen. — Die andern Bauern kamen nachgeritten, um zu sehen, wie die Buben ihre Arbeit getan. Die haben den Verwundeten in einem solchen Zustand gefunden und den Jungen aus dem Moor geholt. Einer ist nach Rantzin geritten. Alsdann haben sie den Verwundeten auf einen Wagen gelegt. Aber es war kein Leben an ihm zu spüren. Er hat nur noch einmal aufgeseufzt, als sie mit ihm in Rantzin ankamen, und dann war er tot. —

Die nächsten Verwandten meines Vaters, des unmündigen Knaben, insonderheit die, welche zu Greifswald wohnten, machten alles zu Geld und verkauften das Haus. Das gab insgesamt 2000 Gulden, mehr als jetzt eines Edelmannes Lehnsuntertan verdienen könnte. Sie hielten den Knaben aufs beste, ließen ihn im Lesen, Schreiben und Rechnen fleißig unterrichten und schickten ihn dann nach Antwerpen und Amsterdam, damit er die Kaufmannslehre von Grund aus erlerne. Als er aber zu Jahren kam und sich ein eigenes Haus und Vermögen erworben hatte, hat er sich das Grundstück an der Ecke der Langenstraße, gegenüber von St. Nicolaus, gekauft. Alsdann hat er auf seinem Grund und Boden ein Wohn- und Bräuhaus errichtet. Weil aber seine Person den Leuten wohlgefiel

---

die adligen Straßenräuber und Mörder ungestraft bleiben. Offenbar wirkt im Volksbewußtsein noch das alte Vorrecht dieses längst herabgesunkenen Standes nach.

Anders bei der dritten Begebenheit. Als Sastrows Vater in der Notwehr den Angehörigen eines edlen Hauses ersticht, trifft ihn der Fluch der Friedlosigkeit, der erst nach Jahren durch hohe Geldbußen von ihm genommen wird. — Es fehlt freilich in unserer Chronik nicht an Stellen, wo das Selbstgefühl des tüchtigen Bürgers dem Adel gegenüber zu kräftigem Ausdruck gelangt.

und man sah, daß er imstande sei, ein Hauswesen zu führen, haben Vormund und Anverwandte ihm meine Mutter zur Ehe versprochen.

Meine Mutter war Nicolaus Smiterlows, des hiesigen Bürgermeisters, Nichte; sie war eine junge, hübsche Person mit zarten Gliedmaßen, freundlich, heiter, ohne alle Hoffart, reinlich, häuslich und gottesfürchtig bis an ihr letztes Stündlein.

Im Jahre 1523, den Oster-Samstag, ist meine Schwester Catharina geboren; das war ein vortreffliches, schönes, freundliches Wesen, getreu und von frommer Gemütsart. Als mein Bruder Johannes von Wittenberg, wo er studierte, nach Hause kam, wünschte sie von ihm zu lernen, was auf lateinisch hieße: „Es ist wahrlich eine schöne Jungfrau". Er sagte ihr das. Sie fragte weiter, wie denn auf lateinisch hieße: „so ziemlich". Auch das sagte er ihr. Nach Verlauf von einiger Zeit kamen drei Studenten aus Wittenberg hierher, vornehmer Leute Söhne, mit der Absicht, die Stadt zu besehen. Denen hatte Christian Smiterlow bei seinem Vater, dem Bürgermeister, Quartier verschafft. Der wollte es den jungen Leuten recht behaglich machen und ihnen zu Ehren eine Gesellschaft geben. Lud daher zu seinen drei eigenen erwachsenen Töchtern und einigen andern Gästen meine Schwester ein. Nun haben die Studenten mit den jungen Mädchen allerlei Ulk getrieben und auch nach junger Burschen Art unter sich auf lateinisch verhandelt, was sich auf deutsch vor jungen Mädchen nicht geziemt hätte. Hat da der eine Student zu dem andern gesagt: „Sieh da, das ist, weiß Gott, ein hübsches Mädchen", worauf meine Schwester im reinsten Latein antwortet: „Ja, so ziemlich". Da waren sie zum Tode erschrocken, denn sie vermeinten nicht anders, als daß meine Schwester auch ihre vorhergehenden amatorischen Reden verstanden hätte.

26

Sie ist aber im Jahre 1544 an einen gänzlich unge-
hobelten Mann verheiratet worden, an Christian Meyer,
der das Haus an der Fährstraßen-Ecke als einziges Kind
von seinen Eltern geerbt hat. Der Vater, Herr Hermann
Meyer, hat sie mit hohen Versprechungen und Zusagen
dazu überredet und schließlich kein Wort davon gehalten.
Der Meyer war ein ungeschlachter Geselle, vertat alles
auf das Liederlichste, verlumpte und vertrank, was er
selbst besaß, und noch dazu, was meine Schwester in die
Ehe gebracht hatte. Ihren frühen Tod haben meine Eltern
fast herbeigewünscht, denn sie war schon in jungen Jahren
ihres Lebens gar müde und satt geworden.

Meine Mutter hielt ihre Töchter von Jugend auf zu
tüchtiger häuslicher Arbeit an. Meine Schwester Gertrud
z. B. mußte schon mit 5 Jahren am Rocken sitzen und
spinnen (denn dazumal waren die Spinnräder noch nicht
im Gebrauch). Da kam mein Bruder, der Magister Johannes, von ungefähr und sagte, Seine Kaiserliche Majestät hätte einen Reichstag ausgeschrieben und dahin
kämen Kaiser und Könige, Kur- und andere Fürsten,
Grafen und große Herren, alle miteinander. Fragte mein
Schwesterlein: „Ei, was machen denn die Herren allda?"
Mein Bruder: „Sie verordnen und beschließen, wie es in
der Welt zugehen soll." Da fing das kleine Mädchen am
Rocken aus tiefstem Herzen zu seufzen an und sagte mit
wehmütiger Stimme: „Ach, du lieber Gott, wenn sie doch
auch ernstlich verordnen möchten, daß so kleine Mädchen
wie ich nicht spinnen dürften!"

Diese Schwester ist im Jahre 1549 zusammen mit
meiner Mutter und meinen beiden andern Schwestern,
Magdalena und Catharina, an der Pestilenz gestorben, die
dazumal in Stralsund und Umgegend wütete. Meine
Mutter ist um 2 Uhr mittags am 3. Juli entschlafen. Als
meine Schwestern kurz vor ihrem Hinscheiden bitterlich

weinten, hat sie zu ihnen gesagt: „Was weint ihr, betet vielmehr zu Gott, daß er mir in Gnaden meine Pein kürze!" Darauf folgte ihr meine Schwester Gertrud. Magdalena aber, meine älteste, unverheiratete Schwester, fühlte gleichfalls schon, daß ihr letztes Stündlein herankomme. Trotzdem stand sie vom Bett auf, schloß den Leinenschrank auf und legte nicht bloß Gertruds Totenhemd zurecht, sondern auch alles, was man ihr selbst um- und anlegen sollte, und befahl, man solle Gertruds Grab nur offen lassen, es ein wenig mit Erde zudecken und sie alsdann neben ihrer Schwester begraben. So legt sie sich noch einmal nieder bis an den zweiten Tag, nachdem Gertrud begraben war. Sie war die größte und stärkste von all meinen Schwestern, eine vortreffliche, verständige, arbeitsame Hausfrau. All das schrieb mir meine Schwester Catharina, zwei Tage vor ihrem eigenen Ende: es sei mit ihr auch schon so weit, sie sei bereits unterwegs, der Mutter und den Schwestern zu folgen, und sie sei dessen froh und bitte mich, ihr keinen Kummer nachzutragen.

2. Kapitel
Religiöse und politische Wirren

Etliche Mönche vom Kloster Belbuck sind von Johann Bugenhagen Pomeranus, dem damaligen Schulrektor zu Treptow an der Rega, bekehrt und in der reinen Lehre befestigt worden und haben darauf das Kloster verlassen. Zu ihnen gehörte Herr Christian Ketelhudt und Herr Jürgen von Ukermünde. Dieser selbige Herr Jürgen ist bei seiner Ankunft in Stralsund von den Bürgern zum Prediger gewählt worden.[1]) Aber als er dreimal in St. Nicolaus gepredigt hatte und merkte, daß der Rat seine Predigt nicht dulden wollte, als er ferner sah, daß die ganze römische Klerisei ihm gefährlich zusetzte und ihn vonseiten der Bürger kein Schutz, sondern überall nur Angst und Not umgab, da ist er heimlich von dannen gezogen.

[1]) Viel Raum in der Sastrowschen Lebensbeschreibung nimmt die Besprechung der religiösen Verhältnisse ein. Es ist mir selten klarer geworden als hier, wie eng Religion und Politik in diesen Tagen des Überganges miteinander verknüpft waren, wie langsam und unklar sich die neue Lehre losrang. Im allgemeinen wird man sagen können, daß in Norddeutschland die regierenden Gewalten hemmend auf die Annahme und den Fortgang der neuen Lehre gewirkt haben. In den Städten ging häufig der Anstoß von den unteren Schichten aus, oft genug in Verbindung mit dem Streben nach Freiheit auf politischem Gebiet. Allen vorangegangen war im Jahre 1522 Stralsund.

Herr Carsten Ketelhudt aber ist im Kloster Belbuck
16 Wochen lang Mönch und Prior gewesen. Dann hat
er auf besondern Befehl des Abtes, der ihn dereinst ins
Kloster aufgenommen, die Kutte ausgezogen und ist
Pfarrer in Stolp geworden, hat auch daselbst eine Zeitlang das Evangelium gepredigt. Auf lügenhafte Anklagen
der Pfaffen ist er vom Landesfürsten seines Pfarramts
entsetzt worden. Als er aber auf sein mündliches und
schriftliches Ersuchen von Landesfürsten, Prälaten, Ritter-
schaft und Städten trotz inständiger Bitten und Gesuche,
ihm eine Audienz zu gewähren, stets eine abschlägige
Antwort erhalten hat, als er sogar vermeinte, Geleit und
Sicherheit sei ihm entzogen, ist er schon willens gewesen,
das Predigtamt gänzlich aufzugeben und ein Handwerk zu
erlernen, ist deswegen in das Land Mecklenburg gereist.
Und als er daselbst keinen Meister nach seinem Sinne
hat finden können, ist er nach Stralsund gekommen in der
Absicht, von da nach Livland zu fahren. Aber durch
widrige Winde hat er etliche Wochen still liegen müssen,
gerade zu der Zeit, wo man in Stralsund anfing, die katholische Lehre abzutun. Da hat er denn auch in der Kirche
zu hören bekommen, was für gottlose Fabeln und Narren-
zeug, ja was für lügenhaftes Menschenwerk auf die Kanzel
gebracht wurde. Hat auch bemerkt und gehört, was für
ein ärgerliches, abscheulich-unverschämtes sodomitisches
Leben die Pfaffen führten mit Ehebrechen, Fressen und
Saufen. Er ward überdies von vielen Stralsunder Bürgern
inständig gebeten, am Sonntag Rogate auf dem St. Jürgen-
Kirchhofe zu predigen. Da hat er denn auch unter der
Linde drei Sermone gehalten — die Kirche war für seine
Hörerschaft viel zu klein.
   Darauf hat ihm der Rat auf heftige Anklagen der
hohen Geistlichkeit mit Ernst gesagt, er solle nicht mehr
predigen. Aber die derzeitigen Stadtherren mit der ganzen

Bürgerschaft haben ihn im Triumphe in die Stadt geführt und ihn an St. Nicolaus predigen lassen.

Im Jahre 1523, in der stillen Woche am Montag, geht eine Magd vom alten Markt auf Befehl ihrer Herrin in die St. Nicolaus-Kirche und reißt den Kirchenschrank ihrer Herrin, an dem etwas entzwei war, von der Bank los, um ihn reparieren zu lassen. Das sehen Handwerksgesellen, die eben in der Kirche waren, und fangen sofort auch an zu reißen und zu brechen. Und alsbald wälzte sich ein ganzer Haufe von einer Kirche zur andern. Sie rissen die Altäre herunter und nahmen die Bilder weg. Alle Pfaffen und Mönche aus dem Kloster liefen aus der Stadt hinaus mit Ausnahme von Henning Budde, dem Guardian des St. Johannesklosters, welcher dablieb.

Ein Hoher Rat stellte die ernste Forderung, daß jedermann, was er an sich genommen, am folgenden Mittwoch, dem Aschermittwoch, auf den alten Markt bringen sollte, und der gesamte Rat trat auf diesen Tag im Rathaus zusammen. Die gemeine Bürgerschaft versammelte sich in hellen Haufen miteinander auf dem alten Markt. Die Bürger, die aus Kirchen und Kapellen ihre Taschen gefüllt hatten, brachten nun die hölzernen Götzen und Bilder mit. Das andere, woran ihnen wohl in erster Linie gelegen war, kam nicht wieder zum Vorschein. Der Bürgermeister befahl, daß zwei ungehorsame Frauen auf die Fronerei geführt und gefangen gesetzt werden sollten. Die Bürger auf dem Markte trennten sich sodann in zwei Parteien. Ein Teil war evangelisch, der andere hielt sich zur alten Religion. Die trugen ihre Waffen in der Hand und waren voll Grimmes gegen die Evangelischen. Diese wiederum waren auch höchst unzufrieden. Sie murrten besonders darüber, daß man die beiden Frauen vor ihren Augen abgeführt hatte. Der Stadtvogt, Schroter mit Namen, kam eben jetzt auf den Markt geritten. Er hielt

einen Abendmahlskelch in der Hand. Den hatte er einem
Menschen abgenommen, welcher ihn aus einer Kirche
geholt hatte. Der Vogt war sehr ungehalten darüber
und drohte, die Evangelischen in den Stock zu setzen und
zu töten. Fast wär's ihm in der Folge selbst so ergangen,
er ist bald danach eines raschen Todes dahingestorben.
Ludwig Fischer aber sprang auf die Fischbank und rief
mit lauter Stimme, wer im Tode und Leben beim Evangelium verbleiben wolle, der möge zu ihm auf die eine Seite
hinübertreten. Dahin gingen die allermeisten, und nur
wenige blieben übrig. Darob erschrak ein Hoher Rat,
der am Fenster stand und alles mit ansah und anhörte.
Wie sie nun vom Markte her auf sie losgingen, ergriff die
Ratsherren bange Sorge, wie man lebendig wieder nach
Hause käme. Roloff Moller[1]) ging zu ihnen aufs Rathaus
und machte ihnen klar, wessen sie sich zu versehen hätten.
Darauf wurden die zwei gefangenen Weiber, die nicht
länger als eine Stunde in der Fronerei gesessen hatten,
losgelassen, und ein Hoher Rat bat die Bürger inständig,
sie möchten sich zufrieden geben, sie wollten tun, wie
die Bürger wünschten. Aber Herr Omnes wollte sich
gleichwohl nicht sofort stillen lassen; bis vier Uhr waren
alle wieder zu Hause, und auch ein Hoher Rat hatte jetzt
freie Bahn, ohne Lebensgefahr vom Rathaus heimzugehn.

---

[1]) L. Grote a. a. O. hebt mit Recht hervor, daß es mit der
Macht Stralsunds am Beginn des Reformationszeitalters schon stark
bergab ging. In den unteren Volkskreisen war man sich dessen
dunkel bewußt und suchte nach einem Ziel für seinen Groll. Man
glaubte ein solches in den stark hervortretenden Unsitten der katholischen Kirche und in der Führung des Stadtregiments entdeckt zu
haben. In der Person des Patriziers Moller fand sich ein Mann, der
beide Strömungen geschickt zusammenfaßte. Gestützt auf die
unteren Klassen setzte er die Wahl eines Bürgerausschusses, der sog.
48er, durch. Das erste Werk dieser neuen demokratischen Behörde
war dann die vorerwähnte Einführung der Reformation im Jahre 1522.

32

Herr Nicolaus Smiterlow,[3]) ein gar beredter, stand-
hafter und beherzter Mann, der auf der Reise von Nürnberg
die reine Lehre des Evangelii, ja Lutherum selbst zu Wittenberg hatte predigen hören, war deswegen auch innerhalb
des Rats der erste Bekenner des Evangeliums gewesen.
Als daher die Ratsherren, wie auch die Fürsten und Vornehmsten im Lande, noch papistisch waren, während dagegen die 48, voran Roloff Moller mit seiner Rotte von
Aufrührern, gar zu geschwind und eifrig evangelisch geworden waren, da setzte sich Smiterlow in die Mitte
und ermahnte den Rat, in einer so rechtmäßigen, wohl-
begründeten Sache den Bürgern nicht so hart entgegen-
zutreten. Die Bürgerschaft wurde auf der andern Seite
treuherzig gewarnt, nicht so geschwind mit ihrer Obrigkeit umzuspringen, sich nicht aufzulehnen, sondern es
sachte angehen zu lassen. Er versprach ihnen, ihre Prediger sollten ihnen verbleiben und der Lauf des Evangeliums in keiner Weise gehemmt werden. Damit richtete
er aber hier so wenig aus wie dort. Herr Omnes drang
durch, und der Rat, der vormals den getreuen Vermah-
nungen seines rechten Vaters, des alten Bürgermeisters,
nicht hatte folgen wollen, mußte jetzt auf den Stiefvater,
Herrn Omnes, hören.

Als nun Personen vom Rat Herrn Carsten Ketelhudt

---

[3]) Nicolaus Smiterlow, der vielgenannte Altbürgermeister von
Stralsund, war der Oheim von Sastrows Mutter. Es hieß, daß er
einem alten Patriziergeschlecht entstamme. Der Ahnherr sei mit
Barbarossa ins heilige Land gezogen und habe unterwegs einen
Löwen mit einem gewaltigen Schwertstreich zu Boden gestreckt.
Dafür sei er von Kaiser Friedrich in den Adelsstand erhoben, der
Name zeuge noch heute von der kühnen Tat (smit den lowen).
Der Erzähler hängt mit rührender Liebe und Hochachtung
an seinem edlen Verwandten. Spätere Abschnitte seiner Erzählung
beweisen aber auch, daß diese Hochachtung eine wohlverdiente
gewesen ist. —

und andere evangelische Prediger etlichemal haben predigen hören, sind sie allgemach zum rechten Verstande
der reinen evangelischen Lehre gekommen, und ein Hoher
Rat samt den 48 und der Bürgerschaft hat einhellig die
eingeführten evangelischen Prediger angenommen, sie
an den Kirchen angestellt und Herrn Carsten Ketelhudt
das oberste Kirchenamt als Oberhaupt der andern Prediger
und Kirchendiener anbefohlen, das er auch für sein ganzes
Leben, 23 Jahre lang, verwaltet hat.

3. Kapitel

Von dem großen Unglück, das meinem Vater zugestoßen ist, weil er Jörgen Hart-mann entleibt hat

Meine Eltern, die zwei jungen Eheleute, hatten sich wohl eingerichtet, alles fertig gebaut, und saßen im vollen mit Federn, Wolle, Honig, Butter und Korn, hatten auch ihr stattliches Mühlen- und Brauwerk; der Scheffel Gerste und Roggen galt nur sieben Weißlinge, Hafer einen alten Schilling, das sind vierzehn Stralsunder Pfennige, die Tonne Bier stand auf einem Gulden, wie solches noch in meines Vaters Rechnungsbuch zu lesen ist. Das mag wohl eine goldene Zeit gewesen sein, wo man viel Geld verdienen konnte.[1] Aber ihre Glückseligkeit verkehrte sich in eitel Trauer und Betrübnis.

---

[1] Es ist bekannt genug, daß verschiedene Ursachen an der Grenze von Mittelalter und Neuzeit einen gewaltigen Umschwung im ganzen Wirtschaftsleben der europäischen Völker hervorgerufen haben. An die Stelle von Landwirtschaft und Naturalleistungen trat auch in Deutschland ein gesteigerter Verkehr, der den endgültigen Übergang zur Geldwirtschaft herbeiführte. Großen Einfluß übte die Entdeckung von Amerika durch die Veränderung der Handelswege und das Herüberströmen von Edelmetall. Wer über diese Zustände nähere Auskunft wünscht, sei auf Ehrenbergs Arbeiten sowie auf die kleine Studie von G. Wiebe: Zur Geschichte der Preisrevolution im 16. und 17. Jahrh. (Leipzig 1894), verwiesen.

Denn im selben Jahre, 1523, kaufte Jürgen Hartmann, Doctor Stoitentins Schwiegersohn, ein Viertelpfund Butter von meinem Vater; darüber gerieten sie miteinander in Wortwechsel. Hartmann, der eben einen Hirschfänger zum Bürgermeister trug, geht zu seiner Schwiegermutter und führt Klage wider meinen Vater. Die war von Natur hochfahrend und sehr reich, hatte auch einen landesfürstlichen Rat und Doktor zum Manne, weshalb sie geringe Leute wenig achtete. Die gibt ihm ein Handbeil mit den Worten: „Sieh, da hast du einen Vierer, geh auf den Markt und kauf dir den Mut dazu!" Von seinem Schwiegervater glaubte er sich genügend gedeckt bei einem so ernsthaften Vorgehen. Diesem Manne nun begegnet mein Vater, als er zur Wage gehen wollte, um sich einen Kessel Honig wiegen zu lassen. Es war oben in der Gasse, wo die Kleinschmiede wohnen. Er hatte aber keinerlei Wehr bei sich, auch kein Brotmesser. Den überfällt Hartmann mit Säbel und Handbeil.

Mein Vater entwischt ihm in das Haus eines Kleinschmieds und packt die Fleischgabel. Die nehmen ihm die Schmiedegesellen wieder ab, desgleichen verwehren sie ihm eine Leiter, die am Hängeboden stand. Er aber reißt einen Knebelspieß von der Wand, läuft damit zum Hause hinaus auf die Gasse und fragt, wo denn der sei, der ihm an Leib und Leben gewollt habe! Darauf springt Hartmann aus dem Hause des Schmieds nebenan, hat jetzt zu seinen zwei andern Wehren einen Hammer vom Amboß genommen und wirft damit nach meinem Vater. Und wenn dieser auch den Wurf mit dem Spieß parierte, so glitt der Hammer doch am Spieß entlang und ihm vor die Brust, daß er etliche Tage Blut spie. Und im selben Augenblick versetzte der andre ihm eins mit dem Handbeil in die Schulter. Da er nun mit Hammer und Handbeil keinen schlechten Wurf getan hatte und meinte, die

3*

Sache würde ihm auch des weiteren nicht mißraten, zog er blank und lief mit offnem Schwert meinem Vater gerade in den Spieß hinein. Der stieß ihm die Waffe bis zum Knebel in den Leib, daß er niederstürzte. Das ist dieser kläglichen Historie wahrhaftiger Bericht. Ich weiß wohl, daß die Gegenpartei die Sache ganz anders darstellt: mein Vater habe Hartmann erstochen, wie er sich in des Schmiedes Stube hinterm Ofen ohne Waffen versteckt habe. Allein das klingt nicht, das sind faule Fische und eitel Lügenkram.

Mein Vater läuft spornstreichs in das Kloster der schwarzen Mönche, mit denen er bekannt war. Die brachten ihn in ihre Kirche und daselbst oben in einen Wandschrank unterm Gewölbe. Doktor Stoitentin mit großem Anhang und Dienerschaft sucht das Kloster ab bis in die fernsten Winkel und kommt auch in die Kirche. Mein Vater meint schon, sie sähen ihn. Schon will er sie anreden und bitten, ihn in seiner Unschuld zu verschonen als einen, der aus Notwehr handelte. Doch der barmherzige Gott gab ihm ein, daß er den Mund hielt. Den Feinden wurden die Augen geblendet, so daß sie ihn nicht sehen konnten.

In der Nacht brachten die Mönche ihn über die Mauer, so daß er auf dem Damme entlang durch das Dorf Neuenkirch entkommen konnte. Dahin hatte mein Stief-Großvater einen Bauernwagen kommen lassen, der einen Sack mit Gerste, auch einen Futterbeutel und meinen Vater, in einem Sacke versteckt, nach Stralsund gebracht hat. In der Nacht stieß man auf Doktor Stoitentin, der fragte, wo er hin wollte? Nach Stralsund, sagte jener. Da hat er auf den Sack gestoßen und gefragt: was er denn da geladen habe? Gerste und seinen Futtersack. Ob er nicht jemanden hätte reiten oder laufen sehen? Ja, es sei einer ganz eilig den Weg nach Horst geritten. Ihm

hätte geschienen, daß es Sastrow aus Greifswald gewesen sei, und er habe sich baß gewundert, warum der bei Nacht und Nebel so eilig zu Pferde dahergerannt sei. Da hat Doktor Stoitentin den Bauern in Ruhe gelassen und ist den Weg auf Horst zu geritten; mein Vater aber ist glücklich nach Stralsund gekommen und hat da von Rats wegen Geleit und Sicherheit bekommen.

Solchem Geleite aber hat mein Vater keineswegs trauen dürfen, weil der Getötete im Allerhöchsten Schutz meines Gnädigen Herrn Herzog Jürgen gewesen war, und weil überhaupt die Gegenpartei reich, stolz und mächtig war. In Dänemark, auch zu Lübeck und in der Gegend von Hamburg hat mein Vater sich ruhelos umhergetrieben, bis er um eine ansehnliche Geldsumme mit den Landesfürsten versöhnt worden ist, nachdem er das Geld bar erlegt hatte.

Obgleich er nun in der Folge nach vielfachem Anhalten und Verwendung und nach Entrichtung von 1000 M. Blutgeld an die Gegenpartei Frieden bekommen hatte, hat er doch von ihnen nicht die Erlaubnis erhalten, die Stadt Greifswald wieder zu betreten.[1]

---

[1] Über die Rechtlosigkeit, wie sie zu jener Zeit noch in einem Streit zwischen bürgerlichen und adligen Kreisen geherrscht hat, vergl. Anm. 2 des 1. Kapitels.

4. Kapitel
Kindergeschichten

Meine Mutter ging gewöhnlich bald nach Mittag, besonders in der Fastenzeit, vor alle drei Altäre am Chor und betete, wie im Papsttum Brauch war, vor einem jeden Altar ein Pater noster und ein Ave Maria. Das kleine Bartholomeweslein mußte stets mitgehen. So setzte es sich am ersten Altar bei der Mutter nieder und legte ein kleines Rauchopfer dahin. Da ihm aber die Mutter zu früh aufstand und er zum zweiten Altar folgen mußte, tat er daselbst ebenso. Und was er noch übrig behielt, brachte er vor den dritten Altar. Als nun die Mutter aufstand und sah, wie ich vor allen drei Altären das Heiligtum mit Weihrauch bedacht und das Gebet auf diese Art so herrlich zum Abschluß gebracht hatte, ist sie nach Hause gegangen und hat die Magd mit dem Besen in die Kirche geschickt, um das Räucherwerk mit der Andacht aus der Kirche zu fegen.

Daß meine Mutter ohne Familienoberhaupt bei so jungen Jahren mit ihren vier kleinen unerzogenen Kindern haushalten mußte und dabei mit schwermütigen traurigen Gedanken beladen war, kann man wohl leicht ermessen.

Man berichtet mir, ich sei als Kind ein recht wilder Patron gewesen. Manchmal bin ich auf den St. Nicolausturm gestiegen, und einmal sogar außerhalb des Turmes in der Höhe der Glocken um den Turm herumgegangen.

Meine Mutter hat eben vor ihrer Tür gestanden — gerade dem Turm gegenüber —, ei, da sieht sie ihr Söhnchen da oben herumspazieren. Das ging ihr sehr zu Herzen, bis daß der Bursche unverletzt wieder herunterkam. Da hat sie auch dem Bartholomeus gegeben, was ihm gebührte.

Dieweil meine Mutter zu Greifswald wohnte, ging ich dort zur Schule, lernte nicht bloß lesen, sondern auch aus dem Donat deklinieren, komparieren und konjugieren. An Palmarum mußte ich das „Quantus" singen, nachdem ich schon vorher das kleine und große „Hic est" gesungen hatte. Das war für einen Knaben eine große Ehre und bereitete den Eltern keine geringe Freude. Denn man nahm dazu nur die wackersten Jungen aus der Schule, die keine Angst hatten vor der großen Menge geistlicher und weltlicher Personen, sondern mit heller Stimme besonders das „Quantus" hervorheben konnten.

Im Jahre 1528, als meine Eltern merkten, daß der Hartmannsche Anhang auf keine Weise zu erweichen sei, meinem Vater Stadt, Haus und Nahrung zu gewähren, da wollten denn beide — wie es sich für fromme Eheleute geziemt — die Last der Haushaltung miteinander tragen. So hat denn meine Mutter meinem Vater nachziehen müssen. Deswegen erwarb sich mein Vater das Bürgerrecht zu Stralsund und hat daselbst ein Haus gekauft. Meine Mutter hat daraufhin Greifswald verlassen, ihr Haus daselbst vermietet und ist im Frühling auch nach Stralsund gezogen.

Um dieselbe Zeit hat mein Stief-Großvater, der dazumal Kämmerer in Greifswald war, mich zu sich genommen, damit ich da studiere. So wurde ich untergebracht und hatte zum Präceptor einen gewissen Georg Norman, aus Rügen gebürtig. Ich studierte aber gar wenig, hatte die Pferde und einen Spazierritt auf ihnen

viel lieber als die Bücher, oder fuhr mit dem Großvater auf die umliegenden Dörfer; deswegen kam ich in den Studien auch wenig vorwärts.

Herrn Bartram Smiterlows ältester Sohn, mit Namen Claus, erst fünf Jahre alt, aber länger und mit stärkeren Gliedmaßen als ich, war ein verzweifelter Schalk. Er tat den Nachbarskindern viel Gewalt und Schabernack an und wurde dafür von seinem Vater nicht nur ungestraft gelassen, sondern sogar auf der Nachbarn Anklage von ihm mit großer Kraft verteidigt und in seinem bösen Mutwillen bestärkt. So nahm schließlich der Großvater, Herr Carsten Schwarze, den Jungen zu sich, um große Rederei oder gar Mord und Totschlag zwischen dem Vater und seinen Nachbarn zu verhüten. Er schlief bei mir auf der Stube in einem Bett. Eines Morgens, als wir aufstanden und beide Seite an Seite auf der hohen Truhe zu Füßen des Bettes uns anzogen, stieß er mich ohne weitere Veranlassung, sondern bloß aus boshaftem Mutwillen vor die Brust, so daß ich rücklings von der Truhe, nicht ohne Gefahr des Lebens, hinunterstürzte. Wegen dieses und anderer Streiche mußte mich mein Großvater schließlich nach Stralsund bringen, damit ich von diesem Lecker unverletzt bliebe, und er um seinetwillen keine Schwierigkeiten hätte.

Mein Präceptor zu Stralsund war Matthias Brassanus, vorzeiten ein junger Mönch im Kloster Camp. So wurde ich aus dem zu Greifswald eingeschriebenen Studenten noch einmal wieder ein Stralsunder Schüler. Ich ging in die Schule und lernte so viel, als meine Wildheit zuließ. Das Ingenium war nicht ohne, aber alle Stetigkeit fehlte. Im Winter lief ich mit Johann Gottschalck und andern Schülern meines Schlages auf das Eis. Johann war dabei der Anführer, denn er hatte lange Beine und, wenn er wirklich einmal einbrach, konnte er trockenen Fußes weg-

kommen. Wir andern, und ich nicht der letzte, kamen hinterher, brachen ein und mußten ans Land waten. Bisweilen stand mein Vater am Brückensteg und sah, wie sein Söhnlein sich amüsierte. Wenn ich aber heimkam und vor dem Kachelofen saß, mich wieder zu trocknen, hei, wie verprügelte er da den armen Bartholomeus. Denn mein Vater war ein recht cholerischer Mann. Im Sommer badete ich mich mit meinen Freunden am Strande.[1]) Das sah mein Oheim, der Bürgermeister, Herr Nicolaus Smiterlow, von seinem Garten hinter der Scheune. Der meldete es meinem Vater. Dieser kam frühmorgens mit einer stattlichen Rute vor mein Bett. Da ich aber noch schlief, knöpfte er sich derweil den Rock auf und sprach so laut, daß ich aufwachte. Als ich erwachend ihn so vor mir stehen sah und die Rute auf dem Nebenbett erblickte, wurde mir klar, was die Glocke geschlagen hatte. Da fing ich bitterlich an zu weinen und zu flehen. Er fragte, was ich denn getan hätte? Ich gelobte unter Tränen, mein Lebtag wollte ich nicht wieder am Strande baden. „Ja, Junker," sagte er — die Anrede war schon ein böses Zeichen! —, „habt Ihr gebadet, so muß ich Euch abtrocknen." Indem griff er zur Rute, warf mir die Kleider über den Kopf und lohnte mein Vergehen nach Verdienst.

Meine Eltern hatten eine gute Erziehungsweise. Mein Vater war freilich etwas hastig, und wenn der Zorn über ihn kam, dann konnte er kein Maß halten. Einmal erzürnte er sich über mich. Er stand im Stalle, ich aber am Stalltor. Da griff er nach einer Heugabel und schleuderte sie

---

[1]) Über das Baden im Freien dachten unsere sonst nicht eben prüden Vorfahren wesentlich anders als wir. Grote führt eine Schulordnung aus dem Jahre 1591 an, in welcher den Kindern Schlittschuhlaufen und Baden im Freien strenge untersagt wird. Eine ähnliche Auffassung bezeugt uns Goethe aus dem 18. Jahrhundert bei Gelegenheit seiner Schweizerreise.

nach mir. Ich sprang aus dem Wege. Aber der Wurf war so kräftig gewesen, daß die Gabel tief in den eichenen Pfosten der Badestube eindrang. Man mußte sie mit Gewalt herausziehen. So hat denn der gnädige Gott das Vorhaben des Teufels gegen meinen Vater und mich in seiner weisen Vorsehung verhindert.

Die Mutter aber, die eine überaus gütige, holdselige Natur besaß, sprang, ohne daß wir Kinder es bemerkten, hinzu und sagte wohl: „hau nur besser, der verflixte Bengel hat's wohl verdient". Und dabei griff sie ihm nach der Hand, in der er die Rute schwang, damit er nicht zu hart zuhauen konnte.

Der Schulrektor, Matthias Brassanus, hielt strenge darauf, daß die Schüler alle während der Predigt in der Kirche bleiben mußten. Ich mit meinen Altersgenossen und andern Gleichgesinnten brachte es fertig, ganz unbemerkt aus der Kirche zu schleichen. Da kauften wir uns dann Pfefferkuchen, gingen damit in eine Branntweinbude, und gegen Ende des Gottesdienstes, wenn die Schüler wieder zur Schule gingen, da stellten wir uns wieder ein. Einmal hatten wir des Guten zu viel getan. Ich mußte alles von mir geben und konnte weder auf den Beinen stehen noch ein Wort hervorbringen. Da haben mich ein paar große Jungen aufheben und nach Hause tragen müssen. Meine Eltern haben fest geglaubt, ich würde eine schwere, gefährliche Krankheit bekommen. Sie pflegten mich aufs beste, bis ich wieder wohl war. Hätten aber sie und mein Lehrer um die wahre Ursache meiner Krankheit gewußt, die Behandlung wäre wohl etwas schlechter ausgefallen. Sie haben es denn auch erst erfahren, als ich der Rute entwachsen war. Immerhin hat die Sache den Nutzen für mich gehabt, daß ich den Branntwein von Stund an nicht habe riechen und noch viel weniger trinken mögen.

5. Kapitel
Die Wullenweversche Sache und die bürgerlichen Händel zu Stralsund

Gemeine Bürgerschaft zu Lübeck, Rostock, Stralsund und Wismar wurde in Aufruhr gebracht und ein jeder gegen seine Obrigkeit aufgewiegelt durch Herrn Jürgen Wullenwever, Bürgermeister zu Lübeck, und seinen Gehilfen Marx Meyer. Sie haben bald nach dem Tode König Friedrichs von Dänemark Herrn Christian, Herzog von Holstein, mit offenem Kriege bedroht. Ja, man hatte die ausgesprochene Absicht, das Königreich Dänemark zu erobern. Zu Lübeck entsetzten sich die alten Ratsherrn und billigten ihren aufrührerischen Handel in keiner Weise. Sie meinten, daraus könne für die gemeinen Städte kein Nutzen erwachsen, sondern vielmehr ein merklicher Schade. So erwählten sie einen neuen Rat, der ihrer Ansicht war, und stärkten sich mit 60 Männern aus der Bürgerschaft.

Marx Meyer war ein Schmiedegesell und ein gar tüchtiger Hufschmied. Dadurch hatte er Gelegenheit gehabt, unter dem Troß der Reisigen einige Feldzüge mitzumachen. Er hatte eine Figur, gar herrlich anzusehen, groß und schön. Bei der Reiterei und vorm Feinde hielt er sich so tüchtig, daß man ihn nicht bloß zu den vornehmsten kriegerischen Aufgaben gebrauchte, sondern daß er sogar in England zum Ritter geschlagen wurde. Auch besaß er ein recht ansehnliches Barvermögen. Als er aber derart höher und höher emporstieg, wurde er hof-

44

färtig und stolz. Jetzt kleidete er sich wie ein Ritter,
trug seinen adligen Stand auf alle Weise zur Schau mit
kostbaren Kleidern, Goldketten und Ringen, mit stattlichen
Rossen im Stalle und vielen Knechten. Wie es denn oft
so geht, daß Leute von niederer Herkunft im Glück kein
Maß zu halten wissen. Was vornehm war, buhlte um
seine Freundschaft, voran reiche junge Weiber, darunter
manche, denen man es im Leben nicht zugetraut hätte.

Im Jahre 1534, im Juni, als die Räte in den wendischen
Städten gewahr wurden, daß der Krieg zu einem bösen
Ende führen werde und man sich ohnehin scheute, dem
frommen Herzog von Holstein feindlich zu begegnen,
schrieb man einen Städtetag nach Hamburg aus, mit der
bestimmten Absicht, dem Wullenwever und Marx Meyer
den hoffärtigen Sinn zu brechen und sie zum Frieden zu
bewegen. Aus Stralsund wurde zu diesem Tage Herr
Nicolaus Smiterlow abgeordnet. Aber was geschah?
Wullenwever blieb hartnäckig auf seinem stolzen übermütigen Sinn beharren und war nicht dahin zu bringen,
vom Kriege abzustehen, auch nicht auf Grund von glimpf-
lichen Friedensbedingungen. Bei dieser Gelegenheit
sprach unser Bürgermeister die für Wullenwever und seine
Genossen höchst bedeutungsvollen, prophetischen Worte:
„Herr Jürgen, ich bin schon bei vielen Handlungen zugegen gewesen. Aber noch nie habe ich es erlebt, daß
man so wie Ihr mit den Dingen umspringt. Glaubt mir,
Ihr werdet noch einmal mit dem Kopf gegen die Wand
rennen, so daß Ihr auf Eure Hinterseite zu sitzen kommt!"
Als er dies gehört hat, steht Wullenwever voll zornigen
Mutes auf und geht aus der Städteversammlung stracks
in seine Herberge. Daselbst lassen er und Marx Meyer
alsbald satteln, und spornstreichs geht's auf die Reise
nach Lübeck. Hier läßt er sofort seinen aufrührerischen
Rat und die 60 zusammenkommen. Die beschließen flugs

zum eilenden Kriege Soldaten aufzubringen. Dann schickt er rasch einen aufrührerischen Buben, mit Namen Hans Holm, mit mündlicher Werbung und Schriftstücken an die Aufrührer zu Stralsund und an die 48, ungefähr des Inhalts: Er, Wullenwever, hätte es sich mit allem Fleiß angelegen sein lassen, Fürstentümer, ja sogar ganze Königreiche an die Hansestädte zu bringen. Dabei aber sei ihm ihr Bürgermeister Smiterlow hinderlich gewesen. Deswegen habe er sich von dem Städtetage getrennt, denn der Krieg dürfe doch nicht aus dem Grunde unterlassen werden, weil Smiterlow ihn widerraten habe. Sie würden auch wohl wissen, was sie zu tun hätten und sich dabei nicht lange überlegen und umschauen.

Dadurch wurde die ganze Bürgerschaft gegen Smiterlow aufgehetzt.[1]) Die 48 liefen zum Bürgermeister Lorbeer — denn der beneidete Smiterlow im stillen, besonders weil dieser ihm häufig vorgezogen wurde. Sie klagten also, daß Smiterlow zum Frieden geraten habe, während doch die Städte durch den von Lübeck begonnenen Krieg zu großem Ansehen und Glück gelangen könnten. Lorbeer rieb sich den linken Arm mit der rechten Hand und gab ihnen diese gewundene Antwort: „Es wird zu viel, ich kann ihm nicht helfen." Daraus entnahmen die 48 die Meinung, Smiterlow treibe es zu weit mit strafwürdigen Vergehen, so daß er, Lorbeer, es jetzo nicht

---

[1]) Das klassische Buch über den Wullenweverschen Aufstand ist noch immer: G. Waitz, Wullenwever und die europäische Politik, 3 Bde. 1855/56.

Sastrow ist ein abgesagter Feind von bürgerlichen Revolutionen. Offenbar haben ihn die Leiden seines Großoheims tief ergriffen: er ist ein glühender Verehrer dieses wackern Mannes gewesen. Naturgemäß ist er gegen Moller und besonders gegen den Bürgermeister Lorbeer und seinen Anhang voreingenommen. Augenscheinlich läßt er dem mutigen Auftreten dieses Mannes keine volle Gerechtigkeit widerfahren, vergl. S. 50 ff.

mehr verantworten noch entschuldigen könne. Wie nun Herr Nicolaus Smiterlow nach Hause kam, ging das bereits angelegte und glimmende Feuer, an dem Lorbeer noch geschürt hatte, lichterloh auf. Der eine sagte es dem andern an, „Claus Friedemacher" sei wieder heimgekommen —, so benannte man den Bürgermeister. Alsdann ward ihm auferlegt, der gesamten Bürgerschaft — die sich auf den Morgen Schlag 6 Uhr auf dem Rathaus zusammenfand — Bericht zu erstatten. Alle Stadttore wurden verschlossen. Alles Feldgeschütz ward vom Zeughaus — das stand da, wo jetzt der Stadtzimmerhof liegt — auf den alten Markt gebracht und in Ordnung nebeneinander aufgestellt. Und es geschah in der Stadt solch ein Zusammenströmen, daß es erschrecklich anzusehen und höchlich zu verwundern war.

Auf dem Rathaus war ein derartiges Getümmel, daß einem Hören und Sehen verging, besonders als der Bürgermeister in seinem Bericht dessen gedachte, daß er Wullenwevers kriegerischen Anschlägen widersprochen hätte. Da ging es erst los mit Schelten, Schmähen und Fluchen, als wären sie ein heller Haufe Meerkatzen gewesen. Sie wollten den Bürgermeister zum Fenster hinauswerfen. Einer schmeißt gar mit einem Handbeil nach dem Ratsstuhl. Henning Kaßkow, ein ehrlicher, frommer Mann, sprang in den Wurf des Beiles und fing es auf, ward aber dadurch am eigenen Leibe gar hart verwundet. Ein anderer trat vor und sprach zum Bürgermeister: „Du Bösewicht, du hast mich einmal wider göttliches und menschliches Recht mit 20 Gulden geschatzt. Jetzt soll es dir vergolten werden." Und als der auf des Bürgermeisters Frage seinen Namen genannt hatte, bekannte der Bürgermeister, daß er freilich damals als Stadtvogt 20 Gulden von jenem empfangen habe und daß ihm eigentlich unrecht geschehen sei. „Denn, wenn dir recht geschehen

wäre," sprach Smiterlow weiter, „dann hättest du hoch oben am Galgen verdorren müssen. Ein Hoher Rat aber hat dir Gnade erzeigt und dir das Leben geschenkt und hat befohlen, dir 20 Gulden abzunehmen, und die hab' ich von dir empfangen. Ich habe sie aber nicht zu meinem Nutzen verwendet, sondern für die Stadt, und laut meiner vorgelegten Bücher — in denen ich Rechenschaft darüber abgelegt — ausgegeben." Der Kerl verkroch und versteckte sich unter den Bürgern, so daß man nicht gewahr wurde, wo er verblieb.

Die Bettler nun erst, denen doch der Bürgermeister so oft an seiner Tür hatte Almosen geben lassen, standen auf dem Markt und schrien aus vollem Halse hinauf: „Werft uns Claus Friedemacher herunter, wir wollen ihn in Stücke reißen und damit Ball spielen." Worauf Blomenow oder ein anderer 48er hinunterfragte: „Lieben Bürger, was sagt denn ihr dazu?" Da antwortete der große Haufe, der doch nichts verstand, ja nicht einmal hörte, was gefragt wurde: „Ja, ja!" Ein Spaßvogel ruft von oben: „Worauf antwortet ihr denn mit „ja, ja"? Es wurde doch gefragt, ob ihr Grundsteuer geben wollt." Hei, da waren ungleich mehr, die „Nein, nein!" antworteten. In Summa, der Teufel ging, weiß der liebe Himmel, dazumal auf Stelzen umher.

Nachdem sie nun mit dem ehrlichen, alten Herrn, ihrem wohlverdienten ältesten Bürgermeister, von 7 Uhr morgens bis 7 Uhr auf den Abend ein wahres Passionsspiel aufgeführt hatten, haben sie ihm ernstlich auferlegt, nach Hause zu gehen und dort zu bleiben.

Dasselbe haben sie meinem Vater, als dem Verwandten des Bürgermeisters, befohlen, und sodann Joachim Rantzau, nur weil er die Worte gesprochen hatte: „Ei, man sollte doch etwas glimpflicher verfahren und die Leute wenigstens zur Antwort kommen lassen!"

48

Und alsbald wurde beschlossen, Soldaten auf die Kriegsschiffe zu nehmen, auch bei Tag und Nacht inner- und außerhalb der Stadt Wachen zu stellen. Vor Smiterlows Haus und da herum wurde denn auch scharf Nachtwache gehalten. Die Kerle schossen ihm gar durch die Haustür hinein und wieder heraus, also daß er mit Weib und Kindern in großer Sorge, Gefahr und Not mußte im Bett liegen bleiben und stündlich auf einen tätlichen Überfall gefaßt sein.

Die Schiffsgeschütze wurden alsdann in großer Anzahl auf die Kriegsschiffe hinuntergebracht, die Schiffe aber mit Kriegsleuten und was dazu gehört ordentlich besetzt und in die See hinausgeschickt, den Lübeckern zu Hilfe.

Mein Vater wurde $^5/_4$ Jahre lang, also fast bis zur Mitte des Jahres 1535, in seinem Einlager gehalten. Das brachte ihm großen merklichen Schaden. Denn er hatte um die Zeit der bevorstehenden Schonenreise — weil damals zu Falsterboe ein großer Handel mit Heringssalzen betrieben wurde — seine Speicher, ja sogar den Hausflur mit Lüneburger Salz belegt, item Fische lagerten dort, sowie allerlei Gewandtuche. Er durfte aber nicht über seine Schwelle gehen. Keinem Menschen war es erlaubt, mit ihm zu reden. So saß er da und war all seiner guten Geschäfte los und ledig.

Für sein eben geborenes Kind sich einen Gevatter zu bitten, ist ihm gleichfalls abgeschlagen worden.

Jürgen Wullenwever und die aufrührerische Rotte aus den wendischen Städten mit ihm zogen zu Wasser und zu Lande gegen ihre Feinde ins Feld und stritten gar hart miteinander. Aber obwohl die Städte so stark im Felde waren, daß auf je einen Holsteiner zwei der ihrigen kamen, hat der Herzog von Holstein gleichwohl das Feld behauptet. Und daraus kann man unschwer erraten, daß

in dem unnötigen aufrührerischen Wullenweverschen
Kriege auf städtischer Seite ganz und gar kein Glück war.
Unser Herrgott selbst lag wider sie zu Felde. Da sind
sie kleinmütig geworden, hätten von Herzen gewünscht,
daß sie das leidige Schaf niemals gesehen hätten. Gar
schwermütige Gedanken sind ihnen gekommen. Denn
auf der einen Seite erblickten sie die göttliche Ungnade
und das Glück, welches ihnen entgegen war. Auf der
andern Seite aber stand ihnen Hohn, Schimpf und Schande
bevor, auch große Gefahr zu Hause bei ihren Mitbürgern.
Das Ansehen der 48er bekam Löcher, ihre Gewalt war in
Schwachheit und tiefste Verachtung umgewandelt. Sie
sahen, daß der Wolf sie bei den Ohren hatte. Wie sollten
sie dessen ledig werden? Man kam also überein, ein
anderes Oberhaupt als Wullenwever zu suchen, und man
fing an, mit Herzog Albrecht von Mecklenburg in Unter-
handlung zu treten. Man wollte ihm die dänische Königs-
krone versprechen und ihn aller Hilfe versichert halten.

Darauf sind die Gesandten von Lübeck, Rostock und
Stralsund nach Wismar gezogen und haben im Rate zu
Wismar acht Tage lang mit dem Herzog von Mecklenburg
verhandelt. Der Schluß war, daß sie ihm das dänische
Königreich übertragen haben mit Brief und Siegeln. An
diese Urkunde haben die von Lübeck, Rostock und Wismar
ihr Stadtsiegel gehängt und haben den Brief sodann nach
Stralsund geschickt, damit er auch hier ein Siegel bekäme.
Der Rat zu Stralsund war entschieden dagegen, aber die
48er wollten ihrem getreuen und nützlichen Rat nicht
folgen, sondern schenkten den großen Worten und Versprechungen der Lübecker mehr Vertrauen und wollten
ihr Leben, Hab und Gut daran setzen. Mit Gewalt
erbrachen sie den Schrank, worin der Stadt Großsiegel
bewahrt wurde und hängten es gleichfalls an den Brief.
Den schickten sie alsbald nach Wismar zurück. Als man

Barthol. Sastrow   4

nun dort sah, daß der Brief ordnungsmäßig versiegelt war, läßt der Herzog von Mecklenburg die Gesandten der vier Städte auf den kommenden Mittag zu sich zu Tisch bitten. Da sollte auch der versiegelte Brief Seiner Fürstlichen Gnaden übergeben werden.

Die Abgesandten aus Stralsund hielten bei den übrigen Gesandten darum an, daß ihnen der Brief frühmorgens anvertraut würde. Als man ihn in Händen hatte, ließ sich Herr Christoffer Lorbeer von einem der Anwesenden ein kleines Brotmesser geben und schnitt das Stralsundische Amtssiegel vom Brief herunter. Dann läßt er schleunigst anspannen, und die Herren fuhren so rasch davon, daß sie wohl schon auf halbem Wege nach Rostock waren, ehe die andern städtischen Vertreter zu Tische gingen.

Diese kecke oder eigentlich recht vermessene Tat des Herrn Lorbeer wurde von ihm selbst und seinem ganzen Geschlecht höchlich gerühmt, und noch jetzt ist viel Redens davon, daß der Herr Bürgermeister ohne Furcht vor der großen Gefahr, die ihm drohte, solch männliche heroische Tat gewagt habe.

Der Bürgermeister, Herr Nicolaus Smiterlow, hielt sich derweil ganz still und geduldig in seinem Einlager und bekümmerte sich nicht im mindesten um das, was inner- und außerhalb der Stadt vorging. Sondern er las fleißig in der Heiligen Schrift und vertrieb sich die meiste Zeit mit emsigem Beten, hat auch dabei den Psalter Davids von Anfang bis zu Ende auswendig gelernt. Wahrhaftig, ich habe die ganze Zeit über nicht ein einziges hartes Wort wider die aufrührerische Bürgerschaft oder seine Feinde aus seinem Munde vernommen, noch weniger einen Fluch oder Scheltworte. Sondern er pflegte zu sagen: „Es sind meine Mitbürger, ich muß es meinen Kindern zugute halten. Unser Herrgott wird sie noch bekehren."

Einer fürstlichen Legation an Rat und 48, daß sie

ihren Bürgermeister seiner langwierigen Haft entledigen möchten, wurde folgende Antwort zuteil: „Ein hoher Rat und die 48 haben im Namen der ganzen Bürgerschaft den Gesandten zu antworten, sie hätten ihren Bürgermeister ohne den Fürsten in Haft gelegt und wollten ihn auch ohne den Fürsten daraus befreien."[2])

Nicht lange danach hat man zwei Ratspersonen mit einem Schreiben an den Bürgermeister geschickt. Der Brief aber war bereits ausgefertigt und für drei Siegel Wachs hatte man drangehängt. Hier wurde ihm angezeigt, falls er sich dem Verlangen eines Hohen Rats unterwerfe und den Brief mit zweien seiner nächsten Verwandten besiegeln würde, dann solle er alsbald seiner zweijährigen Haft und der ihm bevorstehenden großen Gefahr los und ledig sein.

Es stand aber in dem Briefe zu lesen, daß er bekenne, an dieser Stadt verräterisch und als meineidiger Bösewicht gehandelt zu haben und daß er sich seiner Bürgermeister- und Ehrenämter für verlustig erkläre.

Die beiden Ratsherren stellten ihm die bevorstehende Gefahr als gar erschrecklich und groß vor Augen; die Bürgermeisterin aber bat unter heißen Tränen, er möge sich doch sotanem Schreiben unterwerfen, damit nur die unsinnigen Leute Ruhe bekämen. Unser Herrgott werde ihn schon dermaleinst erhören und retten. Zuletzt willigte er ein und wollte jetzt meinem Vater zumuten, den Brief mit zu untersiegeln. Aber das zu tun weigerte sich mein Vater mit den Worten: „Ich will Euch nimmermehr mit meinem Siegel ehrlos machen." So sind denn seine beiden

---

*) Die kühne selbstbewußte Haltung der Stadt den Pommerschen Herzögen gegenüber könnte auf den ersten Blick in Erstaunen setzen. Man muß aber bedenken, daß Stralsund damals noch eine freie Reichs- und Handelsstadt war. Als solche stand sie den Landesfürsten völlig unabhängig gegenüber.

4*

Schwiegersöhne durch das Weinen der Mutter dazu bewogen, mit zu untersiegeln. Alsdann sind sie allesamt
aufs Rathaus gegangen. Vorher ist er noch in sein Ge-
stühl in der St. Nicolauskirche getreten und hat ein kurzes
Gebet gesprochen. Ein Ehrbarer Rat und die 48er waren
indes auf dem Sommerhause versammelt. Herr Christoffer
Lorbeer hat ihn aufgefordert, an seiner Stelle im Ratsstuhl zu sitzen. Dessen weigerte er sich mit den Worten:
Er hätte selbigen Tages einen Brief untersiegelt, der klinge
nicht so, daß er sich an den Platz setzen könne. Weil
man aber nicht nachließ, ihn aufzufordern, ist er schließlich
in den Ratsstuhl getreten und hat folgende Meinung ausgesprochen: Er habe 100 und noch mehr Tagereisen im
Dienst dieser guten Stadt zurückgelegt. Wenn ihm nun
irgend jemand beweisen könne, daß er einen einzigen
Gulden zuviel verzehrt habe, den man anders hätte ersparen können, oder wenn man ihm irgend einen Nachteil
oder Versäumnis nachweisen könne, so wolle er außer
seinem Leben all sein Gut verwirkt haben, soviel er auf
dieser Welt besitze. Aber unter sotanen Umständen be-
gehre er zu wissen, ob man ihn auch wie andere Bürger
zu schützen gedenke. Item, ob er ohne Gefahr zur Kirche
oder auf Markt und Brücke gehen könne, auch unbehelligt
seinen Kaufmannsgeschäften nachgehen. Auf all das
wurde ihm mit ja geantwortet. Damit stand er auf,
wünschte einem Ehrbaren Rat ein glückselig und friedlich
Regiment und ist mit den Seinen nach Hause gegangen.

So blieb es dann mit ihm bis zum Jahre 1537. Er
war recht guten Mutes, ließ Rat und 48er regieren und
getröstete sich seines guten Gewissens, wartete seines
Hauses, wenn die Zeit es verlangte, ging fleißig zur Kirche,
fuhr im Sommer bei gutem Wetter auf seine Landgüter
hinaus und war mit seiner Familie da draußen fröhlich
und guter Dinge.

Im Jahre 1537 ist Jürgen Wullenwever, als er durch das Stift Verden hat reisen wollen, auf Befehl des Herzogs von Braunschweig gefangen gesetzt. Nach langer, harter Gefangenschaft zu Wolfenbüttel ist er im Herbst 1537 auf viele Anklagen hin gevierteilt worden. Bei Eroberung der Feste Wardenburg sind Marx Meyer und sein Bruder gefangen genommen und vor Herzog Christian gebracht, der eben Kopenhagen belagerte und sie mit besonderer Freude durch das Schwert hat hinrichten lassen.

Danach schickte man zwei vom Rat zum Bürgermeister Smiterlow und ließ ihn bitten, aufs Rathaus zu kommen, zugleich holten sie den aufrührerischen Rezeß und den ehrverletzenden Brief herbei. Da nun Smiterlow ins Gemach kam, begrüßte die Bürgerschaft ihn in allen Ehren mit dem früheren Spottnamen: „Da kommt unser lieber Vater Claus Friedemacher!" Alsdann setzten sie ihn auf seinen alten Platz, über Lorbeer, und baten ihn, er wolle weiterhin mithelfen, gut Regiment zu halten. Versprachen ihm auch, er solle fürderhin mit keinen beschwerlichen Gesandtschaften belästigt werden. Jetzt mußte der Sekretär mit dem Rezeß und dem versiegelten Brief des Bürgermeisters auf die Geldtruhe steigen, so daß all und jeder, auch der Bürgermeister selbst, es hat sehen können, wie sein Siegel und Brief gerichtet wurde. Der Rezeß wurde in 1000 Stücke zerrissen und von Smiterlows Brief die Siegel ebenfalls abgeschnitten. Aber die Bürger waren damit noch nicht zufrieden, sondern riefen dem Sekretär zu, daß er vor aller Augen den Brief von oben bis unten mit dem Messer entzwei schneiden solle.

So lange mag es geschehen, daß solche aufgedrungenen Rezesse, oder, wie man's nennen will, bestehen bleiben, um alsdann mit Schimpf und Schande umgestoßen und für nichtig erklärt zu werden.

6. Kapitel
Studentengeschichten von ihm selbst und seinem Bruder

Als mein Bruder Johannes zu Wittenberg Magister geworden war, an erster Stelle unter dreizehn Bewerbern, und als er darauf dem elterlichen Wunsche gemäß heimgekommen war, hat er vor seinem Abzuge aus Wittenberg von D. Martin Luther ein Schreiben an meinen Vater mitbekommen. Dieser hatte sich nämlich infolge seines Rechtsstreites etliche Jahre lang des Abendmahls enthalten. Das Schreiben lautete aber also:[1])

---

[1] Das nachstehende Schreiben des Reformators an Sastrows Vater ist ein höchst beredtes Zeugnis für die treue, persönliche Art, in der Martin Luther sogar an Leute schrieb, die ihm ganz unbekannt waren.

Schon jahrelang schwebte ein Rechtshandel zwischen dem alten Sastrow und der Familie Bruser. Sastrow hatte einmal zwei wucherischen Weibern aus jener Familie Geld vorgestreckt. Der Fall wird in unserer Chronik mit großer Ausführlichkeit behandelt, bietet aber eigentlich wenig Interesse. Wir begnügen uns deshalb mit seiner bloßen Erwähnung. Indessen war der Prozeß in seinen Folgen für die Sastrowsche Familie von größter Bedeutung. Unserm Bartholomeus haben die unsicheren Geldverhältnisse des Vaters das Studium abgekürzt. Aber auch die Jahre in Speier und Worms stehen unter dem Zeichen des langwierigen Rechtshandels. Allein und mit seinem Bruder mußte er die Sache der Eltern am Reichskammergericht vertreten. —
Martin Luther begnügt sich in dem von uns angeführten Briefe nicht mit leeren Trostgründen oder einem billigen Ratschlage.

55

„Dem ehrbaren fürsichtigen Nicolaus Sastrow, Bürger zu Stralsund, meinem wohlgünstigen Freunde!

Gruß und Frieden zuvor! Es hat mir Euer lieber Sohn, Magister Johannes, die beklagenswerte Tatsache mitgeteilt, lieber Freund, daß Ihr Euch so viele Jahre schon des heiligen Sakramentes enthaltet, zu einem großen, ärgerlichen Exempel der andern. Und er hat mich darum gebeten, Euch zu ermahnen, doch von solch gefährlichem Vornehmen abzustehen, weil wir keine Stunde unseres Lebens sicher sind. So hat mich seine kindliche treue Sorge um Euch, seinen Vater, dazu bewogen, diesen Brief an Euch zu senden. Meine Ermahnung als Christ und Bruder — denn das sind wir in Christo einander schuldig — geht nun dahin, Ihr möchtet von solchem Vorhaben abstehen und bedenken, daß Gottes Sohn viel mehr gelitten und seinen Kreuzigern hat vergeben müssen. Müsset Ihr doch am Ende, wenn Euer letztes Stündlein schlägt, Euren Feinden vergeben, wie ein Dieb am Galgen vergeben muß. Ob Ihr aber in der Sache Recht erhaltet, das lasset ruhig seinen Weg gehen und wartet den Rechtsspruch ab. Das ist aber durchaus kein Hindernis, zum Sakrament zu gehen. Wenn dem so wäre, dürften ja wir selbst und ebenso unsre Fürsten nicht zum heiligen Abendmahl gehen, weil die Sache zwischen uns und den Katholischen noch in der Schwebe ist. Befehlt Ihr nur ruhig Eure Sache dem guten Recht. Aber bis dahin macht

---

Er packt vielmehr den Fall ganz von der praktischen Seite. Als Christ und Bruder spricht er zu Sastrow. Hat doch unser Herr seinen Peinigern noch viel mehr zu verzeihen gehabt. Vom rein menschlichen Standpunkte möchte er aber gleichfalls zum Frieden raten. Recht wirkungsvoll schließt er mit dem Hinweis, daß zwischen Protestanten und Katholiken der Streit noch ungeschlichtet sei. Und dennoch gingen ja beide Parteien inzwischen ruhig zum Tisch des Herrn.

Euer Gewissen frei und sprecht: „Wem das Recht zufällt,
der hat recht. Inzwischen aber will ich dem Mann vergeben, der unrecht getan hat und will an den Tisch des
Herrn treten." So werdet Ihr mit nichten unwürdig heran-
gehen. Wollt Ihr doch Recht begehren und Unrecht er-
leiden, je nachdem es der Richter für Recht oder Unrecht
erkennt. Solche Ermahnung nehmt nicht für ungut, hat sie
mir Euer Sohn doch mit allem Fleiß abgerungen. Und
hiemit Gott befohlen!"

Das Original dieses Briefes werden meine Kinder
neben andern wertvollen Schriftstücken an einem sichern
Orte vorfinden. Und ich hoffe, sie werden denselben mit
Fleiß bewahren als ein Schriftstück von der Hand des
erleuchteten, heiligen, teuer werten Mannes, der sich um
die ganze Welt hochverdient gemacht hat, werden das
Schriftstück auch lieb und wert halten und es dermaleinst
ihren Kindern weitervererben.

Als dieser mein Bruder Johannes von Rostock und
Lübeck zurückfahren wollte, hat er von Rostock bis gegen
Stralsund auf dem Fuhrwagen einen gewissen Herrn
Heinrich Sonnenberg und eine Frau zu Gefährten ge-
habt. Sonst ist noch neben dem Wagen hergeritten Hans
Lagebusch und ein feiner junger Geselle, Hermann Lepper
mit Namen. Der hatte gegen Boleslawsche Schillinge und
andres Geld Münze aus Gadebusch geholt, die dort ge-
prägt war, an die 100 Gulden. Die lagen auf dem Wagen.
Das ist etlichen Schnapphähnen — wie man dies Diebs-
gesindel nennt — zu Ohren gekommen. Die haben sich
auf den Weg gemacht, um eine gute Beute zu ergattern.
Denn dazumal war Straßenraub keine Seltenheit im Lande
Mecklenburg. Man pflegte die Täter nicht einmal ernstlich
zur Rechenschaft zu ziehen. So kam es sogar vor, daß
Leute von Adel und aus vornehmem Geschlecht sich daran
beteiligten. Die Buschklepper durften damals mit Fug

und Recht sagen: wenn wir im Fall einer Entdeckung 300 Gulden drangeben, so behalten wir noch 200 und bringen uns aus aller Gefahr. Jetzt freilich ist es besser geworden im Lande Mecklenburg. Wie der Wagen nun durch das Dorf Willershagen gezogen kam, nahe bei Rostock, da, wo die Rostocker Heide anfängt, stiegen die, welche im Wagen gesessen hatten, mit ihren Waffen herunter. Die beiden Reiter hätten nur lieber in der unsichern Gegend beim Wagen bleiben sollen. Aber die ritten weit voraus. Zu ihnen gesellten sich die Schnapphähne. Einer insonderheit machte sich an Lagebusch heran. Sie sprachen vertraulich miteinander. Als sie nun so zusammen ritten, daß der Bandit nach Lagebuschens Pistole greifen konnte — es war damals noch nicht Sitte, zwei Pistolen am Sattel zu tragen —, da reißt er ihm die gespannte Büchse vom Halfter und holt damit Hermann Lepper ein, der nach dem Wagen zurückreitet. Den erschießt er, so daß er vom Pferd herunterpurzelt. Hans Lagebusch ergreift das Hasenpanier und sprengt in der Richtung auf Ribnitz. Herr Heinrich Sonnenberg aber läuft in den Wald und versteckt sich im Dickicht. Mein Bruder hatte einen Schweinespieß in der Hand. Damit stellt er sich ans Hinterrad, so daß die Bösewichter ihm nicht in den Rücken kommen konnten. Von vorne wehrte er sich und wies einen nach dem andern zurück. Und das ging nicht ohne Schmerzen ab, denn einem stieß er den Spieß neben dem Schenkel in den Leib, so daß er in den Wald flüchtete, vom Pferde sank und da liegen blieb.

Indem reitet ein anderer voll Grimm auf ihn los und haut ihm ein Stück vom Schädel herunter, wohl einen Taler groß, so daß ein tüchtiges Stück von der Hirnschale an dem abgehauenen Fetzen hängen blieb. Und mit demselben Schlage versetzte der Kerl ihm einen Hieb in den Hals, so daß er zu stürzen kam und für tot liegen

blieb. Die Bösewichter plünderten alsdann den Wagen und nahmen alles, was darauf war, in ihren Besitz. Dann griffen sie das Pferd ihres verwundeten Genossen auf, als sie sahen, daß der Bursche genug bekommen hatte. Denn man sah nur zu gut, daß er zu schwach war, um ihn mitzunehmen. So hat man ihn wohl oder übel liegen lassen müssen. Dem Fuhrmann ließen sie seine Pferde. Sie selbst sind mit ihrem Raub auf und davon gegangen. Jetzt ist Herr Heinrich Sonnenberg wieder aus dem Busch hervorgekrochen und zum Wagen gekommen. Sie haben meinen Bruder auf den Wagen gelegt. Die Frau aber hatte seinen Kopf, den sie mit ihren Tüchern umwunden hatte, auf ihrem Schoß. Den toten Körper des Hermann Lepper legten sie ihm zwischen die Beine, und so fuhren sie ganz langsam auf Ribnitz zu. Da wurde ihm die Wunde derartig verbunden, daß der Chirurgus ihm etliche Nadeln an den Hals legen mußte. Das wurde bekannt bis Rostock. Ein Hoher Rat schickte Diener hinüber, die fanden den verwundeten Schnapphahn und nahmen ihn mit nach Rostock. Aber sobald sie ihn in die Höhe richteten, verschied er leider Gottes, so daß man nicht von ihm hat erfahren können, wer die andern waren, obwohl es nicht lange verschwiegen werden konnte. Aber die Anverwandten taten alles, es zu vertuschen, damit nicht jedermann davon hörte. Die Obrigkeit aber, derart bearbeitet, ließ es an dem gebührenden Ernst fehlen.[2]) Gleichwohl ward der tote Bösewicht vor Gericht gebracht und von da hinaus auf die Landwehr. Daselbst hat man ihm den Kopf abgehauen, denselben auf eine Stange gesteckt, und viele Jahre lang hat man ihn da sehen können. Lagebusch brachte die Geschichte nach Stralsund. Der Rat gab alsbald meinem Vater einen geschlossenen Wagen mit vier

---

[2]) Vergl. Anm. 2 des 1. Kapitels.

Amtspferden; man nahm auch Bettzeug mit. Am selbigen
Abend noch fuhren wir los, die ganze Nacht über, bis wir
morgens früh nach Ribnitz gelangten. Da fanden wir
meinen Bruder in großer Schwäche, blieben aber den Tag
über in Ribnitz, um der Pferde willen, ließen den er-
schlagenen Hermann Lepper christlich und ehrlich zur
Erde bestatten, nachdem vor Gericht in gebührender Weise
Recht gesprochen war. Gegen Abend verließen wir
Ribnitz, nachts ging es nur ganz langsam. So brachten
wir den Verwundeten andern Tags nach Stralsund zum
Meister Geelhas, der ein berühmter Wundarzt war. Unter
dessen sorgsamer Pflege wurde der Patient ziemlich bald
geheilt.

Auf den Rat meines Bruders schickten meine Eltern
mich nach Rostock in die Schule von Arnold Barenius
und Heinrich Lingens, mit dem er in Wittenberg gut
Freund gewesen war. Er schrieb ihm auch, daß ich zu
Greifswald bereits Studiosus gewesen sei.[5] Aber als die

---

[5] Sastrows Angaben über seine Schul- und Universitäts-
jahre muten recht verwirrt und unklar an. Man bedenke aber,
daß diese Zeit über 60 Jahre zurücklag, als der Chronist im
75. Lebensjahre an die Arbeit ging.

Schule und Universität waren damals noch nicht so streng
voneinander geschieden wie heute. Sastrow hat in Rostock
scheinbar eine Art Pädagogium besucht, das im wesentlichen den
Oberklassen eines heutigen Gymnasiums entsprach. Es ließe sich
in seinen Anforderungen etwa mit der mittelalterlichen Artisten-
fakultät vergleichen und hatte Ähnlichkeit mit dem akademischen
Gymnasium, das bis vor einigen Jahrzehnten in Hamburg bestand.
Die Unterrichtsweise zeigt sehr viel Anklänge an die englischen
Universitäten unserer Zeit. Die Studenten waren nämlich bestimmten Lehrern zuerteilt und wohnten in gemeinsamen Quar-
tieren, sog. Bursen (daher die Bezeichnung: Bursch).

Was die studentischen Gebräuche angeht, wie sie Sastrow
uns schildert, so weisen sie gar manchen verwandten Zug mit
unserm Verbindungswesen auf. Der Pennalismus ist ja freilich

Burschen erfuhren, daß ich inzwischen in Stralsund wieder die Schule besucht habe, begann ein unaufhörliches Schnauben und Rufen, als ich das Auditorium betrat. Der Depositor riß mir den Mantel herunter. Ich hatte gerade ein großes Tintenfaß in der Hand, das goß ich ihm dafür ins Gesicht. Nun hatte der Depositor einen langen, grauen Mantel an. Der war mit schwarzen Schnüren besetzt, wie es damals Sitte war. Diesen Mantel begoß ich jetzt von oben bis unten mit Tinte. Aber der Depositor hat's mir redlich wiedererstattet. Denn wollte ich Frieden haben, mußte ich wohl oder übel von neuem deponiert werden. Dabei bekam ich manchen harten Schlag. Und als es ans Bartscheren ging, schnitt der Depositor mir mit dem hölzernen Rasiermesser ein Stück aus der Oberlippe, das heilte sehr langsam.

Die beiden Magister hielten in der Arnßburg zusammen ihren Unterricht, hatten auch den meisten Zulauf. Mit den beiden Magistern zusammen an die 30 Personen, gingen wir zu Herrn Jakob Broeker Mittag essen und zahlten fürs Essen 16 Gulden im Jahr. Dafür gab's im Winter tagsüber einen Imbiß und zwei Mahlzeiten, im Sommer außer den beiden Mahlzeiten und dem Imbiß noch nachmittags Dickmilch oder etwas ähnliches.

---

in seinen ärgsten Auswüchsen verschwunden. Aber manche Zeremonien, wie die Fuchsentaufe, sind noch heute lebendig. Mit Recht erinnert Mohnike an die verwandten Verhältnisse im Zunftwesen. Auch auf die Äquatortaufe, wie sie besonders auf deutschen Schiffen noch immer im Brauch ist, ließe sich wohl hinweisen.

Der in dieser Beschreibung erwähnte Depositor — eine Art Fuchsmajor in unserer Studentensprache — bekleidete ein besoldetes Ehrenamt. Außer der hier genannten Sitte des Rasierens gab's noch andere spaßhafte Methoden einer symbolischen Reinigung, wie Hörnerabsägen, Zähnereinigen, Nägelabschneiden u. a. m., die mit allerlei Scherzfragen gewürzt waren.

Als ich zwei Jahre in Rostock gewesen war, beschwerten sich meine Eltern über die Unkosten. Als sie aber merkten, daß ich mich dem theologischen Studium widmen wollte, waren sie gar nicht zufrieden damit und wollten, ich solle nach Hause kommen. Ich meinte, daß ich noch zu jung und ungelehrt sei, um mich schon einer bestimmten Fakultät anzuschließen. Vom Studieren wollte ich aber um keinen Preis ablassen, klagte deshalb meinen Lehrern mein Leid. Die erließen mir, was ich und die andern ihnen für den Unterricht gaben. Alsdann verhandelten sie mit unserm Wirt, daß ich ihm jährlich nur acht Gulden fürs Essen zahlen sollte. Dafür übernahm ich das Tischdecken, Auf- und Abtragen von Speise und Trank, mußte auch den Bartelt Broeker, sein Söhnchen, beaufsichtigen, ihm besonders die Bücher beieinander halten. Der Bursche war übrigens länger als ich und geriet so wohl, daß er nachmals auf die Strafanstalt ziehen mußte. Diesem Junker hatte ich auch die Schuhe zu putzen und ihn aus- und anzukleiden. Damit nicht genug, mußte ich auch Magister Henning Lingen die Stiefel putzen, das Bett machen und die Stube heizen, ihm in die Kirche und auch sonst, wo er ging und stand, nachfolgen und ihm im Winter Licht bringen. Anfangs fiel mir das recht schwer, vollends da ich zwei Jahre lang mit meinen Mitschülern am Tisch gesessen und mir hatte auftragen und vorsetzen lassen. Aber was sollte ich machen? Ich konnte nichts daran ändern. Der Unterricht war übrigens gut, beide Magister gaben sich redlich Mühe. Alles Geld, was uns die Eltern schickten, mußten wir unserm Lehrer, Herrn H. Lingen, geben. Was wir dann nötig brauchten, gab er uns, und alles, was wir von ihm bekamen, wenn es auch bloß ein Dreiling war, mußte sauber gebucht werden, wofür wir's ausgegeben hatten.

Meine Herren Lehrer nahmen sich meiner an schon um

62

meines Bruders willen, aber auch weil sie sahen, daß ich den Studien treu blieb. Ich harrte denn auch fleißig bei ihnen aus und wartete ihnen auf. Das war wieder meinen Mitstudenten nicht recht, die waren gar nicht mit mir zufrieden. So entschloß ich mich denn, den Platz zu wechseln und auf den Rat meines Bruders nach Greifswald zu ziehen.⁴)

---

⁴) Pyl, Sastrows Biograph in der Allgem. Deutschen Biographie, hebt ausdrücklich hervor, daß gerade Sastrows Studentenzeit mit ihren mannigfachen Leiden und Entbehrungen eine vortreffliche Schule für seinen Charakter gewesen sei: Fleiß und Ordnung, Sparsamkeit und echter Mannesmut, das seien die Früchte dieser harten Zeit gewesen.

7. Kapitel
Reise nach Speier und Aufenthalt daselbst

Der Prozeß mit Hermann Bruser am Kaiserlichen Kammergericht fiel meinen Eltern auf die Länge so beschwerlich, daß sie meinen Bruder und mich schließlich auf zwei Klepper setzten, damit wir nach Speier ans Reichskammergericht ritten und daselbst auf eigene Faust nach dem Rechten sehen könnten. Im Juni 1542 sind wir am ersten Tage bis nach Greifswald gekommen. Dahin haben unsre Eltern uns das Geleit gegeben. Sind auch noch den nächsten Tag in Greifswald geblieben bei unsrer Großmutter und im Kreise von andern guten Freunden. Ich war fröhlich und guter Dinge, mein Bruder aber melancholisch und traurig. Meine Mutter sprach zu ihm: „Mein lieber Sohn, sieh doch, wie vergnügt dein Bruder ist, warum bist denn du so traurig?" Darauf jener: „Ja, mein Bruder hat von Natur ein fröhlich Herz, schlägt alles in den Wind und sieht nicht voraus, was die Zukunft bringt."

Auf der Weiterreise zwischen Erfurt und Gotha halbwegs, anderthalb Meilen von Erfurt an der Landstraße, steht ein großes Wirtshaus. Da kehrten wir ein, um den Pferden einen halben Ruhetag zu geben und unser Zeug in Ordnung zu bringen. Wir bezahlten aber schon am Abend vor Schlafengehen unsre Zeche.

Am andern Morgen rüsteten wir uns zur Weiterreise, saßen auf und ritten auf Gotha zu. Als wir dahin kamen, vermißte mein Bruder seine Geldtasche, worin wir unser

64

ganzes Reisegeld hatten. Er erinnerte sich aber genau daran, daß er sie in der letzten Nacht hatte in seinem Bett liegen lassen. Da waren wir doch recht erschrocken, denn wir hatten vom lieben Gelde nicht eben viel, und es war sehr zweifelhaft, ob wir es wiederbekämen, nach dem Äußeren der Herberge zu urteilen.

Ich gab meinem Klepper zu fressen, setzte mich drauf und ritt zum Wirtshaus zurück. Ich hielt mich auch nicht lange auf, um recht bald zum Ziele zu kommen. Ich ließ mir kaum Zeit, den Klepper anzubinden, und lief auf unsere Kammer. Der Hausknecht kam spornstreichs hinter mir her. Der war nicht faul und griff nach dem Geld, als ich's noch eben vor ihm zu fassen kriegte. Gleichwohl beanspruchte der Bursche ein Trinkgeld; und ich bin der Meinung, wäre er oder die Hausmagd vor meiner Rückkehr ans Bett gekommen, wir hätten unsern Geldbeutel nicht wiedergesehen. Obwohl nun die Sonne schon im Untergehen war, deuchte es mir doch unsicher, die Nacht allein dazubleiben. Ich ritt also wieder nach Gotha. Aber eine halbe Meile von da lag ein schönes Dorf. Wie ich dahin kam, war's dunkel. Ich ging daher ins Wirtshaus; das war voll von Bauern; es war nämlich Sonntag. Vor zwei Stunden erst hatten die mich in aller Eile hindurchreiten sehen. Sprachen untereinander: „Ei, sieh da, sagten wir nicht schon: das ist der Postbote des gnädigen Kurfürsten?" Der Wirt ließ durch den Hausknecht auf das beste für meinen Klepper sorgen, wollte auch nicht erlauben, daß ich mich nach ihm umsähe. Sondern er ruhte nicht, bis ich am Tische saß. Da wurde allerlei Gutes aufgetragen, Gebratenes, Gesottenes und extrafeiner Wein. Die andern Gäste und der Wirt wußten nicht, wie freundlich sie sich gegen mich erweisen sollten. Vorm Schlafengehen wollte ich Rechnung machen und zahlen, damit ich andern Tags um so zeitiger aufstehen könnte.

Der Wirt aber ließ nicht ab, ich dürfe nicht weiterreiten, ich hätte denn vorher eine gute Suppe gegessen. Und wenn ich gleich acht Tage bei ihm bleiben wollte, es sollte mich keinen roten Heller kosten. Um meines gnädigen Herrn willen möge ich ihm wenigstens verstatten, soviel zu tun. Damit führt er mich in eine Kammer und an ein weiches, blitzsaubres Bett. Ich hatte mich recht müde geritten, war froh über den wiedergefundenen Säckel, hatte gut gegessen und getrunken, schlief deshalb auch am Montag desto länger; vor der Abreise gab's noch eine Suppe.

Währenddessen gereute es meinen Bruder, daß er mich allein hatte reiten lassen. Das schlechte Aussehen des Wirtshauses wollte ihm nicht aus dem Sinn. Zudem war verabredet, daß das Stadttor für mich offengehalten werden sollte. Ich aber blieb auch noch den halben Montagmorgen fort. Wer war daher betrübter als mein Melancholicus! Er schickte extra einen Boten nach mir aus mit genauer Beschreibung des Pferdes sowie meiner Person und Kleidung. Als ich nun eben aus der Herberge reiten will, geht der Bote vorüber; wie er mich aber so zu Pferde sitzen sieht, sagt er mir, daß er von meinem Bruder gesandt sei, der sehnlich nach mir verlange.

Zu Speier sind wir so lange in der Herberge verblieben, bis unsre Pferde etwas ausgeruht waren; alsdann hat mein Bruder sie an den Kronenwirt verkauft. Im Wirtshaus war uns gar bald die Zehrung zu kostspielig. So mieteten wir irgendwo ein Kämmerchen mit einem Bette. Damit behalfen wir uns, bis wir jeder unser Unterkommen fanden, und das dauerte fünf Wochen. War's Essenszeit, so kauften wir drei oder vier Semmeln, gingen vors Tor an einen Grabenrand und aßen sie. Nachher leisteten wir uns wohl noch in einem Wirtshaus ein halbes Maß Wein. Das war ein gar gewaltiger Unterschied gegen den Überfluß, den wir daheim gehabt hatten, wo der

Barthol. Sastrow   5

Bartholomeus mit den schönsten Jungfrauen den Vortanz gehabt hatte und im Weinkeller oder anderswo verkehrte. Ja, das war hier in jeder Hinsicht anders.

Nach einer kurzen Dienstzeit beim Prokurator Dr. Friedrich Reifstock hab ich mich in den Dienst des Prokuratoren Dr. Simeon Engelhart begeben, der meines Vaters Sache am Kammergericht führte. Da kam ich erst recht in des Teufels Badstube. Der Doktor selbst freilich war ein frommer Mann. Er gehörte mit Weib und Kindern zur Schwenckfeldischen Sekte.[1]) Er hatte vier Kinder, drei Töchter und einen Sohn von etwa acht oder neun Jahren. Dem mußte ich das Deklinieren und Konjugieren beibringen. Die Frau Doktorin war ein bitterböses, geiziges, giftiges Weib. Sie gab ihrem Herrn, dem Doktor, nicht einmal satt zu essen. Ich hab manchmal gesehen, daß sie ihm den Becher vom Munde zog, wenn er trinken wollte. Und dabei war er keineswegs ein Trinker. Die Kinder aber — und dazu gehörten zwei erwachsene Töchter — hatten jedes einen kleinen Zinnbecher. Dahinein ging nicht mehr als in die kleine Eierschale einer Taube. Dieses Gemäß bekamen sie einmal gefüllt, wenn's Wein gab. Vom Mainzer Bier erhielten sie zwei Becher, das war aber ein ganz schauerliches Gesöff. Es gab zwei Mägde im Hause. Diese Dienstboten und wir armen Schreiberseelen wurden recht kärglich abgespeist. In einer Art Wasserbrühe schwammen für einen jeden von

[1]) Der schlesische Edelmann Kaspar von Schwenckfeld war ein Zeitgenosse Luthers und begründete um 1525 eine protestantische Sekte. Seine Lehre ist vorwiegend schwärmerischer Natur. Sie weicht vom lutherischen Bekenntnis vor allem in der Abendmahlslehre ab und stellt sich anders zum Rechtfertigungsdogma. Diese mehr innerliche Auffassung des Christentums hatte in Deutschland später eine Vermischung der Schwenckfeldianer mit den herrnhutischen Brüdern zur Folge. In Amerika gibt es noch heute zahlreiche Gemeinden, die sich nach Schwenckfeld nennen.

uns ein Stücklein Fleisch, nicht größer als ein Hühnerei, und daneben kriegte man, auch an Fischtagen, Rüben, Kraut, Linsen, Gemüse, Haferbrei, gedörrte Äpfel oder dergleichen. Bei Tisch gab's einen zinnernen Becher mit Wein. Wer mehr trinken wollte — und wir waren keine Kostverächter — durfte sich aus dem Brunnen holen, soviel er wollte. Ich zweifle wahrhaftig nicht daran, daß ich in Speier beim Doktor Engelhart wohl ein halbes Fuder Wasser ausgetrunken habe. Er hatte an die 400 Sachen zu behandeln. Alle Akten mußten viermal geschrieben werden. Denn eine Kopie blieb auf der Kanzlei, eine zweite wurde den Parteien zugeschickt, zwei weitere mußten dem Gericht ausgeliefert werden — davon blieb das eine Exemplar gewöhnlich da, und das andre wurde alsbald nach der Ausfertigung durch den Pedellen an den Prokurator der Gegenpartei überbracht. Zweimal wöchentlich war Gerichtstag, in Fiskussachen wohl auch dreimal. Protokollführen und Aktenabschreiben, das kostet eine Menge Zeit. Dabei waren wir nur zu zweien angestellt, so daß wir uns oft an Gerichtstagen nicht soviel Zeit nehmen konnten, um einen Bissen Brot zu essen. Aber das bekümmerte unsre Herrin gar wenig. Es mochte Tischdecken, Wassertragen, Abräumen sein, was doch ebensogut eine ihrer Töchter oder Mägde hätte tun können, und mochte es am Gericht noch so hild [2]) sein — dennoch mußte Bartholomeus dran, und der Herr selbst wagte nicht, ihr dareinzureden. Ja, im tollsten Schreiben, wenn wir das Essen schon hatten aufgeben müssen, schrie

---

[2]) hilde = rasch, eifrig, geschäftig. Das Wort ist nach Schiller-Lübbens mittelniederdeutschem Wörterbuch (1876) in verschiedenen niederdeutschen Quellen nachweisbar. Übrigens ist es in meiner Vaterstadt Hamburg noch heute viel im Gebrauch. So heißt: sie hat es sehr hilde damit — soviel wie: es ist ihr viel daran gelegen, sie betreibt die Sache sehr eifrig. —

5*

sie wohl aus vollem Halse quer über den Hof: „Bartel,
willst du das Spülwasser nicht ausgießen? Sieh doch
einer an, was für ein fauler Bursch der Bartel ist, hat er
das Spülwasser noch nicht ausgegossen!" Ich durfte das
Haus nicht verlassen, um meinen Bruder zu besuchen,
ohne von ihr dazu Erlaubnis zu bekommen. Morgens
aber, damit die Mägde ja geschont würden, mußte ich wie
ein Gretchen den Korb zu Markte tragen und alles einkaufen, was man nötig hatte: Rüben, Kraut, Wurzeln und
Brot. Wenn ich dann heimkam, hatte ich stets zu teuer
eingekauft, und auch sonst war nicht viel Dank zu verdienen. Wenn sie Wäsche hatten — und das geschah nicht
eben selten — mußte ich ihnen all ihr Wasser schöpfen.
War aber im Brunnen etwas in Unordnung, ließ man mich
hinuntersteigen, um den Schaden zu kurieren. Und doch
war ich dazumal schon 23 Jahre alt. Das heißt, weiß Gott,
das Herumsitzen in Stralsunder Weinkellern und das
Herumbummeln und den Vortanz mit den jungen Damen
hart büßen. Kam mein Bruder zu mir, so bedauerte er
mich, hörte nicht auf, mich zu trösten und zu ermahnen,
standhaft auszuharren. Ich würde dereinst als verheirateter
Mann mit Hausstand und Gesinde gern an diese Leidenszeit zurückdenken. Meine Herrin aber war dabei sehr
launisch. Es kam wohl vor, daß sie acht Tage lang meinem
Herrn kein freundliches Wort gab. Die jüngste Tochter
von ungefähr sechs Jahren wurde krank und starb. Da
steckte sie den Körper des Kindes ohne Sarg in einen
Sack und gab einem alten Weibe den Auftrag, die Leiche
auf ihrem Rücken nach dem Kirchhof zu tragen. Da wird
sie eine Grube gegraben und den Körper hineingeworfen
haben; keiner folgte der Leiche, und niemand hat gesehen, wie es mit dem Begräbnis bestellt war.

Übrigens hatte der Doktor gar ansehnliche Klienten,
Herren und Städte, die ihm ein festes Jahrgeld gaben.

Durch seine genaue karge Haushaltung schlug er aus seinen zahlreichen Prozessen viel Geld heraus. So legte er alljährlich 2000 Gulden zurück; die brachte er auf die städtischen Rathäuser, damit sie ihm alljährlich Zinsen trügen.

Doktor Christoffer Hose aus Stralsund, ein ehemaliger Prokurator und Advokat, kam während des Reichstags nach Speier. Er war ein alter Praktikus, von aufrichtiger Gesinnung und in Gesellschaft recht fröhlichen Herzens. Die andern Prokuratoren, insonderheit die jungen, waren gern in seiner Gesellschaft und hielten große Stücke auf ihn. Man ließ es zu, daß er gelegentlich ihre verborgene Schalkheit ans Licht zog. Einst wurde er von einem andern Doktor zu Tische gebeten, und mit ihm einige andere Doktoren, unter ihnen mein Herr. Als ich nun gegen Abend, da man den Schlaftrunk einnahm, meinem Herrn die Laterne brachte und von dem Wirte ins Zimmer genötigt wurde, wollten der Wirt und Doktor Hose, ich solle mich mit unten an den Tisch setzen. Die andern legten mir allerlei Kuchen und was sonst aufgetragen war, auf den Teller. Da steht mein Herr, Dr. Engelhart, auf und will geradeswegs hinausgehen mit den Worten: Wenn seine Knechte sich an den Tisch setzen dürften, dann passe es nicht mehr für ihn, sitzen zu bleiben. Sollte er bleiben, so müsse ich hinter dem Tisch stehen und aufwarten. Aber Doktor Hose ließ nicht ab, mit mir zu reden und nach seiner Art zu schwätzen: „Landsmann,“ sprach er, „Prokuratores beim Kammergericht, loth [3]) (das war

---

[3]) loth ist verkürzt aus sapperloth oder sackerloth. Dieses Wort ist wiederum eine euphemistische Umbildung aus sackerment, das für Sakrament steht. Man vermeidet gern den wörtlichen Gebrauch der heiligen oder gefürchteten Worte: Potz = Gottes, Herje von Herr Jesus, sapristi für Sankt Christi oder Deixel für Teufel.

sein ständiges Beiwort!) sind ganz verzweifelte Burschen.
Als ich so jung war, wie du jetzt bist, diente ich auch bei
einem Prokurator. Der nahm einen Haufen Geld von
den Parteien, durfte es auch fordern, und tat blitzwenig
dafür, loth! Aus nachfolgender Historie wirst du das
recht gut sehen. Einer vom Adel aus fränkischen Landen
befahl meinem Doktor eine Sache, an der ihm sehr viel
gelegen war, und verschrieb ihm ein Jahrgeld. Der Doktor
bat beim Gericht um Verhandlung seiner Sache, es ging
auch los; die Akten wurden eingefordert und ausgearbeitet,
er machte einen Beutel dazu und hängte daran einen Zettel
mit schönen großen Buchstaben, darauf der Parteien
Namen geschrieben standen. Den hing er schön im Akten-
zimmer auf in einer Reihe mit andern Sachen. Na, du
hast das ja selbst hier oft genug gesehen. War das Jahr
herum, so forderte er sein Bestallungsgeld und schrieb
dabei, daß er die Sache zu einem günstigen Ende gebracht
habe, er wolle nur fleißig darauf halten, daß sie jetzt zu
öffentlichem Austrag gelange. Der Edelmann schickt ihm
nicht bloß sein Jahrgeld, sondern dazu noch eine Verehrung und uns Schreibern ein Trinkgeld. Endlich aber
wird ihm die Zeit zu lang, er kommt selbst nach Speier
hinüber und schellt an der Türe. Als die sich öffnet und
der Prokurator sieht, daß es mein Junker ist (denn nicht
ohne Grund, loth, haben die Herren Prokuratoren ihre
Schreibstube gerade der Tür gegenüber, loth, damit sie
gut sehen können, wer geschellt hat und zu ihnen will,
loth), — da läuft er eilends in die Aktenkammer und holt
den Beutel, der des Edelmanns Sachen enthielt, den legt er
vor sich auf den Tisch. Der Junker kommt herauf, der
Doktor empfängt ihn äußerst freundlich, heißt Seine ehren-
feste Persönlichkeit herzlich willkommen und zeigt ihm,
wie er seine Sache stets vor sich liegen habe. Er bitte
gar vielmals um Eröffnung des Endurteils, er habe es aber

bis zum heutigen Tage nicht zum endlichen Austrag bringen können. Er wolle aber nicht aufhören, bis er's erreiche, und dann wolle er Seiner Hochwohlgeboren einen eigenen Boten zusenden. Der Edelmann glaubte, dem sei also. Er bat, so zu verfahren, wie man vorgeschlagen habe, gab der Frau Doktorin eine ansehnliche Verehrung und nahm alsdann freundlich Abschied. Der Doktor aber hatte die Sache überhaupt noch nicht anhängig gemacht, loth! Solche verzweifelte Buben, loth, sind die Prokuratoren am Kammergericht, loth! Darum, lieber Pommer, wenn du in Speier vors Gericht gehen willst, mußt du drei Beutel haben, den einen mit Geld, den andern mit Akten und den dritten mit Geduld. Je länger du aber prozessierst, um so schmächtiger wird der Geldsäckel, um so größer der Aktensack, während deine Geduld dahinschwindet." Soweit sprach jener.

8. Kapitel
Von Karl V. und den deutschen Fürsten

Auf seinem Heereszuge gegen den Herzog von Jülich im Jahre 1543 hielt sich Kaiser Karl V. etliche Tage zu Speier auf. Beim Weiterziehen waren die Wege in den Niederlanden gar tief, das Geschütz aber sehr schwer, so daß die Fuhrleute nicht von der Stelle kamen. Der Kaiser aber eilte mit seiner Armada, um bald an den Feind zu kommen. So reitet er denn einmal an einen der Fuhrleute heran und setzt ihm hart zu, daß er doch weiterfahren möge. Der schwäbische Kumpan kannte den Kaiser nicht. Denn als jetzt der Kaiser den verächtlich zur Seite sehenden Fuhrmann mit dem Stock an den Hals schlägt, haut dieser den Kaiser mit seiner Peitsche über Kopf und Hals und bricht in die Worte aus: „Daß dich, du spanischer Bösewicht, Gottes Element schänden möge!" Der Kaiser befahl, ihn vom Fleck an den nächsten Baum aufzuknüpfen. Da merkte der Fuhrmann, wen er verhauen und einen Bösewicht gescholten hatte. Schon rissen sie ihn weg, daß ihm das Lachen verging. Die Obersten, die den Kaiserlichen Befehl auszuführen hatten, beeilten sich eben nicht, sondern zauderten, bis sie sahen, daß die erste Zorneshitze bei Karl vorüber war. Der Kaiser aber meinte nicht anders, als daß alles nach seinem Befehl ausgeführt sei, also daß der Geselle am Galgen hinge. Traten auf einmal alle Obersten und Hauptleute vor Seine Majestät und taten einen alleruntertänigsten

Fußfall, entschuldigten des Fuhrmanns Tat mit seiner Unwissenheit und ließen erkennen, daß in Wirklichkeit die Spanier diesen Leuten oft zu hart gegenüberträten. Dann rühmten sie die Milde und Güte großer Herrscher. Sie gelobten auch samt dem ganzen Heere Seiner Majestät in allen Nöten mehr zu Willen zu sein, wenn er in dieser Angelegenheit ihrer Fürbitte ein günstiges Ohr leihe. Die Kaiserliche Majestät gab darauf die Erklärung ab, er werde ihrer untertänigsten Fürbitte Raum geben. Er wolle dem Fuhrmann zum bleibenden Gedächtnis dafür, daß er den römischen Kaiser mit Flüchen überschüttet und sogar mit der Geisel verhauen hätte, die Nase abschneiden lassen. Das haben die Herren Offiziere mit Dank vernommen, auch dem Fuhrmann war das eine unverhoffte Freude. Ohne Murren hat er sich der milden Strafe unterworfen und es geduldig erlitten, daß ihm die Nase hart am Gesicht abgeschnitten wurde. Ja, er hat sich dessen zeitlebens zu Ehren der Kaiserlichen Majestät gerühmt. Wenn man ihn späterhin wohl in einer Herberge nach seiner Nase fragte, so hat er mit lachendem Munde die ganze Historie von Anfang bis zu Ende zum besten gegeben.[1]

Dem Kurfürsten von Sachsen wurde keine Kirche

---

[1] Einen ganz besonderen Wert besitzt unsere Chronik durch eine ganze Reihe von höchst vortrefflichen Schilderungen berühmter Zeitgenossen. Besonders dem Gesamtbilde Kaiser Karls V. hat Sastrow zahlreiche wertvolle Züge hinzugetan. Es sind freilich nur kleine anekdotische Beiträge. Aber wir legen mit Fontane gerade diesen kleinen Berichten, wenn sie echt sind, einen hohen Wert bei. Daß bei aller Hoheit und Würde die niederländische Gemütlichkeit einen starken Einschlag in Karls Charakter gebildet hat, tritt an verschiedenen Stellen der Chronik klar genug zutage.

Wer sich näher mit der gewaltigen Persönlichkeit Karls V. beschäftigen will, sei besonders auf H. Baumgarten, Leben Karls V., hingewiesen, ein Buch, welches leider nicht vollendet wurde.

zur Predigt freigegeben, sondern man brauchte ein Gasthaus dazu. Dafür ließ er einen Stuhl machen, auf dem der Prediger stand. Statt der Orgel hatte er Instrumentalmusik mit Lauten, Querpfeifen, Geigen, Zinken und Trommeln, das war gar prächtig anzuhören. Der Kurfürst ritt einen starken Gaul; zum Auf- und Absitzen brauchte er eine Leiter, die wurde dem Gaul unterhalb des Sattels an den Leib gelegt.

Am Mittwoch in der Karwoche gegen Abend, als es anfing dunkel zu werden, gingen 80 Flagellanten umher, Manns- und Frauensleute in Hemden, hatten Tücher vors Gesicht gebunden mit Löchern für die Augen, um hindurchzusehen, und für den Mund, um Atem zu holen. Auf dem Rücken waren sie so weit ausgeschnitten, daß sie mit Weidenruten — mit scharfen Angelhaken und andern Büßerinstrumenten daran —, wenn sie von beiden Seiten losschlugen, den bloßen Leib erreichen konnten. Es war ein gar greulich Schauspiel, wie sie mit den Angeln das Fleisch herausrissen, daß das Blut in Strömen zur Erde floß. Langsam gingen sie dahin, einer hinter dem andern. Ihnen zur Seite schritten ansehnliche spanische Herren, jeder trug ein großes Wachslicht in der Hand, so daß es in den Gassen, wo sie gingen, ganz hell war. So kamen sie in die Barfüßer-Kirche. Vorne in der Kirche knieten sie nieder und krochen zu dem Kreuze, das vor dem Chor aufgestellt war. Da gab's Wundärzte, welche den Verwundeten Verband anlegten. Man sprach davon, daß zwei für tot aus der Kirche hinausgetragen seien.

Die Kaiserliche und Königliche Majestät [2]) wuschen

---

[2]) Seit der Zeit der Ottonen und Salier bestand die Sitte, daß der regierende Kaiser schon bei Lebzeiten seinen vielfach noch unerwachsenen Sohn zum Nachfolger designierte unter dem Titel eines „römischen Königs". Schroeder in seiner Deutschen Rechtsgeschichte (1894) nennt dieses Recht geradezu

ein jeder zwölf armen Leuten die Füße. Waren aber vorher auf ihre Gesundheit untersucht, wurden auch an den Füßen hübsch reingewaschen, ehe sie aufs Schloß kamen. Beide Herrscher hatten sich ein Handtuch um den Leib gegürtet, damit trockneten sie ihnen die Füße ab. Danach ward eine Tafel zugerichtet, daran aßen die Bettler. Ihre Majestät diente ihnen bei Tisch und nötigte sie mit den Worten zum Essen und Trinken: „Meine Freunde, esset und trinket!"

Es waren aber während des Reichstages — wie es denn so geht, wo so viele hohe Herren beisammen sind — alle Speisen, besonders aber die Fische, ganz unverschämt teuer. Ein Salm, den man im Rhein gefangen hatte, kostete 16 Taler. Der Hofmeister des Herzogs Albrecht von Mecklenburg mußte für einen halben Fisch ganze 8 Taler zahlen.

Als die Herren nach Verlesung des Reichstagsabschieds heimzogen, gab König Ferdinand mit seinen zwei Söhnen, Maximilian und Ferdinand, dem Landgrafen von Hessen das Geleit. Als nun Seine Majestät wieder heimzog in die Stadt, erhub sich ein schreckliches Unwetter. Hagelkörner gab's so groß wie Walnüsse und noch' dicker, allein an Fensterscheiben gingen in Speier für etliche 100 Gulden drauf. Des Königs Reiter und Trabanten

---

das einzige Vorrecht, welches der Kaiser vor dem Könige voraus hatte. Die Kaiserwürde wurde zuletzt von Karl V. ordnungsgemäß in Italien und aus den Händen des Papstes genommen. Nachher begnügte man sich mit der Wahl und Krönung zu Frankfurt. Aber auch dann noch behielt man die Sitte bei, den Nachfolger zum römischen König zu ernennen.

Karls Bruder Ferdinand, schon lange sein Stellvertreter in den deutschen Angelegenheiten, erhielt 1531 den Titel „römischer König". Nicht so genial wie Karl, sah er in den deutschen Verhältnissen doch viel klarer als jener und vertrat zeitlebens eine Politik der Milde und des Kompromisses.

wurden auseinander gescheucht, ein jeder sah nur darauf,
wie er sich retten könne. Dabei ging's auf den Abend
und wurde schon finster. Erst spät, als in Speier bereits
die Tore verschlossen waren, kamen sie an die Stadt.
Und da man sie nicht einlassen wollte, legten sie sich in
den Graben, um ihr nacktes Leben zu retten. Indem
kommt auch König Ferdinand dahergeritten, ganz allein,
und rief und pochte an: sie sollten nur auftun, sagte er,
er sei Ferdinand, der römische König. Als man nun
merkte, daß dem also sei, kam man mit vielen brennenden
Fackeln herbei und öffnete die Stadt. Des Königs erste
Frage war, ob auch seine Söhne hineingekommen wären.
Man antwortete: „Nein". Da ging's an ein Reiten und
Rennen und Laufen und Fragen, bis sie mit ein paar
Hatschieren angeritten kamen. Die Trabanten entschuldigten sich mit ihrer eigenen Lebensgefahr und bezeugten
das mit den Wunden, die sie an ihrem Leibe davongetragen hatten. Sie mußten sich zum Beweise dessen vor
Ferdinand entblößen. Da konnte man sehen, wie der
Hagel sie, durch die Kleider hindurch, am ganzen Leibe
geschunden hatte. Alle Berittenen konnten zudem bestätigen, daß der große scharfe Hagel die Pferde derartig
belästigt hätte, daß sie ihrer nicht mehr mächtig gewesen
seien. So war's ihnen schlechterdings unmöglich, beieinander zu bleiben und aufzupassen, wie es ihre
Pflicht war.

9. Kapitel
Aufenthalt zu Pforzheim und Worms

Mir war nun gar nicht daran gelegen, noch länger in der beschwerlichen Gefangenschaft beim Dr. Engelhart zu verbleiben. Denn ich hatte von dem gottvergeßnen, geizigen, teuflischen Weibsbild, das bloß mit Menschenhaut überzogen zu sein schien, so viel Schweres zu dulden gehabt, daß ich von der Zeit an nach keinem Weiberregiment Sehnsucht verspürt habe. Und das wird, so Gott will, so bleiben, so lange ein lebendiger Hauch in mir wohnt. Als mir daher eine Stelle an der badischen Kanzlei zu Pforzheim angeboten wurde, hab ich sie in Gottes Namen mit tausend Freuden angenommen. Nachdem ich alsdann von Speier guten Abschied genommen hatte, gab mir mein Bruder noch bis Reinhausen das Geleite. Ich aber bin über Bruchsal und Bretten am 24. Juni 1544 nach Pforzheim gekommen.

Pforzheim ist nicht groß und hat nur eine Kirche. Es liegt ganz im Tale an einer hübschen Wiese, die lustig anzusehen ist. Mitten hindurch läuft ein klares gesundes Wässerlein mit allerlei wohlschmeckenden Fischen, daran man im Sommer seine helle Freude haben kann. Rund herum sind hohe Berge, dicht mit wildem Wald bewachsen; das gibt prächtiges Wildpret. Das fürstliche Schloß liegt allerdings im Tal, aber doch hoch über der Stadt. Übrigens gibt es daselbst eine ganze Menge ge-

lehrte, freundliche und bescheidene Leute mit guter Erziehung. Ist auch alles da zu des Leibes Notdurft und der Erhaltung des zeitlichen Lebens, als da sind Apotheker, Barbiere, Gastwirte und Handwerker aller Art; Predigt und Gesang werden evangelisch abgehalten. Bei Hofe lebte man gar sparsam und haushälterisch. Mit der pommerschen Lebensweise war es nicht zu vergleichen, dennoch ging's recht fürstlich her. Wir kriegten Fleisch und Fisch, auch allerlei Zugemüse, gebackene Feigen, Haferbrei, verschiedenartiges Kraut, recht viel Brot, und ein jeder in einem Zinnbecher ungefähr anderthalb Stück Tischwein; damit konnte man freilich, zumal im Sommer, nicht auskommen. Am Tische der Herren Räte wurde zweimal eingegossen. In der Kanzlei gab's täglich Arbeit genug. Wir hatten da einen alten Sekretär von 70 Jahren, desgleichen einen alten Kanzler, Doktor des Rechts, von ausgesucht schlechter Laune, wie man aus nachfolgendem ersehen kann.

Im Jahre des Herrn 1545 ward zu Pforzheim zwischen Markgraf Ernst und Markgraf Berndt, dem Sohne von Seiner Fürstlichen Gnaden Bruder, ein Erbvertrag abgeschlossen. Die fürstlichen Räte und Gesandten wollten aber nicht voneinander gehen, ohne den Vertragsbrief vorher untersiegelt zu haben. Mir wurde der eine zu schreiben gegeben in kleiner Frakturschrift. Das gab soviel Schreiberei, daß man ein großes Stück Pergament dazu nehmen und überdies noch ganz eng schreiben mußte. Ich war recht bekümmert darüber, denn wir hatten, wie gesagt, einen gar mürrischen und kuriosen Kauz von Kanzler. Wer ihm genug tun wollte, mußte sich wohl vorsehen. Man durfte es nicht etwa wagen, ein Wort auszuradieren, es mochte noch so fein sein, daß man die Rasur kaum sehen konnte. Denn er ließ sich am hellen Tage ein Licht anzünden und hielt den Brief dagegen.

Da sieht man's denn freilich. Fand er so eine radierte
Stelle, so bekam man sein redlich Teil zu hören mit Schelt-
worten ärgster Art.

Nun hatte ich bereits zwei Tage an diesem Brief geschrieben und hatte dabei übersehen, daß ich mehr als
eine Zeile im Konzept überschlagen hatte. Da wußte ich
mir im Leben keinen Rat. Denn es wäre nicht ausge-
blieben, daß ich etliche Tage im Turm ein schmerzliches
Hungerbrot hätte essen müssen. So ersann ich mir
folgende Kriegslist. Das Pforzheimer Schloß liegt auf
einem hohen Berge, die Kanzlei unten in der Stadt. Als
man nun mittags zum Essen blies, blieb ich als letzter in
der Kanzlei, ergriff eine Katze, drückte ihren Schwanz
ins Tintenfaß und ließ sie so über den Brief laufen. Da
wurde der Brief von oben bis unten mit Tinte besudelt und
die Fußspuren der Katze blieben auf dem Papier. Ich
schloß die Katze in der Kanzlei ein und ging nach Hause,
als ob nichts geschehen wäre. Nach Tische ließ ich die
andern Kanzlisten absichtlich vor mir hinuntergehen. Als
die das Zimmer aufschlossen, tat die Katze vor ihren Augen
einen Sprung. Auf dem Tische aber war zu sehen, wie
da hausgehalten war. Als ich später kam, zeigten sie mir
den Brief und sagten, die Katze sei ihnen aus der Kanzlei
entgegengesprungen. Wer konnte wissen, wie die Katze
hineingekommen war! Ich stellte mich recht verdrießlich
und unzufrieden über meinen umsonst angewandten Fleiß,
so daß sie mich noch begütigen mußten. Also hab ich
mich mit Ehren aus der Klemme gezogen.

Mein gnädiger Herr hatte die Angewohnheit, wenn
er einen Gefangenen im Turm sitzen hatte, der zum Tode
verurteilt war, sich denselben vorführen zu lassen, bevor
er vors Tor gebracht wurde. Er bat den Betreffenden
alsdann, ihm das zu vergeben, was er mit ihm geschehen
lassen müsse. Er solle aber nicht den Mut sinken lassen.

Denn der Sohn Gottes hätte nicht um der Gerechten willen, sondern den Sündern zuliebe, also auch seinetwegen, sein Blut in Gnaden vergossen. Daran solle er nicht zweifeln. Damit gab er ihm die Hand und ließ ihn zum Tode führen.

Markgraf Ernst hatte aber ein Zimmer über dem Schloßtor, so daß ihm nichts entging, was herauf- oder hinunterkam. Einstmals nahm der Küchenmeister einen schönen großen Karpfen mit hinunter. Der war so lang, daß sein Schwanz unter dem Mantel herausguckte. Der Markgraf rief ihn zurück. „Hör mal," sagte er zu ihm, „wenn du wieder einmal einen Karpfen stehlen willst, so nimm entweder einen kleineren Fisch oder einen längeren Mantel!"

Ein andermal brachte man etliche Fässer Wein in den Keller. Kamen zwei Köche aus der Küche, die wollten hinuntergehen. Der eine hatte zwei gerupfte Kapaune hinten in den Hosenriemen gehängt. Als der Herr ihnen zuruft, sie sollten mit Hand anlegen, springen sie hinzu und werfen ihre Mäntel ab. Der, welcher die Kapaune hatte mitgehen heißen, vergißt das völlig. Als er nun mit an den Tauen zieht, wippen ihm die Kapaune im Takt an den Hüften hin und her. Alle sehen das mit großem Behagen mit an. Die Köche aber waren vor der ganzen Hofgesellschaft zum Gespött geworden.

Bald darauf entschloß ich mich, vom Herrn Markgrafen Urlaub zu nehmen und auf den Reichstag nach Worms zu ziehen, woselbst ich mich der Sache meiner Eltern am Reichskammergericht annehmen zu können hoffte. Da aber die Kaiserliche Majestät durch Podagra in den Niederlanden aufgehalten wurde und nicht in Person zur ausgeschriebenen Zeit in Worms erscheinen konnte, wurde der Reichstag durch den Römischen König eröffnet. Es sind aber nur ganz wenige Fürsten persönlich erschienen, weswegen denn auch die schwebenden Ange-

legenheiten nur einen recht leisen Fortgang genommen haben.

So wurde der Reichstag auf das Jahr 1546 aufgeschoben und nach Regensburg verlegt. Das hatte zur Folge, daß auf diesem Wormser Reichstag das Kammergericht nicht wieder besetzt worden ist.

In Worms aber hab ich die größte Armut, Hunger und Durst gelitten. Das mögen meine Kinder und wer's sonst lesen mag fleißig beachten und sich wohl zu Herzen nehmen.

Fast alles, was ich besaß, hab ich an meinem Leibe getragen, nämlich das Hofkleid, welches ich mir bei der markgräflichen Kanzlei verdient hatte, zwei Hemden, außer dem, welches ich am Leibe hatte, und ein Rappier mit einem silbernen Gehänge, dazu an Geldeswert 6 Gulden, die mir der Markgraf hatte geben lassen. Die konnten nicht lange vorhalten. Mein Handwerk aber wollte in Abwesenheit Seiner Majestät nicht vonstatten gehen. Für einen Schreiber gab's wenig zu tun. Gleichwohl hab ich mich 12 Wochen daselbst über Wasser gehalten.

Nun war freilich Moriz Damitz daselbst, ein guter Freund meiner Eltern, der sich auch dazu erbot, mir Geld vorzustrecken, wenn ich dessen bedürfe, denn meine Eltern würden es ihm wieder erstatten. Aber ich hab meine Eltern nicht mit Schulden beschweren wollen, die sie hätten einlösen müssen. Darum hab ich mich lieber beholfen und Hunger und Durst gelitten.

Mit meinen Landsleuten und andern Bekannten vom Orte ging ich am Tage wohl vor- und nachmittags spazieren und ließ mir nichts merken. Kam aber die Essenszeit, so suchte ein jeder seine Herberge auf. Ich aber kaufte mir für einen Pfalzgräflichen Pfennig ein Brot, aß das, und das Getränk dazu am Brunnen hatte ich umsonst. Ganz selten geschah es, daß ich mir in der

Barthol. Sastrow   6

82

Garküche ein Süpplein leistete mit einem Stücklein Fleisch
darin, so groß wie ein Hühnerei.

Nach dem Abendessen, wenn man schlafen ging, erschien ich wieder in der Garküche, rückte einen Kreuzer
heraus, damit sie mich über Nacht auf der Bank liegen
ließen. Für ein Bett hätte ich ja einen halben Batzen
geben müssen.

Das silberne Gehänge am Rappier verkaufte ich und
tauschte ein billigeres dafür ein. Das eine Hemd ging
denselben Weg, damit ich mir trocken Brot kaufen konnte.
Denn die sechs Gulden waren bereits auf die Neige gegangen. Als mir einmal die Hose entzwei riß, bin ich
rheinauf bis nach Speier marschiert — das sind sechs
Meilen Wegs — und alsbald wieder zurück, bloß um einen
halben Batzen zu ersparen.

Von solch bösem Essen und Trinken und Schlafen
wurde ich mit der Zeit so ungestalt und schwach, daß ich
kaum eine Feder hab in der Hand halten können.

10. Kapitel
Als Schreiber beim Komtur des Johanniterordens

Am 9. Juli 1545 hat mich Christoff von Loewenstein, der Rezeptor des Johanniterordens für Ober- und Niederdeutschland, zum Schreiber genommen. Er war mit in Rhodus gewesen, als die Türken die Insel erobert hatten. Die meiste Zeit im Jahre hielt er sich zu Niederweißel auf. Denn daselbst besaß er ein stattliches Gebäude mit allerlei Zubehör. Im Hofe aber war Platz genug für eine Menge Scheuern, Vieh- und Pferdeställe, Brau- und Backhäuser, sowie für Küchen; ferner lagen da die Gesindestuben, und alles war trefflich gebaut. Er selbst hatte an einem Ende des Hofes eine hübsche Wohnung. Von hier aus konnte er den ganzen Hof überblicken. Eine Zugbrücke führte dahin über einen tiefen Wassergraben. Im Dienste dieses Mannes hatte ich Überfluß an allem: ich war da in ein rechtes Schlaraffenland gekommen.

Mein Herr war zwar recht klein von Gestalt, er hatte sich aber dereinst auf Rhodus gegen die Türken so tapfer gehalten, daß der Hochmeister ihm diese hohe Stellung verliehen hatte. Weil er aber von früher Jugend auf ein Kriegsmann gewesen war, so blieb er's auch sein lebenlang und hatte dazu sein stattliches Einkommen. Täglich gab's einen guten Trank bei ihm und stattliches Essen. Nie fehlte es an guter Gesellschaft. Denn seine

6*

Komturei lag an der großen Heerstraße, und Reiter wie Landsknechte hatten bei ihm freies Nachtquartier. Das war den Leuten bald bekannt, und besonders seine Nachbarn ließen ihn nicht ungeschoren, wußten sie doch nur zu gut, wie vortrefflich er sie bewirtete.

Zu meiner Zeit wohnte Marianne Königstein bei ihm, die Tochter des verstorbenen Stadtschreibers zu Mainz und dermaleinst das Patenkind des Herrn Komtur, das er aus der Taufe gehoben hatte. Sie war freundlich und schön, dazu wohlerzogen und mit höfischen Sitten vertraut. Der Herr Komtur war mir gewogen. Ich wurde alsbald wie ein reisiger Knecht gekleidet, ward von Frau Marien mit Hemden und allem Notwendigen versehen, bekam auch dicht an der Zugbrücke eine saubere Schlafkammer, worin ich nicht bloß mein Bett hatte, sondern auch meine Schreiberwirtschaft. Alle Mahlzeiten erhielt ich an des Herrn Tische, wo außer dem Herrn selbst etwaige Gäste, Maria, der Kaplan und drei reisige Diener saßen. Bald ging ich wieder stattlich in Kleidern, hatte ein neues silbernes Degengehänge und einen goldenen Fingerreif. So besserte sich auch mein Äußeres, all meine Wormser Häßlichkeit verschwand, und ich machte bald Fortschritte im Ansehen bei den Leuten.

Schreibarbeit hatte ich eigentlich blutwenig. Nur nach Marburg zum Landgrafen von Hessen hab ich etliche Male reiten müssen. Denn in diesem Lande hatte mein Herr verschiedene Komtureien, deren Gebührnisse er einsammeln und an den Hochmeister nach Malta schicken mußte. Die hessischen Beamten aber bezeigten keinen guten Willen, ihre schuldige Entrichtung zu leisten, vollends da der Landgraf von Hessen mit meinem Herrn übel zufrieden war. Denn dieser war weder papistisch noch lutherisch, sondern entstammte einem Ritterorden und quälte sich blutwenig um religiöse Fragen. Deswegen

fiel gar leicht zwischen ihm und dem hessischen Hofe
etwas vor, dazu kamen dann die oben erwähnten Klagen
über die hessischen Komtureien.

Der Herr besaß einen alten Affen, der ein starker
und boshafter Schelm war, besonders wenn man ihn erzürnte. Der lag an einer Kette und traute keinem
Menschen als dem Herrn selbst, dem Bäcker und mir.
Doch mußte man sich mit ihm in acht nehmen. Im Zorn
zeigte er die Zähne und gebärdete sich, als lache er einen
an. Ich setzte mich gelegentlich zu ihm. Aber ohne seine
Erlaubnis war's mir nicht möglich, von ihm loszukommen.
Sondern ich mußte es ruhig geschehen lassen, daß er sich
mir auf die Schulter setzte und am Kopf kraute. Merkte
ich dann, daß er des Spieles müde war, gab ich ihm die
Hand, und dann ließ er mich in Frieden.

Einmal kam des Weges ein Landsknecht mit einem
Federbusch, ein prächtig gewachsener Kerl. Der bat um
eine Suppe. Der Affe hatte sich losgerissen, sprang auf
den Landsknecht zu, riß ihm den Federbusch vom Kopfe,
biß ihn und richtete ihn an Händen und Gesicht so bös
zu, daß es ein wahres Erbarmen war, das anzusehen.
Jetzt springt er über den Graben bis ans Zimmer meines
Herrn, stößt das Fenster auf und kommt hinein. Der Herr
merkte gleich, daß der Affe in wütender Laune war, konnte
ihn aber nicht loswerden. Zuerst gab er ihm gute Worte.
Indem sieht der Affe seinen silbernen Dolch, der auf dem
Gesimse lag, und bindet sich den um. Der Herr zieht
ganz vorsichtig den Dolch aus der Scheide und durch-
bohrt das Tier damit. Und obgleich der Affe ihn in die
Hand biß, hielt er ihn doch auf dem Gesims fest, bis dem
Tier die Kraft ausging und es den Geist aufgeben mußte.

Mein Bruder aber war inzwischen nach Italien gezogen. In Eßlingen hatte er im Jahre vorher eine ehrbare
Jungfrau, ein schönes, züchtiges, freundliches Mägdlein,

heiraten wollen. Sie hatten sich einander versprochen mit
der Bedingung, daß meine Eltern darein willigten. Ich
selbst war auf Wunsch meines Bruders hinübergeritten
und hatte mit dem Mädchen und ihren Angehörigen geredet.
Die Dinge waren von mir als gut und passend befunden
worden nach Person und Eigenschaften, auch was die
Verwandtschaft, Geburt, Herkommen und Ausstattung anging. Ich hätte daher gern gesehen, daß meine Eltern
ihre Einwilligung dazu gegeben hätten, habe auch mit
meinem Bruder in der Angelegenheit einen Brief nach
Hause geschrieben. Aber sie haben es rundweg abgeschlagen, und ich hab meinen Bruder eigentlich von Stund
an nicht mehr froh gesehen. Später freilich hat meine
Mutter meinem Bruder und mir geschrieben, der Vater
und sie willigten jetzt in diese Ehe ein. Damals hatte das
Mädchen aber schon einen reichen Goldschmied aus Straßburg genommen. Es war also vergebens. Und das ist
meinem armen Bruder um so mehr zu Herzen gegangen,
so daß man es ihm am Angesicht hat ansehen können.

Nicht gar lange war seit seiner Abreise gen Italien
verstrichen, da bekam ich ein Schreiben von meinen Eltern,
darin geschrieben stand, daß mein armer Bruder in der
Nähe von Rom gestorben sei. Darauf beschloß ich, alsbald nach Italien zu reisen. Ich war des unordentlichen
Lebens beim Komtur von ganzem Herzen satt und wollte
an mich bringen, was an Geld und Gut von meinem Bruder
noch vorhanden war.

11. Kapitel

Die Reise nach Italien

Ganz allein begab ich mich auf meinen Apostelpferden[1] auf den weiten langen Weg. Dicht bei Kempten, als die Sonne unterging, nicht weit von der Stadt, kamen von der rechten Seite zwei ausgewachsene Wölfe übers Feld gelaufen. Linker Hand war ein kleines Eichengehölz. Dahin wollten sie anscheinend. Wie sie auf den Weg kamen, kaum einen Steinwurf weit von mir, wandten sie sich nach mir um und blieben in dieser Stellung stehen. Ich dachte schon, mein letztes Stündlein hätte geschlagen. Denn wäre ich umgekehrt, so wären sie mir nachgelaufen. Ging ich aber weiter, so kam ich noch näher an sie heran. Ich harrte daher geduldig aus und befahl mich in Gottes Hände. Mit dessen Hilfe ging ich sodann beherzt weiter, da wandten sich die Wölfe von mir ab und liefen auf das Wäldchen zu. Ich zauderte nun auch nicht länger, in die Stadt zu gehen, aus Furcht vor den Wölfen und vor der abendlichen Torsperre, denn der Tag neigte sich. Als

---

[1] Apostelpferde kommt nach Schiller-Lübben a. a. O. nur im Niederdeutschen vor, — außer bei Sastrow noch bei dessen Zeitgenossen, dem Satiriker Laurenberg. Wir sagen heute wohl: per pedes apostolorum; natürlich heißt es soviel wie: zu Fuße gehen. —

ich mein Erlebnis nachher in der Herberge zum besten gab, sagten sie, das sei kein Wunder, denn das Gebirge beherberge viel von dem Ungeziefer. Es sei höchst wunderbar, daß die Wölfe mich ungeschoren gelassen hätten. Dafür müßte ich meinem Schöpfer von ganzem Herzen dankbar sein.

In der Gesellschaft einiger Gefährten kam ich zu Ostern nach Trient, wo eben das Konzil tagte. Kurz vorher waren wir in einen Marktflecken gekommen. Da erquickten wir uns zur Mittagszeit die Glieder im fließenden Wasser. Mit Milch und Eiern, und was wir sonst noch kriegen konnten, kochten wir uns ein Mahl, wozu wir Wirt und Wirtin zu Gaste baten. Die waren uns in allem zu willen in der Meinung, wir würden es wohl bezahlen können. Als wir nun geruht und Speise und Trank genossen hatten, ward Rechnung gemacht und den guten Leuten ade gesagt. Fort ging's unseres Weges von dannen. Wir sind aber noch nicht weit von der Herberge, da sehen wir einen Menschen auf einem Klepper in aller Eile hinter uns herreiten. Er winkte uns mit dem Hut zu, wir sollten seiner warten. Der brachte mir meinen Geldbeutel aus braunem Damast, worin sich mein Zehrgeld befand, eine stattliche Summe Geldes. Den hatte ich auf dem Tische liegen lassen. Ich wollte dem Manne natürlich ein Trinkgeld geben, aber er weigerte sich, es anzunehmen. Ob das wohl hierzulande auch so abgelaufen wäre und ob man hier so viel Treue und Aufrichtigkeit gefunden hätte?

Eine kleine Tagereise von Trient verläßt man die Alpen und kommt nach Lombardien. So beträgt also der Marsch über die Alpen insgesamt 35 deutsche Meilen. Die ganze Strecke hat man über sich den Himmel und zu beiden Seiten Berge, die sich bis zum Himmel zu erstrecken scheinen. Und jetzt war's einem, als komme man in eine

ganz andere Welt. Die Luft war warm, alle Bäume hatten
schon ausgeschlagen und waren von oben bis unten grün,
und die Kirschen standen in voller Reife. Hätte ich für
1000 Gulden Kirschen begehrt, ich hätte sie zu Trient und
Venedig bekommen können, gerade wie im Pommern-
land um Mitte Juni.

Die Lombardei[1]) ist schön und fruchtbar, ein flaches,
wohlbebautes Gelände. Ein Baum steht etwa 30 Fuß
vom andern entfernt. An die Bäume lehnen sich die Wein-
stöcke, die an ihrer Seite aufwachsen und ihre Ranken
von einem Baum zum andern hinüberzureichen scheinen.
So kann man oben auf den Bäumen wohl schöne Äpfel
und Birnen sehen, während die Weintrauben zwischen den
Stämmen hängen. Ganz unten aber wächst das Korn in
Reihen entlang. Am Ende des Ackers wird ein kleines
Bächlein aus einem Springbrunnen abgeleitet, das fließt
hinter dem Acker dahin. Wenn sie das Land bewässern
wollen, so können sie frühmorgens durch Löcher, die sie
nach Belieben auf- und zumachen, das Wasser aus dem
Bächlein über das Feld laufen lassen, so daß es einer
Wiese ähnlich sieht. Den Tag über scheint die liebe
Sonne. Wenn das nicht wächst, weiß ich nicht. Gibt
auch zwei Ernten im Jahre. Viel schöne Städte und
Schlösser liegen in der Lombardei zwischen Trient und
Venedig.

---

[1]) Die Schilderung der Lombardei, die uns Sastrow im folgenden dargeboten hat, ist von einer ganz wundervollen Plastik und
Anschaulichkeit. Neben Victor Hehn kenne ich kaum eine Beschreibung Italiens, die bei aller Kürze so vortrefflich in Landes-
natur und Bodenbau einführte, wie diese. Gehen wir rückwärts
auf die Darstellungen eines Vergil und Horaz und vorwärts auf
die Beschreibungen, die moderne Reiseschriftsteller vom italieni-
schen Bauernleben entworfen haben, so erstaunen wir über die
Gleichartigkeit, mit der in einer 2000jährigen Periode das Leben
am Mittelmeer verläuft.

Nach Venedig bin ich Ende April gekommen. Bis meine Gefährten anlangten, hatte ich genugsam Zeit, auf und ab zu spazieren. Als nun die Jungen auf der Straße an meiner Kleidung erkannt hatten, daß ich ein Deutscher sei, haben sie mir nachgerufen: „Du bist ein Deutscher und wahrscheinlich ein Lutherischer!" Darum hab ich meine Kleider auf welsche Art umändern lassen.

Auf unserer Weiterreise sind wir zur Heiligen Mutter Gottes zu Loreto gekommen, liegt 15 deutsche Meilen von Ancona. Es war freilich etwas vom Wege ab. Wir hatten aber so viel von den Indulgentien gehört, die man von dort holen kann, daß wir hineingegangen sind. Das Heiligtum liegt an einem Platz recht in der Wildnis und für Räuber wie geschaffen, der Ort hat nur eine Straße mit einer kleinen Kirche an einem Ende. Davon geht die Sage, das sei die Wohnung der Jungfrau Maria zu Nazareth gewesen. Es heißt weiter, himmlische Engel hätten sie übers Meer geführt und an diesen Ort niedergesetzt. In dem Kirchlein steht in Mannshöhe ein Marienbild, das soll der heilige Lukas gemalt haben, als ein echtes Konterfei der Jungfrau Maria. Kommt dann ein Pilgrim und läßt dem Meßpfaffen seine Absicht merken, so berührt dieser mit dem Gebetbuch des Wallfahrers das Marienbild. Davon bekommt das Gebetbüchlein so grausam viele Indulgentien, daß man sie nicht um ein Fürstentum hergeben sollte.

Sie haben zu Loreto für die Pilger viele Stacheln vom Stachelschwein. Ich hab übrigens eine ganze Anzahl von den Biestern daselbst lebendig gesehen; sind so groß wie ein Schweinigel, und ihre Federn — so nennt man die Dinger — wachsen ihnen auf dem Rücken wie beim Schwein die Borsten. Drei von den Stacheln aneinander, mit Seide geschmückt, an jeder einzelnen ein kleines Fähnlein und vorne ein Marienbild, aus Blei gegossen, so kaufte

ich es und ließ mir's vorne an meinem Strohhut befestigen. Damit bin ich bis nach Rom gekommen.[2])

Am 1. Juli wurde ich zu Rom vor den Kardinal gefordert, in dessen Diensten mein Bruder gestanden hatte. Der Kardinal hat mich vor sich kommen lassen und mir allerlei Kleinodien von meinem seligen Bruder eingehändigt, auch einiges Geld und eine Abrechnung für die gemachten Ausgaben. Fragte auch fleißig, wie es denn im Pommerlande aussähe, ob es da auch um diese Zeit so heiß sei wie in Rom! Mein Kardinal saß nämlich im Hemd und hatte in den Fensterrahmen statt Glas Leinewand. Von Zeit zu Zeit aber wurde das Gemach mit kaltem Brunnenwasser begossen. Die Gemächer waren mit Absicht so angelegt, daß das Wasser abfließen konnte. Als ich darauf allerlei von der Heimat erzählt hatte, rief er aus: „O, wenn wir doch auch in Rom eine so gemäßigte Temperatur hätten!" Alsdann hat er mich von sich gelassen.

Das Geld und die Kleinodien habe ich bis zur Abreise bei meinem Gönner, Herrn Dr. Hoyer, niedergelegt. Es war ein ehrliches, aufrichtiges Männlein, sehr diensteifrig.

---

[2]) Keine Tatsache tritt wohl im Lesen unserer Chronik deutlicher zutage, als die völlige Unsicherheit und Unklarheit der Übergangszeit auf religiösem Gebiete. Sastrow selbst ist noch halb katholisch aufgewachsen. Die Mutter betet aus alter Gewohnheit an den Altären der Stadtkirche, und Bartholomäus selbst singt mit Eifer lateinische Hymnen im Kirchenchor. Nachher nimmt er ohne Unterschied Dienst bei evangelischen und katholischen Herrn. Obgleich selbst der neuen Lehre zugetan, tritt er in Rom in die Dienste eines katholischen Geistlichen. Aber gerade hier im Anblicke der unheiligen heiligen Stadt hat er sich äußerlich und innerlich vom Papsttum losgesagt. Am Fronleichnamstage bleibt er als einziger auf dem weiten Petersplatze stehen, als alle andern in die Knie sinken. In Deutschland urteilt er sodann sehr ungünstig über die Reaktion des Katholizismus am Rhein in den Tagen des Interims.

Durch ihn bekam ich eine Stelle beim Verwalter des Brigitten-Klosters. Der war ein alter Pfaffe aus Schweden und hielt einen Mittagstisch, der von Advokaten und Sachwaltern besucht wurde. Mein Amt war Kochen, Aufwaschen, das Bett machen, den Tisch decken usw. Dafür gab's monatlich eine halbe Krone. Er selbst und seine Tischgenossen waren mit meinem Kochen äußerst zufrieden, obgleich ich nicht viel mehr als eine Suppe zu kochen brauchte. Die übrigen Mahlzeiten kaufte der Herr selbst auf einer Garküche ein. Denn zu Rom, unter den vielen unverheirateten großen Herrn mit ihrer Dienerschaft, den Kardinälen, Bischöfen, Mönchen, Prälaten, Domherren, Meßpfaffen und Advokaten, die alle vor der Öffentlichkeit keine Frauensperson um sich haben dürfen, hat es stets vortreffliche wohlbestallte Garköche gegeben, bei denen man ohne weiteres einen hochgebornen Grafen zu Gaste bitten konnte.

Mein Herr brachte um jene Zeit seinen Gästen als frohe Neuigkeit die Nachricht an den Tisch, daß man aus Deutschland bestimmte Kunde habe vom Tode des Erzketzers Martin Luther. Es hieß, daß er einen greulichen Abschied von diesem Leben genommen habe, wie ihm das denn auch zukäme. Denn gar viele Teufel seien um ihn her geflogen und hätten solch einen Lärm mit ihm aufgeführt, daß niemand hätte in seiner Nähe bleiben können. Luther selbst habe gebrüllt wie ein Ochse und sei zuletzt mit gräßlichem Geschrei abgefahren. Noch jetzt höre er nicht auf, in seinem Sterbehause herumzuspuken.

Da war keiner, der nicht ein Wort davon mitredete, was Luther für ein schändlicher Teufelsbraten gewesen sei, wofür er denn auch in alle Ewigkeit mit allen Teufeln im himmlischen Feuer gemartert werden würde. Aber einer war unter ihnen, ein Prokurator am Heiligen Stuhl, der sprach nichts dazu. Sondern auf das Lied, das die Italiener

nach ihrer Art immer von neuem anstimmten und worin sie den armen Luther noch einmal zu Tode marterten, sagte er bloß die Worte: „O Jesu, Sohn Gottes, erbarme dich meiner!"

Während ich nun mit meinem Herrn in und vor Rom allerlei heilige Stätten besuchte, hab ich in kurzer Zeit gar vieles gesehen und gelernt. Davon will ich einiges berichten.

Da ist an einer Kapelle eine steinerne Stiege, die soll dereinst zu Jerusalem gestanden haben am Hause des Pilatus. Darauf sei der Herr Christus, als man ihn gar unbarmherzig zum Hause des Pilatus hingeschleift habe, niedergefallen, so daß ein Tropfen seines hochheiligen Blutes auf einer Stufe liegen geblieben sei. Den Bluts-tropfen aber hat man mit einem besonderen eisernen Gitterchen zugedeckt, damit man nicht darauf treten könne. Wer die Stufen hinaufgeht, verdient sich Vergebung für den dritten Teil seiner Sünden. Ich bin hinaufgegangen. Aber ich halt's doch mit dem vorgenannten Bekenntnis: „O Jesus, Sohn Gottes, erbarme dich unser!" Wer das in seinem letzten Stündlein wohl im Herzen bewahrt, der hat's nicht erst nötig, nach Rom zu reisen und diese Stiege emporzuklimmen.

„Domine quo vadis" ist ein kleines Kapellchen, darin nur zwei Personen sitzen können. Es liegt ganz hoch und frei an der Appischen Straße, zwischen dem appischen Tore und der Sebastianskirche. Während der großen Verfol-gung des Nero war der Befehl ausgegangen, den heiligen Petrus zu ergreifen und zum Tode zu führen. Wie dem aber die andern Christen mit unaufhörlichen Bitten zu-setzten, entschloß er sich, aus Rom zu entweichen. Als er nun an diesen Ort kommt, siehe, da begegnet ihm der Herr Christus in eigener Person. Den fragt Petrus: „Herr, wohin gehst du?" Spricht der Herr: „Ich gehe nach Rom,

damit man mich dort noch einmal kreuzige." Petrus versteht den Sinn dieser Worte, kehrt alsbald nach Rom zurück, wird dort ins Gefängnis gesteckt und mit dem heiligen Paulus zusammen an einem Tage zum Tode verurteilt und hingerichtet.

Was soll ich von all den Kirchen, Kapellen, Klöstern und Hospitälern reden? Ihre Zahl ist schier unendlich. Ich hab nur von einigen derselben meinen Kindern berichten wollen, damit sie daran ein Stück vom papistischen Fabelwerk und Aberglauben erkennen möchten und des inne werden, wie greulich das allerhöchste Verdienst des Gottessohnes hier geschmälert wird. An einer jeden Kirche hängt eine Tafel, auf der geschrieben steht, welche Stationen darin sind und wieviel Ablaß bei ihrem Besuch zu verdienen sei. Man hat die Stationen und Indulgentien aber noch besonders gedruckt, die man zu Rom erlangen kann, und ich ersehe daraus, daß man wohl zwölfmal die ewige Vergebung aller seiner Sünden und dazu mehr als 100000 Jahre Verzeihung erlangen kann. Da nun aber ein Mensch nicht mehr als den einmaligen Erlaß fürs ewige Leben vonnöten hat, so kann man noch 11 Seligkeiten verkaufen, dazu die 100000 Jahre Ablaß. O, lieber Herr Jesus, wärst du doch im Himmel geblieben! Wir wären schon ohne dich zu dir hinaufgekommen durch die große Milde der allerheiligsten Väter, der Päpste, welche die vielen Indulgentien vergeben und doch selbst in den allertiefsten Abgrund der Hölle hinabgestürzt werden zu allen Teufeln, damit sie in alle Ewigkeit von ihnen gemartert werden.

Ich aber halte es auch hier wieder nur mit einer einzigen Station, so von der heiligen Dreieinigkeit gegründet ist und lautet: „O Jesu, Gottes Sohn, erbarme dich unser!" Wem es an diesem Punkte mangelt und wer hier Ablaß braucht, der wird mit allen römischen Stationen

und Indulgentien vom heiligen Petrus am Himmelstor ab-
gewiesen werden. Der Herr Christus aber wird ihn in
den tiefsten Abgrund der Hölle hinabstoßen.

Ich kann aber nicht unterlassen, das Hospital Sanct
Spirito des näheren zu beschreiben. Denn man machte
von diesem Institut in Rom soviel Rühmens, als gäbe es
kein heiligeres Werk in der ganzen Christenheit.

Von den vielen ledigen Frauenspersonen zu Rom
wurden von alters her eine Menge Kinder zur Welt gebracht, die man ohne weiteres erwürgte oder in den
Tiber warf. Man kann wohl behaupten, daß in Rom
ebensoviele unschuldige Kinder von ihren eigenen Vätern
und Müttern ertränkt worden sind, wie der Tyrann Herodes
dereinst in Bethlehem hat ermorden lassen. Da vermeinte
der Papst Sixtus IV., er müsse dem grausamen Morde
Einhalt tun, und hat das Hospital zum Heiligen Geist, das
schon dem Verfall entgegenging, von Grund auf neu errichtet und mit schönen Anbauten erweitert, hat auch
eine ansehnliche Brüderschaft eingesetzt und sich nebst
vielen Kardinälen eigenhändig in ihre Zahl eingeschrieben.
Das Hospital ist mit bequemen ansehnlichen Gemächern
und Betten gar zierlich zugerichtet worden. Fremde von
allen Nationen, die in Rom erkranken, werden dort aufgenommen. Man wartet ihrer gar fleißig mit allerlei
Ärzten. Wenn sie wieder gesund werden, müssen sie für
die Wohltaten bezahlen, die man ihnen erwiesen hat.
Meistens tun die Leute das auch gern. Sind sie aber nicht
imstande, es zu bezahlen, so haben sie es umsonst und
bekommen noch notdürftige Kleidung und einen Zehr-
pfennig auf den Weg. Da gibt es Personen beiderlei Geschlechts, die sich der Kranken annehmen, dazu eine köstliche, wohlausgestattete Apotheke, die auch von andern
Leuten viel gebraucht wird. Vor allem aber werden in
diesem Hospital Findlinge und Waisenkinder gespeist und

erhalten. Wenn die Knaben in das Alter kommen, wo man sie ein Handwerk erlernen lassen will, dann erforschen die dazu verordneten Vorsteher des Hospitals, wozu ein jeder sich am besten eignet und wozu er Neigung hat: das lernt er alsdann. Wenn aber ein Mägdlein in dem Alter ist, daß sie dazu tüchtig ist, etwas anzugreifen, darf es gleichfalls nicht unbeschäftigt bleiben, sondern muß etwas tun, entweder stricken oder spinnen, reihen und weben, oder was es noch sonst an weiblicher Arbeit geben mag, wozu eine jede sich am besten eignet. Alle Jahre zu Pfingsten gibt's Hochzeit zwischen den Findlingen und Waisenkindern. Wenn nämlich einer aus dem Hospital eine mannbare Jungfrau zur Ehefrau begehrt, so stellt er einen Antrag bei den Vorstehern und wirbt um sie. Die Herren erkundigen sich dann nach Herkunft und Wesen der beiden Hochzeiter, nach seinem Geschäft und ob er in der Lage ist, Weib und Kind zu ernähren. Dann erforschen sie, was für eine Person die sei, die er zur Ehe begehrt. Glauben die Herren, daß die Sache wohl angehen möchte, so geben sie ihm das Mädchen mit einem Brautschatz, wie er jungen Eheleuten zukommt, und mit allerlei Kleidern und Hausrat. So wurden alljährlich zur Pfingstzeit im Hospital an die sechs bis sieben Hochzeiten an einem Tage abgehalten. All das hat natürlich viel Geld gekostet. Und weil Papst Sixtus das nicht aus seiner eigenen Tasche hat bezahlen können, hat er dafür in allen Ländern der Christenheit sammeln lassen, auch in Deutschland. Und ich kann mich noch gut aus meiner Jugend daran erinnern, wie sie damals in Pommern gesammelt haben.

Rom hat viele schöne, gewaltige Häuser. Das kommt daher, daß die Päpste sich anstrengen, ein ewiges Gedächtnis an ihr Regiment zu hinterlassen. So errichten sie gern einen Palast, schön und groß, drei Stockwerke übereinander. Der muß nach allen Seiten frei und allein

stehen, und wenn darüber ganze Gassen niedergerissen werden müssen, die dem Gebäude die Aussicht benehmen. Alles wird von unten bis oben aus Hausteinen erbaut. Davon gibt's eine schwere Menge in Rom, denn Rom hat große Steine, große Herren und große Schelme. Aber auch die zahllosen Kardinäle und Bischöfe wollen nicht an finstern Orten und in kleinen Hüttlein hausen. Die neuen Gebäude erfordern viel Arbeit. Um die Steine heranzuschleppen, gebrauchen sie Büffel, gar starke Biester. Recht sonderbare Instrumente aber haben sie zum Aufwinden, ganz leise können sie die großen Steine in die Höhe befördern.

Am Fronleichnamstage wird vom Papst eine gar prächtige Prozession abgehalten.[5]) Die Gassen, durch die sein Zug geht, werden mit allerlei schönen Blumen bestreut und die Häuser zu beiden Seiten mit kostbaren Teppichen behängt. Aus dem Kardinalspalast, der in der Gegend liegt, werden Salutschüsse abgegeben und kunstreich gearbeitete Feuerbälle geworfen. Da sammelt sich eine so dichte Menschenmenge, daß einer es wohl fertig brächte, über ihre Köpfe hinwegzuspazieren. Alle Fenster in den Häusern liegen voll von Zuschauern. Vornean gehen sämtliche Schüler, paarweise, in weißen Röcklein; dann folgen die Meßpfaffen und andere Geistliche in ihren Gewändern, danach Prälaten und Domherren, alle in Mänteln von weißer Farbe mit einem kleinen leinenen Überwurf. Danach kommen die Bischöfe in weißer Soutane und dicht vor dem Papst die Kardinäle, gekleidet in weißen

---

[5]) Die lebensvolle Schilderung des Kirchenfestes zeigt uns mit einem Schlage, daß Sastrow die Welt mit den Augen eines schönheitsfrohen Renaissancemenschen zu sehen verstand. Wie schaulustig und erfüllt von unbändiger Lust am schönen Schein jenes Geschlecht gewesen ist, kann man am besten bei H. A. Taine, Reise in Italien, 2 Bde., übersetzt bei Eugen Diederichs, nachlesen.

Barthol. Sastrow   7

Damast. Ein jeder hat seinen zugehörigen Hut auf. Der Stuhl, darauf der Papst sitzt, ist gar prächtig mit rotem Karmesinsamt überzogen. Hinten an der Rückenlehne prangt sein Wappen, so groß wie der Rücken des Stuhls und von lauterem Gold. Alles daran, Stangen und Knäufe, ist von Gold und mit rotem Samt umwunden. Darunter gehen zwölf Leute in langen scharlachroten Röcken, die tragen die Stangen des Baldachins auf ihren Schultern, damit die Sonne dem Papst nicht beschwerlich falle. Er sitzt in seinem päpstlichen Ornate auf dem Stuhl, hat auch seine dreikronige Tiara auf dem Kopf, die man wohl „Weltherrschaft" nennt. Die ist nicht allein aus dem schönsten Golde angefertigt, sondern mit so vielen kostbaren Steinen besetzt, daß man wohl behaupten kann, sie sei ein großes Königreich wert. Er hat eine goldene Monstranz in der Hand, die sieht aus wie ein Ring. Inwendig ist sie etwa eine Spanne weit, von kunstreicher Arbeit. Mitten darin ist das geheiligte Brot so zierlich aufgehängt, daß man kaum sehen kann, woran es festgeheftet ist. Hinter dem Papst gehen seine Offiziere, Doktoren, Advokaten, Notare, und schließlich folgen vornehme Bürgersleute in großer Anzahl zu je dreien, in der mittleren Reihe die Höchsten vom Adel und die römischen Patrizier mit langen brennenden Kerzen in der Hand. In den andern Reihen marschieren deutsche Soldaten und Leibwachen, zu Fuß und zu Pferde, wohl geputzt und ausstaffiert. Als der Papst in die Nähe der Engelsburg kam, war da ein Feuerwerk bereitet, künstlich mit Rädern wie ein Uhrwerk. Das ging jetzt los. Und es sah nicht anders aus, als stünde die ganze Engelsburg in hellen Flammen. Als er nun zur St. Peterskirche kam, wurde er in seinen Palast hinaufgetragen. Dabei ließ man wieder etliche Böllerschüsse los. Von der Engelsburg erscholl lebhafte Antwort, ebenso aus verschiedenen Kardinals-

palästen. Man schoß aus großem Geschütz, sogenannten
Mörsern, daß einem Hören und Sehen verging. Als das
Knallen ein wenig nachließ, siehe, da stand der Papst
oben am Fenster. Ein Buch wurde ihm vorgehalten,
köstlich, in goldenem Einband, daraus las er vor. Ich
konnte nicht genau hören, was es eigentlich war. Alle
Anwesenden, gewiß etliche Tausend an der Zahl, fielen
nieder auf die Knie. Ich allein blieb stehen. Die andern
um mich herum sahen mich an: „Halt," dachten sie, „der
ist wahnsinnig!" Als er nicht lange danach zu Ende gelesen hatte, erteilte er allem Volk seinen apostolischen
Segen. Die riefen: „Vivat, Papst Paul, vivat!"

Folgende Geschichte spielte sich zu meiner Zeit in
Rom ab. Die Kardinäle hatten zu Ehren des gerade anwesenden Herzogs Philipp von Braunschweig ein großes
Bankett gegeben. Nun hatte der Kardinal, in dessen Palast
das Festessen abgehalten würde, einen spanischen Edelmann in seinen Diensten. Der gedachte die Gelegenheit
zu benutzen, um einen ansehnlichen Diebstahl zu vollführen. Er nahm also eine kleine Tonne Wein und etwas
Brot zu sich und legte sich damit unter den Tisch, an
welchem die Herren zu sitzen kamen. Der war an allen
Seiten mit einer Tischdecke behängt, die bis zur Erde
reichte. Hätte man ihn dort gefunden, so hätte er die
Sache ins Komische gedreht. Denn er war beim Kardinal gut angeschrieben wegen seiner kurzweiligen lustigen
Streiche. Für den Fall aber, daß alles nach Wunsch ginge,
hatte er zwei seiner Diener an den Kardinalspalast beschieden, die ihm dabei helfen sollten, das Gestohlene
fortzuschaffen. Die Herren hielten bis um Mitternacht
Bankett. Als sie endlich aufstanden, ging jeder zur Ruhe.
Die Offiziere, die bei Tisch aufgewartet hatten, waren so
müde, daß sie alle beim Mahle gebrauchten Kleinodien,
Silbergeschirr, Schüsseln, Teller, Becher und anderes Ge-

7*

rät nicht erst wegstellten, denn sie meinten, es sei bis
morgen in Sicherheit, wenn sie abschlössen. Gingen also
davon. Jetzt ist mein Spanier unter dem Tisch hervor-
gekommen, hat das Gemach geöffnet, seine zwei Diener
hereingeholt, sie etliche Trachten wegschleppen lassen
und nach und nach soviel genommen, als sie nur tragen
konnten. Das haben sie alsbald in die Judengasse gebracht und zu Geld gemacht. Nur soviel hat er unver-
kauft gelassen, als ihm vonnöten schien, um unterwegs
recht prächtig aufzutreten, ohne daß er dadurch behindert
wurde. Damit hat er sich davongemacht auf den Weg
nach Neapel mit seinen beiden Knechten und Spießge-
sellen in eilendem Ritt.

Des Kardinals Offiziere, welche die ganze Nacht aufgewartet hatten, schliefen am andern Morgen recht lange.
Wie sie aber zuletzt aus den Federn krochen und ins
Speisezimmer kamen, sahen sie alsbald, was die Uhr geschlagen hatte. Sie waren starr vor Entsetzen und wußten
nicht, was tun. Schauer liefen ihnen über die Haut. Sollten
sie's melden oder geheimhalten? Drohte ihnen nicht Gefängnis für ihre Unachtsamkeit? Schließlich hielten sie es
doch für das beste, es dem Kardinal anzuzeigen.

Darauf wurden sie gefangen gesetzt. Sodann teilte
man auf allen Landstraßen außerhalb Roms einem jeden
Gastwirt durch eilende Boten mit, was geschehen war.
Zugleich wurde eine genaue Beschreibung der gestohlenen
Kleinodien gegeben, wie sie beschaffen wären und mit
welchen Wappen sie bezeichnet seien. Der Papst aber
gab ernstlichen Befehl, einen jeden zu ergreifen und nach
Rom zu führen, bei dem etwas derartiges gefunden würde.
Als nun unser Spanier mit seinen Pferden müde und
hungrig geworden war, kehrte er bei einem Wirt ein. Der
Tisch wurde gedeckt und zugerichtet und die Speisen in
irdenen Schüsseln aufgetragen. Da spricht der Geselle

in seiner Hoffart zornig zu dem Wirte, ob er denn meine,
daß er so ein armer Schlucker sei. Drauf läßt er durch
seine Knechte seine silbernen Teller und Schüsseln her-
bringen. Darin sollte ihm der Wirt aufwarten.

Der Wirt aber nahm die Schüsseln, ging damit in
die Küche und verglich sie mit den Abzeichen, welche ihm
durch die Post genannt waren. Da fand sich denn, daß
es die richtigen waren. Unser Wirt holt Hilfe und nimmt
seine drei Gäste fest. So brachte man sie gebunden nach
Rom. Als man den Spanier aber allda fragte, wohin er
denn das übrige Silber getan habe, das man nicht bei ihm
gefunden hatte, machte er die beiden Juden namhaft, denen
er es verkauft hatte. Jetzt mußten die Juden mit dem ge-
kauften Silber und er selbst mit dem dafür empfangenen
Gelde herausrücken, und die beiden Juden kamen noch
obendrein ins Gefängnis.

Es gab aber zu Rom damals gar viele Juden, die haben
eine besondere Gasse, die abgeschlossen werden kann.
Denn in der Karwoche dürfen sie sich nicht auf der Straße
blicken lassen. Das römische Volk ist dann so erbost und
erbittert auf sie, daß sie einen zu Tode prügeln würden,
wenn sie ihn zu fassen kriegten. Das geschieht, weil die
Juden um dieselbige Zeit den Herrn Christus gemartert
und gekreuzigt haben. Erst am Osterabend sind sie wieder
sicher und können ohne Lebensgefahr mit jedermann
handeln und wandeln.[4]

Diese zwei Juden nun waren die reichsten und vornehmsten unter ihnen. Es wurden viele tausend Kronen
dafür geboten, wenn man sie am Leben ließe. Aber es
war alles umsonst. An der Engelsbrücke wurde ein Galgen
errichtet, daran wurden sie alle fünf aufgeknüpft. Der

---

[4] Die Unsitte der Judenhetze am Osterfest hat sich übrigens
in Italien bis ins 19. Jahrhundert erhalten, vergl. Adolf Stahr und
H. A. Taine a. a. O.

Spanier kam in die Mitte zu hängen. Dem setzten sie eine
Krone aus Messingblech auf, als einem Könige der Diebe,
der so gewandt mit Stehlen umspringen konnte. Links und
rechts von ihm baumelte je ein Knecht und ein Jude.

Bald darauf nahm ich Urlaub und zog wieder heim.
Mitten in einer finsteren Nacht war ich zu Viterbo ins
Stadttor eingelassen worden. Die Stadt aber war voll von
Soldaten, die eben damals der Papst dem Kaiser zu Hilfe
sandte wider die Evangelischen. Aus Furcht vor dem
wilden Gesindel wollten wir in kein Haus einkehren, wo
Soldaten lagen. Fürchteten, wir würden greulich ums
Leben gebracht, wenn man hörte, daß wir Deutsche und
evangelischer Religion seien. So gingen wir von einem
Hause zum andern, alle waren voll von Soldaten.

Als wir in solcher höchsten Angst und Bekümmernis
nicht wußten, was zu machen sei, und aus tiefster Seele
zu unserm Gott seufzten, siehe, da trat ein Mann zu uns
heran, von gutem Aussehen, scheinbar 40 Jahre alt. Den
hatten wir Zeit unsres Lebens noch nicht gesehen, auch
hatte er uns nicht ein Sterbenswörtlein reden hören. Zudem waren wir in welscher Kleidung und den Soldaten,
mit denen wir zugleich in die Stadt kamen, in allem
ähnlich. Jedermann hätte uns über Tag nach unseren
Gesprächen und Scherzworten für Soldaten halten müssen.
Der Mann aber spricht uns ohne weiteres mitten in der
finstern Nacht mit diesen Worten auf Deutsch an: „Ihr
seid Deutsche, bedenkt ihr denn nicht, daß ihr in Welsch-
land seid? Wenn euch jetzt der Bürgermeister zu fassen
kriegte, er würde euch sofort die Chorda geben,[5]) viel-

---

[5]) Von der grausamen Strafe der Chorda gibt uns Sastrow
an anderer Stelle eine recht anschauliche Schilderung. Der Ver-
urteilte wurde an Tauen emporgezogen und sodann plötzlich losgelassen. Er kam dann noch immer frei schwebend an den
Tauen zu hängen, die Oberarme aber waren durch den starken

leicht ginge es euch gar noch schlimmer. Ihr wollt doch nach Deutschland?" Nun frage ich einen, wer hatte ihm das gesagt, konnte er uns denn ins Herz sehen und unsre Gedanken erraten und sie sogar in ganz bestimmte Worte fassen? „Kommt nur," so sprach er weiter, „ich will euch zu dem Tor führen, aus dem euer Weg hinausgeht!" Wir erschraken und wußten nicht gleich, was wir vor Verwunderung sagen sollten. Wir schwiegen aber ganz still und folgten ihm bis ans Tor, ohne ein Wort zu sagen. Am Tore sprach er mit dem Wächter, der sagte auf italienisch zu uns: „Liebe Gesellen, ihr dauert mich, deswegen will ich euch hinauslassen, obgleich es mir eigentlich strenge verboten ist, die Stadt vor Tagesanbruch zu öffnen. In der Vorstadt werdet ihr freilich nichts Eßbares finden, denn die Soldaten haben sie völlig niedergebrannt und geplündert. Aber ich denke, ihr werdet in einer Nacht nicht verhungern oder verdürsten!" Indem schließt er auf, läßt uns hinaus und, ehe wir's uns versehen, ist das Tor hinter uns verschlossen.

Was soll man nun davon denken, wer dieser Mann gewesen sei? Wir haben uns über unsre wunderbare Errettung von Herzen gefreut, sind auch dadurch getröstet und der Allgegenwart unsres Gottes gewisser geworden. Denn er hat uns nicht verlassen, sondern seinen Engeln befohlen, sich um uns zu lagern und uns auch ferner aus aller Not zu erretten. Die Nacht haben wir in der Vorstadt auf einem Haufen Stroh unter einem Galgen geschlafen.

In Monte Fiascone wurden uns auf unsre Bestellung junge gebratene Hühner vorgesetzt. Aber o weh, vor

---

Ruck aus dem Kugelgelenk gerissen. Man schleppte die Unglücklichen alsbald in ein nahes Haus und renkte ihnen hier, nicht eben zart, die Arme wieder ein. Manche trugen einen dauernden Schaden davon.

Müdigkeit und erschlafft von der Hitze des Tages konnten
wir fast nichts essen. Um so mehr genossen wir vom
Muskatellerwein, denn der war lieblich und gut.

Man erzählt sich, es sei einmal ein Herr durch die
Lande gereist. Wenn der an eine Herberge gekommen
ist, dann hat sein Knecht den Wein erst probieren müssen.
Wenn's ein schlechter Wein gewesen ist, sagte der Knecht
zu seinem Herrn: „Est", beim mittelmäßigen: „Est, est!"
War er aber von ganz besonderer Güte, so hieß es: „Est,
est, est!" Und danach pflegte sich dann der Herr zu
richten. Entweder er blieb oder er ritt weiter. Als sie
nun nach Monte Fiascone geritten kamen, wurde dem
Diener wieder die Aufgabe zuteil, den Wein zu versuchen.
Und weil er: „est, est, est!" gesagt hat, so blieben sie
allda. Weil aber der Wein vortrefflich war und ihm gar
wohl schmeckte, tat er zuviel des Guten, holte sich eine
Entzündung, ward krank und starb zu Monte Fiascone.

Da nun seine nächsten Verwandten herbeikamen und
nachforschten, an welcher Krankheit er denn gestorben
sei, sagte ihnen der Knecht: „Durch est, est, est, o
schwere Not, traf meinen Herrn der bittere Tod!"[6])

Am 29. August bin ich nach Stralsund gekommen.
Wir sind auf unserer Reise im ganzen 18 Tage stille gelegen, haben also für den Weg von Rom bis Stralsund
nur fünf Wochen gebraucht, und dabei beträgt die Strecke
volle 255 deutsche Meilen.

Ich fand meine Eltern und Geschwister wohl und
gesund, sie alle hießen mich von Herzen willkommen.
Zuerst war ich freilich so steif wie ein abgeritterner Gaul.
Durch Bäder und Einreiben mit venetianischer Salbe kamen
meine Schenkel allmählich wieder zurecht.

---

*) Der betreffende trinkbare Herr war natürlich ein Deutscher,
wahrscheinlich der Abt Johann v. Fugger, vergl. Lahrer Kommers-
buch von 1886, S. 524, Nr. 519.

12. Kapitel
Als pommerscher Gesandtschaftssekretär in Böhmen und vor Wittenberg

Am 5. November 1546 bin ich von meinem gnädigen Herrn, Herzog Philipp von Pommern, in die fürstliche Kanzlei zu Wolgast aufgenommen worden. Ich war aber für die nächste Zeit nicht viel daheim und, wenn ich da war, selten in der Kanzlei. Denn als der Schmalkaldische Bund durch Einzelverhandlungen mit Seiner Majestät auseinandergesprengt war, wurden dem Kurfürsten von Sachsen und dem Landgrafen von Hessen so schwere Bedingungen auferlegt, daß man mit aller Sicherheit annehmen konnte, das Kaiserliche Heer werde auf den nächsten Frühling in den fürstlichen Landen sein. Und das gab ein ewiges Gerenne und Gefahre, sowie Beratschlagungen aller Art und Zusammenkünfte der Räte in Stettin. Denn es schwebten Verhandlungen zwischen meinen beiden gnädigen Herren, Herzog Barnim und Herzog Philipp, und dem Kurfürsten von Brandenburg. Andererseits bestand eine Verbindung zwischen Herzog Philipp und dem Kurfürsten von Sachsen. Der aber lag recht kleinlaut den ganzen Winter lang in Altenburg. Bei all diesen Verhandlungen wurde von den Pommernherzögen der Kanzler Jakob Zitzewitz verwandt. Denn derselbe war schon auf vielen Reichs- und Kreistagen gewesen und war ein gelehrter, ansehnlicher, schöner Mann, hochsinnig und beredt, dazu eine tüchtige Arbeitskraft,

der einem Fürsten vortreffliche Dienste leistete durch seine
guten Ratschläge und durch sein vornehmes Auftreten.
Alle Schriftstücke der beiden Fürsten stammten aus seiner
Feder und was er schrieb, war mit einer Sorgfalt und
einem Fleiß ausgeführt, daß keiner sich unterstanden hätte,
etwas daran zu ändern. War aber eine Sache zu berat-
schlagen und es entstand die Frage, wer sich daranmachen
und es zu Papier bringen sollte, dann sagten die Herren
Räte, und vor allen der Doktor vom Walde: „Das soll
unser Salomo machen" — denn so nannten sie ihn. Mit
diesem Manne mußte ich nach allen Richtungen reiten
und fahren, bisweilen Tag und Nacht. Es kam wohl vor,
daß wir gegen Abend aus Berlin abfuhren und andern
Tags noch so zeitig auf den Nachmittag nach Stettin
kamen, daß der Kanzler noch am nämlichen Tage Bericht
erstatten mußte. Manche liebe Nacht hab ich bei ihm
gesessen. Da hat er mir in die Feder diktiert, was man
über Tag im fürstlichen Rate auszufertigen beschlossen
hatte. Noch ehe die Herren dann am andern Morgen in
die Ratsversammlung gingen, hatte ich es ins Reine geschrieben. In der Ratsversammlung wurde es dann noch
einmal verlesen, um alsbald versiegelt und weggeschickt
zu werden. Wenn ich in Wolgast gewesen bin, hab ich
bei dem nunmehr verstorbenen früheren Mundkoch des
Herzogs Philipp, dem Meister Ernst, mein Quartier gehabt. Das war ein frommer und gottesfürchtiger Mann.
Im Jahre 1547 ging das Frühjahr herum, während
man sich an den Höfen zu Stettin und Wolgast nicht recht
wohl fühlte wegen der Trennung im Lager der Schmalkaldischen. Außerdem kam von Zeit zu Zeit Nachricht,
daß der Herzog von Württemberg sich ergeben und gegen
hohe Geldstrafe und Auslieferung seines Geschützes mit
dem Kaiser ausgesöhnt hätte. Daraufhin hat man es für
ratsam und nötig erachtet, beizeiten eine Botschaft an

den Kaiser zu senden mit dem untertänigsten Bericht, daß man sich nicht dem Bunde angeschlossen hätte. Dazu wurden vier Räte ausersehen, denen ich beigegeben wurde.

Am 10. März sind wir von Stettin abgereist in der Richtung auf Frankfurt a. O. Von da ging die Reise durch Schlesien auf Krossen, Görlitz und Zittau los. Die Weiterfahrt führte uns quer durch den Böhmerwald[1]) bis nach Leitmeritz, der vornehmsten und festesten böhmischen Stadt nächst Prag. Hier haben wir einige Tage still gelegen und gelauscht, wie der Wind wehte. Wir merkten wohl, daß die Böhmen nicht willens waren, ihrem König Ferdinand in diesem Kriege zu helfen. Er aber ließ nicht ab und drang in sie, ihm gegen den Kurfürsten von Sachsen die stärkste Hilfe zu leisten. Der König wollte sie schließlich mit Gewalt dazu zwingen. Denn er brachte in Ungarn und Schlesien ein ansehnliches Kriegsvolk auf die Beine. Die ungarischen Reiter werden gewöhnlich Husaren genannt. Das ist ein gar räuberisches, unbarmherziges Volk. An ihre Spitze stellte Ferdinand den Oberst Sebastian von Weitmulen, den er am Beginn des Krieges während seiner Abwesenheit zum förmlichen Regenten des ganzen Königreichs eingesetzt hatte. Der lag mit seinen Reitern bei Eger. Die Kerle hieben den kleinen Kindern aus der Gegend Hände und Füße ab und steckten die wie Federbüsche auf ihre Hüte. Mich aber schickten die Räte auf Kundschaft in der Richtung auf Eger am Böhmerwald. Sie fanden einen Menschen, der sollte neben meinem Pferde herlaufen. Er verstand beide Sprachen, deutsch und böhmisch, und war ein verschlagener, gewandter junger Bursche. Da bekam man zu hören, daß die Böhmen das Gebirge in der Richtung nach Nürnberg

---

[1]) Offenbar ist das Lausitzer Gebirge gemeint, das zwischen Zittau und Leitmeritz gelegen ist.

und Eger derartig verbarrikadiert hätten, daß es schier unmöglich schien, die Reiterei hindurchzubringen. Auch die Landsknechte könnten mit aufgerichteten Fähnlein nicht vorrücken, und noch viel weniger das Geschütz. Herr Caspar Pflug, auf dessen Schloß mich die Räte schickten, meinte, man wisse wirklich nicht recht, was am sichersten und ratsamsten zu tun sei. Eigentlich müsse man dem Kurfürsten von Sachsen helfen, denn er sei unser Bundes- und Glaubensgenosse, den könne man doch nicht im Stiche lassen.[2]) Auf der andern Seite sei Ferdinand aber ihr König, es stünde also die Freiheit oder die Religion auf dem Spiele.

Während aber der Kurfürst vor Leipzig lag, zog der Kaiser ins Algäu und nach Schwaben und marschierte daselbst von einer Stadt zur andern. Wenn sich die Städte ihm ergeben hatten, legte er einer jeden eine recht ansehnliche Geldstrafe auf und besetzte sie mit seinem Kriegsvolke.

Am 23. wie auch am 25. April hatte die Sonne ein so trauriges Antlitz, daß jedermann vor seine Tür trat und zu ihr hinaufschaute. Gelehrte und verständige Männer waren der Meinung, unser Herrgott müsse etwas ganz besonderes im Sinne haben. Am 26. April aber kam ganz

---

[2]) Daß damals Böhmen in hellem Aufstande gegen die Habsburger begriffen war, ist nach neueren Forschungen außer allem Zweifel. In Böhmen mochten, gerade wie vor dem Dreißigjährigen Kriege, alte hussitische Erinnerungen aufwachen. Ein Mann von mehr Energie und besserem politischen Scharfblick als der Kurfürst Johann Friedrich von Sachsen hätte diese günstige Konstellation längst für seine Zwecke ausgenützt und wäre nach Böhmen hineinmarschiert. Übrigens weisen seine letzten Maßnahmen vor der Mühlberger Katastrophe darauf hin, daß er in diesem Sinne hat vorgehen wollen. Denn schon waren verschiedene sächsische Abteilungen in der Richtung auf das Erzgebirge vorgeschickt worden.

bestimmte Nachricht mit der Post nach Leitmeritz, daß der Kurfürst von Sachsen vor zwei Tagen gefangen genommen wäre.

Daher haben wir Böhmen auf dem nächsten Wege wieder verlassen in der Richtung auf Torgau. Man merkte aber, daß es nicht ganz ungefährlich sei, in das Lager von Wittenberg zu gelangen. Denn auf dem Wege dahin lag das spanische Kriegsvolk, die hielten in der Umgegend gar übel haus. Wir aber hätten mitten hindurchreiten müssen. Da faßte man den Beschluß, daß zunächst ich allein nach Wittenberg ins Lager reiten und den Räten sicheres Geleit auswirken solle. Das war mir gar nicht recht. Ich sagte: „Ja, aber wie soll ich es denn anstellen, daß ich ohne Geleitsbrief hineinkomme?" Sprach Moritz Damitz, der Hauptmann von Ukermünde, das hätte keine Not, unser Herrgott werde mich schon bewahren und mein Geleitsmann sein. Darauf ich, ob sie es denn unserm Herrgott nicht zutrauten, daß er sie ebensogut bewahren könne wie mich? Aber es half nichts. Der langen Rede kurzer Sinn war im Grunde, an mir sei doch nicht soviel gelegen wie an ihnen. Sie kauften mir einen roten Zettel, des Kaisers Feldzeichen; kurz vorher hatte ich noch einen gelben getragen, das ist das Feldzeichen der Protestanten. Jetzt steckte ich beide Zeichen zu mir.

Zwischen Torgau und Wittenberg hab ich noch viele Spuren einer Schlacht gesehen in und bei dem Dorfe Mühlberg. Denn dort hatte das Treffen stattgefunden, worin der Kurfürst auf der Lochauer Heide gefangen ist. Er hat auch eine Wunde in der Backe erhalten. Merkwürdig genug ist's, daß das an eben dem Orte geschehen ist, wo er seiner großen Jagdlust gefrönt hatte, zum höchsten Ärgernis seiner Untertanen und zu ihrem Verderben an Leib und Gut. Auf der Walstatt selbst konnte man zerbrochne Spieße, Zinnröhren und Halfter liegen

sehen, aber auch zum Tode verwundete Landsknechte, die am Verhungern und Verschmachten waren.

Um Wittenberg herum und bis nahe an die Stadt heran lagen die Dörfer gar wüste. Aus allen Höfen waren die Leute weggelaufen, alles Vieh war fortgetrieben und nichts dagelassen. Als ich fast ans Lager gekommen war und den spanischen Haufen vor mir liegen sah, begegnete mir ein Spanier, der sprach: „Landsknecht, Landsknecht, du bist wohl noch nicht lange gut kaiserlich?" Ich ritt eine Weile weiter, dann nahm ich das nagelneue kaiserliche Feldzeichen vom Halse und rieb es so lange an meinen Schmierstiefeln, bis es nicht mehr wie neu aussah. So kam ich ohne Schaden durch die Spanier hindurch ins Lager. Da war ich außer Gefahr, blieb einige Tage dort und versuchte auf mancherlei Art, den Pommerschen Gesandten Geleite auszuwirken, aber vergebens.

Aus der Stadt Wittenberg ließen sie bisweilen die Geschütze auf das Lager losdonnern. Einige mir bekannte Reiter aus Pommern warnten mich, wenn ich jemals aus dem Lager in der Richtung auf die Stadt reiten wolle, so sollte ich nie geradeaus reiten, sondern im Zickzack hin und her gehen. Dann hätten die Leute in der Stadt kein sichres Ziel an meiner Person. Einmal ging einer an meiner Seite. In dem Momente brannten die in der Stadt ein Stück los. Die Kugel flog ihm so geschwind am Kopfe vorbei, daß der gewaltige Luftzug ihn zu Boden schleuderte. Und das geschah mit solcher Kraft, daß man ihn für tot aufhob und ins Lager trug. Von dem Augenblick an blieb ich lieber im Lager.

Ich habe gar fleißig nach einer Gelegenheit gesucht, mit dem kaiserlichen Vizekanzler, Herrn Doktor Selden, wegen des Geleites zu sprechen. Der hörte nicht auf, zu versichern, Seine Majestät seien äußerst erbittert. Man wolle jetzt jenen Absagebrief heraussuchen und vor-

nehmen, den man dereinst der Kaiserlichen Majestät aus dem Lager von Ingolstadt zugesandt habe.[3]) Ich blieb die Antwort nicht schuldig und sprach: „Obwohl doch der Kurfürst von Sachsen meines gnädigen Herrn Philipp naher Verwandter sei — denn er habe des Kurfürsten Schwester zur Frau —, so habe doch weder Seine Fürstliche Gnaden noch Herzog Barnim sich zum Eintritt in den Schmalkaldischen Bund überreden lassen. Man habe auch den Protestanten in diesem Kriege weder mit Geld noch mit Soldaten Hilfe geleistet." Aber das war alles umsonst!

Man erzählte sich im Lager folgende kleine Anekdote: Als der Kurfürst gefangen genommen war, kam Cristoff von Carlowitz, die rechte Hand von Herzog Moritz, ohne den dieser nichts vornahm, zum Kaiser. Da sagte der Kaiser zu ihm: „Na, nun sage mal, Carlowitz, wie soll das nun wohl werden?" „Das steht in Eurer Kaiserlichen Majestät Händen," erwiderte Carlowitz darauf. „Ja, ja," sagte Karl weiter, „es soll jetzt alles gut werden!" Als darauf der Kurfürst vor den Kaiser geführt ward und vor ihm auf die Knie sank und die Worte „Allergnädigster Kaiser und Herr" stammelte, soll König Ferdinand mit den Worten auf ihn losgefahren sein: „Ist er wahrhaftig jetzt dein Allergnädigster Kaiser? Wie stand's denn bei Ingolstadt? Na, du sollst deine richtige Antwort schon bekommen!" Ferdinand sei dann auch, nachdem der Kurfürst zum Tode verurteilt war, immerfort in den Kaiser ge-

---

[3]) Der Absagebrief, den die Evangelischen im Herbste 1546 aus dem Feldlager vor Ingolstadt gegen Kaiser Karl V. erlassen hatten, mußte freilich den stolzen Kaiser auf das empfindlichste treffen. Hieß es doch an einer Stelle dieses Briefes wörtlich: „Wir geben Karln, der sich den 5ten römischen Kaiser nennt, kund und zu wissen, daß er pflichtvergessen gegen Gott und an uns und der Nation eidbrüchig gehandelt hat."

drungen mit der Bitte, ihn wirklich enthaupten zu lassen. Allein der Marquis von Salutz habe dem eifrig widersprochen und geraten, den Kurfürsten wie einen kostbaren Schatz zu bewahren. Denn falls er ihn hinrichten lasse, werde er das ganze römische Reich deutscher Nation wider sich haben.

Da es mit dem Geleit nichts wurde, sind die pommerschen Gesandten nach Stettin heimgefahren. Mir aber wurde alsbald ein anderer Auftrag.

Es hatte sich nämlich der Kurfürst von Brandenburg meinen gnädigen Herren gegenüber, zu denen er in brüderlicher Verwandtschaft stand, gar höchlich und teuer erboten, bei der Kaiserlichen Majestät sein Bestes zu versuchen. An ihn nun sollte ich ein freundliches Antwortschreiben ins Wittenberger Lager bringen und bei der Gelegenheit zu dem Kaiserlichen Vizekanzler und andern kaiserlichen Räten in Beziehung treten. Zu dem Ende waren an sechs verschiedenen Orten Pferde vorausbestellt. Am 1. Juni kam ich ins Lager und ritt alsbald an den Ort, wo der Kurfürst von Brandenburg seine Zelte hatte aufschlagen lassen. Andern Tags hieß es: „Nein, so rasch, wie du meinst, geht das nicht!" Am 3. Juni redete ich den kurfürstlichen Kanzler abermals an, denn ich sah den Kurfürsten alle Tage mehrere Male zum Kaiser reiten und merkte, daß Seine Majestät im Begriffe stand, die Elbe auf einer Schiffbrücke zu überschreiten und weiterzuziehen. Der Kanzler aber erwiderte zornig: „Solche fürstlichen Händel wollen ihre Zeit und Weile haben; wie darfst du wohl so drängen? Aber sieh da, hier hast du die Antwort des Kurfürsten, nun gehe deiner Wege, damit wir dich los werden!" Ich ritt mit dem Briefe hinter einen Busch und erbrach ihn. Sobald ich ihn aber gelesen hatte, ritt ich aufs neue zum Kanzler. Der aber rief: „Was ist denn nun schon wieder los, willst

du mich noch mehr plagen?" Ich sagte: „Auf Befehl meiner Gnädigen Fürsten habe ich das Antwortschreiben des Kurfürsten erbrochen. Nun aber finde ich, daß das Schreiben Seiner Kurfürstlichen Gnaden nur dieselben Versprechungen enthält wie der frühere Brief. Andererseits sehe ich, daß der Kurfürst seine Zelte abbrechen läßt und im Begriffe steht, von Seiner Kaiserlichen Majestät Abschied zu nehmen. So möchte ich untertänigst darum gebeten haben, Ihre Kurfürstliche Gnaden wolle die Zusage freundlich halten, die Sie meinen gnädigen Herren gegeben hat, damit ich in Stettin etwas Gewisses antworten könne." Von dem Moment an hat die Unterredung zwischen dem Kanzler und mir ganz anders geklungen. Jetzt dutzte er mich nicht mehr, sondern bat mich mit fast übertriebener Demut um Verzeihung. Er habe unwissentlich gehandelt und werde meine Sache mit Eifer beim Kurfürsten betreiben, ohne Zweifel sei jetzt der geeignete Augenblick, ihrer beim Kaiser zu gedenken.

Als ich aber beim Abzuge des Kurfürsten an ihn heranritt, ließ er mir durch seinen Kanzler sagen, er habe leider keine Gelegenheit gefunden, der pommerschen Herzöge vor Seiner Kaiserlichen Majestät zu gedenken, die Sache sei aber von ihm seinen Räten befohlen, die dem kaiserlichen Heereszuge nachzögen. Was die ausrichteten und erreichten, werde er alsbald meine Herren wissen lassen.

Bei Sleidan [4]) steht zu lesen, wie alsdann die Frau Kurfürstin von Sachsen vor dem Kaiser einen Fußfall getan hat, wie der Kaiser sie gnädig empfangen und getröstet habe, und wie Wittenberg sich ergeben habe. Weiter lesen wir vom Abzug der Soldaten aus der Stadt

---

[4]) Der mehrfach erwähnte Sleidan ist der bedeutendste zeitgenössische Darsteller des Reformationszeitalters.

114

und vom Einzug der Sieger: voran König Ferdinand, dann der Kaiser selbst. Man hat das kurfürstliche Schloß besehen, wobei sich der Kaiser mit gnädigen Trostworten an die Kurfürstin gewandt hat. Im Lager erzählte man sich, alle drei, der Kaiser mit seinem Bruder und Herzog Moritz seien auch in die Schloßkirche gegangen und hätten sie eingehend besichtigt. Da sei die Rede gegangen, über Luthers Grab brennten Tag und Nacht Lampen und Wachskerzen, und man verrichte allda sein Gebet wie in einer katholischen Kirche vor den Reliquien der verstorbenen Heiligen. [5])

Am 4. Juni hat der Kaiser vor Wittenberg Herzog Moritz zum Kurfürsten ausrufen lassen.

---

[5]) Anderswo wird erzählt, man habe Karl überreden wollen, die Gebeine des Erzketzers Luther auszugraben und in alle Winde zu streuen. Der Kaiser aber soll geantwortet haben: „Gegen Lebende führe ich Krieg, und nicht gegen Tote!"

13. Kapitel

Vom großen Alarm zu Halle und Weiterreise

Jetzt schickte mich Jakob Zitzewitz nach Halle, damit ich daselbst den pommerschen Gesandten Quartier machte. Denn meine gnädigen Herren hatten bestimmte Kunde erhalten, daß der Kaiser mit seinem ganzen Heere dahin unterwegs sei, um ein paar Tage daselbst zu bleiben. Nun hatte ich in der bestellten Herberge auf den Abend kochen lassen, die Pferde hatten ihr Stroh bekommen, und alles war aufs beste vorbereitet. Ich selbst aber hatte die paar ruhigen Tage dazu benutzt, mir neue Kleider machen zu lassen. Die zog ich an und spazierte bis an das Tor, wo die Gesandten des Weges kommen mußten. Ging auch weiter hinaus bis an eine Höhe, von der ich einen weiten Blick übers freie Feld hatte. Da sah ich etliche Reiter daherkommen und wollte eilends wieder in die Stadt zurückreiten, denn die Räte würden mir schön den Text gelesen haben, wenn sie mich so weit von der Stadt angetroffen hätten. Da kamen zwei gottsjämmerliche spanische Halunken querfeldein auf mich zu, der eine zu Fuße, der andere auf einem kleinen schauderhaften Bauernpferdchen, das er gewiß irgendwo gestohlen hatte. Der Kerl führte auch eine Büchse im Sattel mit sich. Jetzt schauen sie sich nach allen Seiten um, ob auch jemand da sei, der ihr Vorhaben sehen könnte. Der Berittene

8*

zieht sein Gewehr aus dem Halfter. Aber in dem Augenblick sieht er einige Reiter daherkommen. „Gehören die zu deiner Partei?" spricht er, und als ich das bejahe, stößt er mit einem Fluche sein Rohr wieder in die Satteltasche, und fort sind sie!

Als ich kurz danach wieder ans Stadttor kam, war alles verschlossen, und ein Trompeter ritt rund um die Stadt herum und blies, was das Zeug halten wollte. So etwas hatte ich mein Lebtag noch nicht gehört. Indem kommt ein Husarenhauptmann ans Tor, der sagt mir, daß das Blasen Alarm bedeute. Betreffs der Gesandten aber machte er mir angst und bange, denn er habe unterwegs etliche spanische Reiter angetroffen, die hätten gesagt, es kämen einige fürstliche Gesandte, denen wollten sie auf den Dienst passen!

Mir wurde die Zeit recht lang. Währenddessen war der Alarm auf der andern Seite der Stadt gestillt worden und die Tore wurden wieder geöffnet. Weil nun die andern Historienschreiber dieses Alarms mit keinem Worte gedacht haben, will ich diese Geschichte von Grund aus und in aller Wahrheit beschreiben.

In Kriegszeiten gilt es als eine ganz natürliche und gar nicht einmal tadelnswerte Sache, wenn einer dem andern ein Pferd stiehlt. Der Vorgang verläuft meistens etwa folgendermaßen: Dem einen gefällt das Pferd seines Kameraden. Da nimmt er sich einen verschlagenen Pferdeburschen und gibt ihm sechs bis acht Taler. Der soll ihm dann das Pferd verschaffen. Alsdann schickt er's für fünf bis sechs Wochen über Land, damit es etwas aus dem Mund der Leute komme. Schwanz und Mähne oder andere Kennzeichen werden derweil verändert, und schließlich läßt er es sich wieder ins Lager bringen. Genau so machte es ein deutscher Edelmann mit dem Gaul eines Spaniers!

Nun haben die deutschen Reiter ihr Lager auf einer schönen Wiese gehabt, an einem heiteren Ort, wo die Saale fließt. Es waren an die acht Schwadronen, vielleicht gar noch mehr. Das deutsche Fußvolk lag glücklicherweise in der Stadt. Denn wären die Landsknechte den Reisigen zu Hilfe gekommen, dann hätte es gewiß ein furchtbares Blutbad gegeben. Darum war's sehr weise vom Kaiser gehandelt, daß er gleich zu Beginn des Alarms die Stadttore schließen ließ, damit das Fußvolk nicht auch hinauskäme. Die Spanier aber lagen auf der Höhe ums Schloß herum. Der gestohlene Hengst ward aber gegen Abend ans Saaleufer zur Tränke geritten. Ein spanischer Junge erkennt den Gaul und schreit, er gehöre seinem Herrn, will auch gleich damit wegreiten. Der deutsche Pferdejunge will sich aber den Gaul nicht rauben lassen und bekommt drei oder vier deutsche Reiter zu Hilfe, der Spanier zehn oder zwölf von seiner Nation. Darauf der Deutsche 20 oder 30. Und mit jedem Augenblicke wuchsen die beiden Haufen und begannen wütend aufeinander loszuschießen. Die Spanier waren sehr im Vorteil, weil sie oben waren. So kam's, daß einige Deutsche vom Adel niedergeschossen wurden, während sie ruhig in ihrem Zelte bei Tische saßen. Die Deutschen ließen sich aber auch nicht lumpen. Da schickte der Kaiser einen spanischen Herrn hinaus auf einem prächtigen andalusichen Pferde. Der kam mit lauter goldenen Ketten am Halse dahergeprangt. Nun hatte er den Auftrag, die deutschen Reiter zufrieden zu stellen und den Alarm zu stillen. Aber die Deutschen riefen einander zu: „Schießt den spanischen Bösewicht nieder." Als der nun auf die Brücke kommt an der Saale, schießt ihm einer den Gaul unterm Leibe weg, so daß das Pferd mit seinem von Goldketten strotzenden Reiter von der Brücke herab in die Saale stürzte, wo Roß und Reiter jämmerlich ersaufen mußten.

118

Jetzt schickte der Kaiser den Erzherzog Maximilian, König Ferdinands Sohn, der nachmals römischer König wurde, zu den Aufrührern hinaus in der bestimmten Erwartung, daß sie auf ihn hören und sich beschwichtigen lassen würden. Aber sie schrien ebenso: „man schlage den spanischen Bösewicht tot!" Ja, einer versetzte ihm sogar einen Hieb auf den rechten Arm. Er mußte ihn etliche Wochen in einer schwarzen Binde tragen, wie ich mit eigenen Augen gesehen habe.

Zuletzt kam der Kaiser selbst heraus und sagte: „Liebe Deutsche, ich weiß, ihr habt keine Schuld, gebt euch nur zufrieden. Ich will euch den Schaden wiedererstatten, den ihr erlitten habt, und bei meiner kaiserlichen Ehre morgen die Spanier vor euern Augen aufhängen lassen." Damit wurde der Alarm gestillt und die Stadttore wieder geöffnet.

Andern Tags, am 13. Juni, ließ der Kaiser den Schaden im deutschen und spanischen Lager besichtigen und feststellen. Da ergab sich denn, daß von deutschen Junkern und Knechten bloß 18 erschossen waren, außerdem 17 Pferde. Die Spanier aber hatten 70 Tote gehabt. Da ließ der Kaiser den deutschen Reitern ansagen, Seine Majestät seien willens, ihnen den Wert der Pferde zu ersetzen. Auch sei er geneigt, die Spanier hängen zu lassen, wie er tags zuvor versprochen habe. Da sie aber selbst gesehen hätten, daß die Spanier einen viermal so großen Schaden erlitten hätten und sie also im Grunde schon genugsam gerächt seien, hoffe Seine Majestät, die Deutschen würden sich damit zufrieden geben.[1])

---

[1]) Ein solcher Pferdediebstahl im Lager darf eigentlich gar nicht einmal als ein besonderes Zeichen für den Tiefstand der damaligen Kultur angesehen werden. Noch heute gilt beim Militär das gegenseitige Entwenden von Dienstsachen nicht als schwere

Am 18. Juni gegen Abend haben die beiden Kurfürsten von Brandenburg und Sachsen den Landgrafen Philipp von Hessen [2]) in ihrer Mitte nach Halle gebracht. Alsbald hat er am nächsten Tage gegen Abend um 6 Uhr auf dem großen Saal in des Kaisers Wohnung mit seinem Kanzler, der neben ihm auf den Knien lag, Fußfall tun müssen. Das geschah aber im Beisein vieler Herren, Kurfürsten, Fürsten und fremden Potentaten. Es waren aber auch eine Menge Botschafter, Obersten und Befehlshaber dabei. Dazu kam eine große Anzahl von Leuten aller Art, soviel das Gemach nur faßte. Und andere sahen durchs

---

Schande, man hat dafür den milderen Ausdruck: „Die Sache habe ich mir geklaut."

Der tiefere Grund für diesen beklagenswerten Alarm liegt auf einem ganz anderen Boden. Es war der gewaltige Nationalhaß der Deutschen auf die welschen Kriegsleute. Und im allerletzten Grunde trug Karl selbst die Hauptschuld. Hatte er doch in seiner Wahlkapitulation vom Jahre 1519 das feste Versprechen gegeben, nie und nimmermehr fremdes Kriegsvolk auf deutschen Boden zu bringen. Offenkundig hatte er 1547 diese Verheißung gebrochen. Grund genug, daß er jetzt seine deutschen Landsknechte mit der äußersten Nachsicht behandelte.

[2]) Philipp der Großmütige, Landgraf von Hessen, ist bei Sastrow nicht besonders gut weggekommen. Man muß bedenken, daß Philipp damals nicht mehr der frische, keck zugreifende Fürst der 20er und 30er Jahre war. Jene unselige Angelegenheit seiner Doppelehe aus dem Beginn der 40er Jahre hatte ihm am Leben und an der Kraft gezehrt. Schon im Schmalkaldischen Kriege besitzt er nichts mehr von der Heldenhaftigkeit seiner jungen Tage. Vollends die lange, äußerst drückende und raffiniert grausame Gefangenschaft hat seine Kräfte gebrochen. Selbst auf religiösem Gebiete sehen wir ihn zurückweichen. Anders sein phlegmatischer Glaubensgenosse, der ehemalige Kurfürst Johann Friedrich von Sachsen. Ihm gab die Gefangenschaft einen passiven Mut, den er allen religiösen Forderungen Karls V. mit Erfolg entgegensetzte. (Vergl. Zeitschr. für hessische Geschichte 1904.)

Fenster von draußen zu. Aber während der Kanzler ganz demütig die Abbitte verlas, saß der Landgraf dabei und lachte, als mache ihm das Ganze einen Heidenspaß. Denn er war ein gar spottlustiger Herr. Der Kaiser aber drohte ihm mit dem Finger, sah ganz zornig drein und sagte: „Hör mal, ich will dich lachen lehren!" Und das hat er ihm später redlich gehalten.

Am 20. Juni ist der Kaiser von Halle nach Naumburg gezogen und daselbst drei Tage geblieben. Ziemlich frühmorgens am 24. Juni hatten sich die Kaiserlichen vor Naumburg gesammelt, und die Kaiserliche Majestät mußte eine Zeitlang vor dem Tore warten. Er hatte aber einen Hut von Samt auf dem Kopfe und einen schwarzen Mantel an, der zwei Finger breit mit Samt besetzt war. Plötzlich kommt ein Platzregen herunter. Da schickt er eilends in die Stadt und läßt sich seinen grauen Feldmantel und seinen Filzhut herausholen. Inzwischen aber klappte er den Mantel herum und hielt den Hut unterm Mantel, so daß der Regen ihm auf den bloßen Kopf fiel. Ach, du armer Mann! Hast Geld, um für etliche Tonnen Goldes Krieg zu führen, das samtne Hütlein aber und der Mantel darf beileibe nicht naß werden, läßt dir den Regen lieber auf das bloße Haupt fallen!

Auf der Weiterreise durch Thüringen kamen wir eines Tages in ein Dorf, das an einer schönen, lustigen Wiese gelegen war. Da sattelte ich mein Pferd ab und ließ es bis zum andern Tage auf der Wiese herumlaufen. In dem Dorfe war ein stattlicher Edelhof, der stand sperrweit offen. Mitten auf dem Hof aber hielt ein Wagen, mit vier starken Pferden bespannt, darauf lagen zwei Fässer köstlichen Weines. Ringsum aber gingen viele Kapaune und Kraniche und Fasanen spazieren. Die schlugen wir flugs tot, brachten sie in unser Zelt, rupften das Geflügel und brieten es über einem hellen Feuer. Keiner hatte was

dagegen; wir taten, was wir wollten. Auf dem Boden fanden wir Hafer für unsere Futtersäcke, unten stand ein Wagen mit Pferden davor. Auch den Wein hießen wir bis nach Nürnberg mitgehen. Unterwegs aber tranken wir ihn aus.

Als ich aber eines Morgens meinen Hengst wieder satteln wollte, sieh, da war er mir über Nacht gestohlen worden. Nach Kriegsgebrauch nahm ich mir den ersten besten, den ich zu fassen kriegte; auf dem ritt ich weiter.

Am 1. Juli kamen wir nach Bamberg. Der Kaiser erschien gegen Mittag mit großem Gefolge in der Stadt, er saß auf einem kleinen Rößlein. Die Vorstadt war im rechten Winkel zur eigentlichen Stadt gelegen. Gerade im Winkel hatte man den Kurfürsten von Sachsen untergebracht, so daß er Vorstadt und Stadt übersehen konnte. Er stand aber oben am Fenster, um den Einzug mit anzusehen. Als nun der Kaiser an jene Stelle geritten kam, gerade dem Kurfürsten gegenüber, verneigte dieser sich ganz tief vor ihm. Aber der Kaiser ließ ihn nicht aus den Augen, solange er ihn sehen konnte, und lachte gar höhnisch dazu.

Am 3. Juli schrieb der Kaiser zu Bamberg den Augsburger Reichstag aus und ließ alle Fürsten oder ihre Gesandten auf den 1. September dahin entbieten. Zu Bamberg und in den umliegenden Stiftslanden haben die Herren Spanier an die 400 Frauen, Jungfrauen und Mägde mitgenommen bis gen Nürnberg. Von dort haben sie dieselben wieder zurücklaufen lassen. Die Eltern, Männer und Brüder sind ihnen auf dem Fuße gefolgt. Da sah man denn einen Vater seine Tochter suchen oder den Mann seine Ehefrau, und ein jeder bekam die seinige wieder. Ist das aber nicht, weiß der liebe Himmel, eine unartige Nation? Und solches geschah nach beendigtem Kriege, im Freundeslande, ja im Beisein der Kaiserlichen

122

Majestät. Und doch hielt der Kaiser ein gar strenges Regiment. Alle Abende ließ er an dem Orte, wo er sein Zelt aufschlug, auch einen Galgen errichten. Und da gab's ordentlich zu tun. Aber was half's?

Der Kaiser zog ganz langsam, denn es war eine Mordshitze, standen wir doch im Zeichen des Hundsgestirns.

Während der Kaiser so, ohne sich zu beeilen, daherzog, ritt ich mit Jürgen von Wedel gemächlich am Heerzuge entlang. Dabei sahen wir uns das Kriegsvolk an, vom einen Ende bis zum andern. All die verschiedenen Gewänder und Waffen waren gar lustig anzusehen. Die Soldaten hielten nicht den rechten Fahrweg inne, sondern gingen querfeldein, und das gab eine Straße, die war viermal so breit wie die eigentliche Landstraße. Was ihnen aber im Wege war, mußte weichen; Zäune wurden niedergerissen und Gräben zugeworfen. Als einmal der Herr von Wedel im Gedränge einen Spanier anfuhr, als hätte er einen Franzosen vor sich, antwortete dieser: „Mein hoher Herr, ich bin kein Franzose, ich bin ein Spanier!" Denn die Spanier halten sich für viel edler als die Franzosen.

14. Kapitel

Vom Herzog Friedrich von Liegnitz

In Nürnberg gesellte sich der Herzog von Liegnitz zu uns.[1]) Derselbige hatte wegen seines Vaters ein Anliegen an den Kaiser. Aber in Wirklichkeit hat er nur an Saufen gedacht und ist stets voll gewesen. Und weil seine eigenen Räte ihm bei seinen wüsten Gelagen nicht haben Gesellschaft leisten wollen, hat er sich an den Hofstaat des Markgrafen Johann von Brandenburg gehalten, und die haben dann ein ganz sündhaftes Gesaufe mit ihm vollführt. Einmal haben sie in der Bezechtheit folgendes Stücklein angestellt. Der Herzog und sechs seiner Kumpane haben sich den rechten Ärmel von Wams und Hemd abgeschnitten, so daß der Arm ganz nackt war. Sodann haben sie sich das Hemd zwischen Hose und Wams ein Stück weit herausgezogen. Dazu hatten sie keine Schuhe an, sondern liefen auf Socken und ohne Hut. Vorneweg marschierte die große Musikbande der

---

[1]) Herzog Friedrich III. war wohl der hervorragendste Verschwender und Säufer auf deutschen Fürstenthronen im 16. Jahrhundert. Sein Leben endete in der Gefangenschaft seines eigenen Sohnes, Heinrichs XI., der ihm übrigens an Trinklust wenig nachgab. In seinem letzten Stadium begegnet uns Friedrich III. von Liegnitz im II. Teil dieses Bandes in den Denkwürdigkeiten des schlesischen Ritters Hans v. Schweinichen.

Stadt Nürnberg und blies, was das Zeug halten wollte.
So sind sie bald nach dem Mittagessen, immer einer
hinterm andern, ganz sachte die Gasse entlang gezogen
nach der Herberge des Herzogs Heinrich von Braunschweig. In der einen Hand hatte der Liegnitzer ein
paar Würfel, in der andern einige Goldstücke. Alle Welt
kam herzugelaufen, um sich die deutschen Süffel anzusehen, besonders Italiener und Spanier waren dabei. Aber
der Wein überwältigte sie vollends, als sie zum Braunschweiger hinaufkamen. Da hieb der Liegnitzer mit beiden
Fäusten vor dem Herzog von Braunschweig auf den Tisch,
daß Geld und Würfel ins Zimmer rollten. Er konnte nicht
einmal lallen, sondern schlug am Tische nieder, so lang
er war. Der Braunschweiger ließ ihn durch vier seiner
Edelleute aufheben und oben im Hause in ein Bett legen.
Der Kaiser soll sich sehr mißfällig darüber geäußert haben,
daß den Deutschen vor den andern Nationen ein so grau-
samer Spott angetan sei.

Nun waren bei dem Herzoge Anzeichen genug von
einer recht guten Erziehung vorhanden. Einige Tage vorher hatte ich Gelegenheit gehabt, das bei Tische zu be-
merken, als er schon ziemlich bezecht war. Da hat er
nämlich ganze Geschichten aus der Heiligen Schrift her-
gesagt, und zwar nicht bloß, wie sie in der Bibel stehen,
sondern mit seinen eigenen Ausdrücken und mit Anwen-
dung auf die Angelegenheit seines Vaters, die er beim
Kaiser betreiben sollte. Und das klang so gut, daß ich
mich schier verwundern mußte.

Also an der Erziehung allein scheint's nicht immer
zu liegen. Es gehört eben auch das dazu, daß ein junger
Mensch durch Gottes heiligen Geist zum rechten Gebrauch
der Dinge angetrieben werde, die er in der Kindheit er-
lernt hat. Darum mögen die Eltern es sich gesagt sein
lassen: Erziehung allein tut's nicht. Sondern sie müssen

den lieben Gott auch um seinen weiteren Segen an ihren Kindern bitten.

Was aus dem Vollsaufen wird, ist recht sichtbar: man fällt von einer Sünde in die andere. Als der Herzog zu Liegnitz in seinem eigenen Lande einmal so recht beim Saufen war, kamen zwei Studenten auf ihrem Heimwege dahergezogen. Die hielten daselbst einen Morgentrunk und ließen dabei ein lustiges Lied erschallen. Das hörte der Herzog. Der schickt nach ihnen, läßt sie ergreifen und flugs vor das Tor hinausführen. Da wird ihnen der Kopf abgehauen. Am andern Morgen, ehe er von neuem zu saufen anfing, ritten einige von seinen Räten mit ihm spazieren und kamen an den Platz, wo man den Studenten den Kopf abgeschlagen hatte. Als er das Blut sah und fragte, was das zu bedeuten habe, meldete man ihm, es sei das Blut von den zwei Studenten, die er tags zuvor habe köpfen lassen. Das wunderte ihn gar sehr, und er fragte: „Was haben die Leute denn getan?"

Als er einmal so recht bezecht war, befahl er seinen Räten bei Todesstrafe, sie sollten ihn auf Wasser und Brot in den Turm setzen lassen. Das taten sie denn auch. Mein Herzog wurde zu den übrigen Gefangenen hinunterbefördert. Der Turmhüter aber bekam den strengen Befehl, ihn nicht wieder herauszulassen. Er sollte auch nichts anderes bekommen als Wasser und Brot. Als er nun seinen Rausch ausgeschlafen und sich ein bißchen mit den Gefangenen unterhalten hatte, rief er dem Kerkermeister zu, er solle ihm wieder hinaushelfen. Der aber sagte, das sei ihm bei harter Strafe untersagt. Die Räte aber warteten in aller Ruhe bis zum dritten Tage. Auf seine flehentlichen Bitten und Versprechungen ließen sie ihn dann schließlich heraus.

Ungefähr drei Jahre später bekommt er den Einfall, nach Stettin zu reisen, nur um mit den Hofleuten eins zu

saufen. Als das Herzog Barnim erfährt, zieht er mit seinem ganzen Hofstaat fort nach Kloster Kolbitz. Mein Liegnitzer kommt also nach Stettin. Da sagt man ihm auf dem Schlosse, daß weder der Herzog noch einer von den Hofjunkern anwesend sei. Alsbald wies man ihn in ein Haus, wo ein alter Mann auf dem Totenbette lag. Das hielt man für das beste Mittel, um ihn zur Abreise zu bewegen. Er aber blieb nicht bloß da, sondern ging auch zu dem Kranken ans Bett und sprach ihm einiges aus Gottes Wort vor, bis er verschied. Dann drückte er ihm die Augen zu. Dem Valentin, der eben mit der Armenbüchse umherging und auch in jenes Haus kam, steckte er einige Taler in die Büchse; alsdann läßt er schwarzes Tuch holen zu Trauermänteln für sich und den Valentin und wollte mit zum Begräbnis gehen.

Das aber ließ die Herzogin nicht geschehen, sondern sie bat ihn zu sich und gab ihm das Zimmer über der Kanzlei. Ich war aber damals in Stettin im Schlosse und wollte gerade über den Hof gehen. Da steckt der Herzog den Kopf zum Fenster heraus, öffnet den Mund sperrangelweit und schreit mich mit „Buy" an. Ich wußte nun schon von Nürnberg her, wie man mit ihm umspringt und antworte mit: „Bahe!" „Ei," ruft er, „du kommst mir gerade recht, herauf mit dir, wollen eins zusammen trinken und guter Dinge sein." Ich aber sagte Seiner Fürstlichen Gnaden meinen untertänigsten Dank und ging meiner Wege.

Als er endlich von Stettin abzog — denn auf Herzog Barnims Rückkehr konnte er nicht länger warten —, hatte ihm die Herzogin eine fürstliche Verehrung mit auf den Weg gegeben, so daß er noch eine Zeitlang sein unordentliches Leben weiterführen konnte. Er blieb aber zeitlebens bei seiner tollen wilden Lebensweise und hat sich dadurch um alles gebracht, um Land und Leute, Ge-

sundheit und fürstlichen Wohlstand. Er hat sich geradezu totgesoffen. Seine Gemahlin, eine geborene Prinzessin von Mecklenburg, und ihre beiden Kinder ließ er in äußerster Armut zurück. Die Frau Herzogin war gezwungen, nicht nur bei ihren Standesgenossen zu betteln, sondern sogar bei städtischen Magistraten. So groß war ihre Not. Und von solchen Almosen hat sie ihr Söhnlein kümmerlich aufgezogen.

15. Kapitel

Bewerbungen am Augsburger Reichstage

Am 29. August 1547 bin ich in Augsburg eingeritten und habe in einer öffentlichen Herberge am Weinmarkt Quartier genommen. Mein Wirt war ein vornehmer, verständiger Mann, einer von den Zunftmeistern, welche 100 Jahre lang das Stadtregiment innegehabt hatten. Aber gerade am Beginn dieses Reichstags hat die Kaiserliche Majestät die Herren Zunftmeister ihres Regimentes entsetzt, weil sie evangelisch waren und in diesem Kriege auf der Gegenpartei des Kaisers gestanden hatten. So kam die Regierung wieder an die Patrizier, dieweil dieselben der alten Religion noch treu geblieben waren.

Am Ende des Heumonats ist der Kaiser mit seinem ganzen Gefolge herbeigezogen gekommen. Den Landgrafen hatte er mit einem Haufen Spanier in Donauwörth gelassen, aber den gefangenen Kurfürsten brachte er mit nach Augsburg und ließ ihn ins Haus der Welser führen, das am Weinmarkt liegt,[1]) zwei Häuser vom Kaiserlichen

---

[1]) Aus der bekannten Augsburger Patrizierfamilie, die zu jener Zeit Venezuela in Besitz hatte, stammte die berühmte Philippine Welser. Auf eben diesem Reichstag von 1548 mag sie Erzherzog Ferdinand, ihren späteren Gatten, kennen gelernt haben. An seiner Seite hat sie in höchst glücklicher Ehe auf Schloß Ambras in Tirol gelebt, wo noch heute mancherlei an die schöne Welserin erinnert.

Palast entfernt. Durch die Nebenhäuser aber hatte der Kaiser einen Gang brechen lassen und über ein kleines Gäßlein eine Brücke gelegt. So konnte man geradeswegs aus dem Logis des Kaisers in das des Kurfürsten hinübergehen.

Der Kurfürst hatte seine eigene Küche und seinen Kanzler von Minckwitz bei sich. Er durfte auch sonst sein besonderes Gesinde haben, das seiner wartete. Den Spaniern war nicht gestattet, seine Stube oder Schlafkammer zu betreten. Aber der Herzog von Alba und andere große Herren vom Kaiserlichen Hofstaat und verschiedene andere sind bei ihm aus und ein gegangen und haben ihm mit heiterm Gespräch und allerlei Kurzweil gute Gesellschaft geleistet. Man kann wohl sagen, daß seine Herberge einen durchaus prächtigen und fürstlichen Eindruck machte. Hatte er doch sogar einen Rennplatz auf dem Hofe, wo man Ringe stach. Ihm war überdies erlaubt, an allerlei Plätze zu reiten, wo es lustig herging oder wo Gärten waren, wie man sie damals gerade in Augsburg besonders zierlich und hübsch finden konnte. Nun hatte er von Jugend auf viele Freude am Fechten gehabt, und als er noch jünger und beweglicher war, seinen Mann im Turnier gestanden. Ihm zu Gefallen hat man daher Fechtschule halten lassen. Aber auf Schritt und Tritt sind spanische Soldaten vor und hinter ihm hergegangen. Fast bis zum Ende des Reichstags war ihm die volle Erlaubnis gegeben, alle Bücher zu lesen, die er begehrte. Das wurde erst anders, als er sich weigerte, das Interim anzunehmen.

Aber bei dem Landgrafen zu Donauwörth sind die Spanier den ganzen Tag über in der Stube gewesen. Wenn er im Fenster gelegen hat, um auf den Platz hinauszusehen, da erblickte man einen oder zwei Spanier, die neben ihm im Fenster lagen und die Köpfe ebensoweit hinaussteckten

Barthol. Sastrow 9

wie der Landgraf. Bei Tage und bei Nacht haben sie die spanische Wache mit Trommeln und Pfeifen auf und ab geführt. Bewaffnete Spanier haben des Nachts bei ihm auf der Kammer gelegen und die Wache gewechselt. Hatten die ersten ihn die halbe Nacht bewacht und die Ablösung kam mit Musik in die Kammer getrommelt, dann haben sie allemal sein Bett aufgedeckt mit den Worten: „Sieh da, wir wollen ihn euch hiermit überliefert haben; ihr mögt ihn nun weiter bewachen!" Ich meine, da hat der Kaiser sein Wort redlich gehalten, das er in Halle gesprochen hatte.

Der Kaiser hat, sobald er in Augsburg angekommen war, mitten in der Stadt, hart am Rathause, zum abschreckenden Anblick einen Galgen errichten lassen.

Nun waren die deutschen Landsknechte, welche in Augsburg zur Besatzung lagen, einige Monate lang nicht bezahlt worden. Ja, es ging die Rede, das Strafgeld, welches der Landgraf und die Städte hatten geben müssen, und von dem die Söldner hätten bezahlt werden können, sei wohl zur Stelle gewesen. Aber der Herzog von Alba hätte es mit dem gefangenen Kurfürsten verspielt. Es habe also mit der Bezahlung noch lange Wege. Da sind mehrere von ihnen in das Logis der Herren Fähnriche eingebrochen und haben drei Fähnlein herausgerissen. Mit den also aufgerichteten Fähnlein sind sie in voller Schlachtordnung auf den Weinmarkt gezogen. Als sie nun in Reih und Glied, mit ihren Fahnenträgern voran, bis fast an die Gerichtsstätte gekommen waren, sticht einen hoffärtigen Spanier der Hafer. Er hat vielleicht gemeint, Ehre und hohe Gnade bei Seiner Majestät zu verdienen und sich einen ewigen Namen zu machen. Genug, er ist zu den Fahnenträgern ins Glied gesprungen und hat einem von ihnen die Fahne aus der Hand reißen wollen. Aber hinter den Fähnrichen gingen drei Männer mit ge-

zogenem Degen. Einer von diesen haut den dreisten Gesellen in zwei Stücke wie eine Rübe, nach dem alten Wort: Wer sich in Gefahr begibt, kommt darin um. Wie sie aber den Weinmarkt erreicht hatten, gab's ein ewiges Hin- und Herrennen von spanischen Soldaten; die besetzten nämlich alle Gassen, die auf den Markt führten. Den gefangenen Kurfürsten brachte man ins kaiserliche Quartier hinüber; man hatte Angst, daß er befreit werden möchte. Alle Einwohner, insonderheit die Kaufleute und Krämer, die sich für den Reichstag mit allerlei kostbaren Waren, Seidengewändern und Kleinodien aus Gold und Silber, Perlen und Edelsteinen versehen hatten, waren jetzt in banger Sorge, die Stadt möchte geplündert werden. Und das wäre auch wahrscheinlich geschehen, wenn die Landsknechte ihre Bezahlung selbst hätten suchen müssen. Donnerwetter, was war das für ein mordsmäßiges Getümmel und Geschrei und Durcheinander! Ein jeder rüstete sich mit allem Ernst. Oben auf den Häusern und in ihren Stuben sah man die Leute liegen, bis an die Zähne bewaffnet, das gespannte Rohr und die Hakenbüchse in der Hand. Galt es doch für einen jeden, sein Hab und Gut zu beschirmen. So kann man diesen Reichstag mit Recht einen geharnischten nennen.

Jetzt schickte der Kaiser zu ihnen hinaus und ließ fragen, was sie denn eigentlich wollten? Die Schützen hatten ihre Rohre auf dem linken Arm liegen und hielten mit der rechten Hand die brennende Lunte nicht weit vom Zündloch. Dabei sprachen sie: „Entweder Geld oder Blut!" Darauf ließ der Kaiser ihnen ansagen, sie sollten doch zufrieden sein, am morgenden Tage sollten sie ganz gewiß bezahlt bekommen. Sie wollten aber nicht abziehen, man hätte ihnen denn versichert, daß sie für ihren bewaffneten Aufmarsch vor dem kaiserlichen Quartier unbestraft bleiben sollten. Das versprach ihnen der Kaiser,

9*

und damit zogen sie von dannen, wurden auch am folgenden Tage bezahlt und entlassen.

Aber was geschieht? Es wurden etliche Leute ausgesandt, die sollten sich auf ein paar Tagereisen unvermerkt zu den Führern der Fähnlein gesellen und hören, ob dieselben Ihrer Majestät mit Schimpf und Schande gedenken würden. Falls das geschähe, sollten sie die Betreffenden mit Verstärkung angreifen und als Gefangene wiederum nach Augsburg einbringen.

Am nächsten oder übernächsten Abend saß man bei einem fröhlichen Trunk im Wirtshaus. Man hatte ja Geld genug im Säckel und glaubte sich so sicher wie in Abrahams Schoß. Daß Verräter mitten unter ihnen saßen, wer konnte das ahnen? Genug, man kam auf Seine Majestät zu sprechen und da hieß es: „O weh, das wäre noch schöner, das sollten wir Karl von Gent gestatten! Der sollte es wagen, Kriegsleute anzuwerben und sie nicht zu bezahlen?" Sie wünschten Seiner Majestät allerlei schwere Not an und meinten schließlich: „Wir wollten es ihm schon klar gemacht haben! Er hätte seine bittre Not mit uns bekommen. Gottes Element möge den Kerl schänden!"

Kaum waren diese lästerlichen Worte gesprochen, da wurden sie gepackt und nach Augsburg zurückgebracht. Am Berlach konnte man sie bald darauf baumeln sehen, einen jeden mit einem kleinen Fähnlein im Latz.

Meine ständige Beschäftigung im Lager vor Wittenberg und auf dem ganzen Wege bis nach Augsburg ist gewesen, bei den kaiserlichen Räten, vornehmlich beim Herrn Bischof von Arras, für meine gnädigen Herren einen Geleitsbrief zu erlangen. Man hat mir zwar nichts Bestimmtes geantwortet, war aber doch so freundlich und gnädig gegen mich, daß ich mich schon der guten Hoffnung hingab, meine Bitte erfüllt zu sehen. Einmal auf

der Reise zwischen Nürnberg und Augsburg kam ich in einer Herberge neben Lazarus von Schwendi zu sitzen, der damals noch ein junger Bursche war. Der bekannte mir ganz ungefragt, daß er auf Befehl Seiner Majestät bis nach Brandenburg nahe an die pommersche Grenze geritten sei, um sich zu erkundigen, wie sich die Herzöge von Pommern in diesem Kriege gehalten hätten. Er habe aber nichts Böses über sie in Erfahrung bringen können und diese Wahrnehmung dem Kaiser mündlich und schriftlich kundgetan.

Aber wenige Tage später, in Augsburg, bin ich von Seiner Majestät Räten gar zornig angelassen worden und habe mit harten übermütigen Worten die Erwiderung zu hören bekommen: „Einen Geleitsbrief für deine Herren bekommst du nicht, denn es wird über sie die Reichsacht ausgesprochen werden!" Jetzt haben meine fürstlichen Herren ihre ansehnlichsten Räte geschickt, und die haben keine Mühe gespart, die Unschuld der pommerschen Herzöge darzutun und die kaiserliche Gnade zu erlangen.

Es war aber alles vergebens, und zuletzt hat der Bischof von Arras unwillig die Worte ausgestoßen: „Und wenn euer Herr nicht mehr getan hätte, als daß er dem hochlöblichen Kaiser schuld daran gäbe, daß Seine Majestät einen völlig unschuldigen Fürsten — denn das behauptet ihr doch von eurem Herrn — bestrafen will, so begingen sie ja eigentlich schon ein Majestätsverbrechen, und Seine Majestät wäre völlig befugt, sie zur Rechenschaft zu ziehen." In Summa, es war nichts zu machen.

Darauf haben die Pommerschen Gesandten die anwesenden Kurfürsten und Fürsten geistlichen und weltlichen Standes besucht, damit dieselben ein gutes Wort bei Seiner Majestät einlegten. Sie ließen nicht ab; täglich erschienen sie bald hier, bald dort am Hofe eines Fürsten. Teils gingen sie zu zweien, teils allein, denn Jakob Zitze-

witz glaubte, am besten selbst seinen Mann zu stehen. Aber daß er stets seinen Sermon von A bis Z wiederholte, das wurde den fürstlichen Räten schließlich zu viel. Als einmal zwei Räte an den Hof des Kurfürsten von Köln kamen, wo tags zuvor Zitzewitz gewesen war, sagte der kölnische Kanzler: „Was denkt sich euer Kanzler eigentlich dabei, daß er so oft bei mir vorkommt und alles wiederholt, was er eben erst in verdrießlicher Länge berichtet hat? Glaubt er denn, daß ich ein so schwaches Gedächtnis habe und daß ich nach drei oder vier Tagen schon vergessen habe, wie die Sache eurer Herren steht? Oder denkt er, ich habe bei Meinem Gnädigen Herrn, dem Kurfürsten, so wenig zu tun, daß ich seinen langen, unnötigen Redeschwall ohne Verdruß über mich ergehen lassen kann? Weiß der liebe Himmel, mir kommt das immer so vor, als wenn eine Henne ein Ei legen will. Husch, da fliegt sie auf den Zaun und beginnt zu kakeln: ein Ei, ein Ei! Vom Staket geht's aufs Dach: ein Ei, ein Ei, ich lege ein Ei! Vom Dach auf den höchsten Balken: ein Ei, ein Ei, lieben Leute, seht doch, ich lege ein Ei! Wenn sie dann genug gekakelt und viel Rühmens von sich gemacht hat, dann fliegt sie auf ihr Nest und legt ein ganz kleines Ei. Ich halte es mehr mit der Gans: die setzt sich in aller Ruhe auf den Misthaufen und legt ein Ei, das ist aber so groß wie ein Kindskopf!"

Eines Tages ließ der eine der kaiserlichen Räte durchblicken, daß es ihm eine ganz besondere Freude machen würde, wenn man ihm ein kleines hübsches Rößlein anschaffte. Darauf könne er dann, wie die andern Herren Räte, in die Versammlung reiten. Ich schrieb deshalb nach Pommern und bekam ein wohlgebautes Pferdchen mit dem besondern Befehl, ich solle das Sattelzeug, soweit es dazu gehörte, an Ort und Stelle machen lassen. Darauf sollte der Herr Doktor das Pferd empfangen und

daneben drei Portugalöser [2]). Das hat er denn auch entgegengenommen, ohne sich erst lange zu sträuben, vielmehr mit herzlichem Dank.

Herr von Granvella sollte zwei goldene Trinkgeschirre bekommen, aber zu Augsburg bot sich keine Gelegenheit, sie ihm ohne Aufsehen zu überreichen. Indes, wie man nachher sah, es wäre nicht nötig gewesen, so bedenklich und vorsichtig zu sein. Denn der Herr Granvella hat einen großen Schatz von Silber und Gold und köstlichen teuren Gegenständen mit sich nach Hause geführt. Das alles hatten ihm die Kurfürsten, Fürsten, Grafen und Städte verehrt, die auf seine Fürsprache und Förderung ihrer Sachen beim Kaiser rechneten. Das war auf schwere Lastwagen und starke Maulesel geladen. Und als ihn einmal jemand fragte, was denn das sei, antwortete er: „Das sind die Sünden der Deutschen!"

[2]) Portugaleser oder Portugaloeser ist eine zuerst unter König Emanuel um 1500 in Portugal geprägte Goldmünze. Nachher hat man sie namentlich in Norddeutschland und Dänemark geschlagen, bis ins 17. Jahrhundert hinein. Sie hatte den Wert von 10 Dukaten (in Hamburg jetzt = 100 M.). Anfangs Verkehrsmünze, wurde der Portugaloeser schließlich zur bloßen Schaumünze. Als solche wird sie noch heute in Hamburg als Belohnung und Auszeichnung verliehen.

16. Kapitel

Von Kaiser Karl V. und von König Ferdinand, Herzog Moriz u. a.

Potz Tausend, das war einmal ein geharnischter Reichstag! Außer den deutschen und spanischen Söldnern, die der Kaiser mit nach Augsburg brachte, lagen noch zehn Fähnlein Landsknechte als Besatzung in der Stadt, und draußen in der Umgegend gab es italienisches und spanisches Kriegsvolk in Menge. Auch 600 niederländische Reiter hatten auf dem Lande Quartier bekommen, zwölf spanische Fähnlein waren eben aus dem Winterlager bei Biberach unterwegs nach der Gegend am Bodensee. In Weißenburg im Nordgau endlich lagen an die 700 neapolitanische Reiter im Quartier.

Es war aber auch ein höchst ansehnlicher pompöser Reichstag. Denn außer der Kaiserlichen und Königlichen Majestät waren alle Kurfürsten in eigener Person erschienen. Jeder aber hatte ein großes Gefolge bei sich. Da sah man den Kurfürsten von Brandenburg mit seiner Gemahlin, den Kardinal von Trient, ferner Herzog Heinrich von Braunschweig mit seinen beiden Söhnen, Carl Victor und Philipp, und viele andere mehr. Außerdem waren eine Menge fürstliche Damen und Gesandte von fremden Potentaten zur Stelle, von Dänemark Peter Swavenius und aus Polen Stanislaus Lasky, ein prächtiger gelehrter

Mann, schön von Person und gewandt im Reden. Wer
kann aber all die Äbte, Grafen, Freiherren und Städte
aufzählen, die herbeigekommen waren. Daß ich aber ja
nicht den Juden Michael vergesse, der ganz wie ein großer
Herr auftrat. Man sah ihn auf der Straße in stattlicher
Kleidung, um den Hals eine goldene Kette. Er ritt aber
ein prächtig gezäumtes Pferd. Zehn bis zwölf Diener hatte
er um sich, das waren alles Juden, sie sahen aber genau
wie berittene Knechte aus. Er selbst aber war von Person
recht ansehnlich. Man munkelte, sein rechter Vater sei
ein Graf von Reinfeld gewesen. Nun war der Erbmarschall
von Pappenheim ein ziemlich alter Herr, der konnte nicht
recht scharf sehen. Dieser begegnete dem Juden einmal
auf der Straße und zog nicht bloß den Hut vor ihm, sondern
machte sogar eine Verbeugung wie vor einem großen
Herrn seines Standes. Erst jetzt sah er, daß es der Jude
Michael war. Da gereute es ihn, daß er dem Juden soviel Ehre angetan hatte, und er stieß die Worte heraus:
„Daß euch Gottes Element schände, all ihr schelmischen
Juden ihr!"

Die Herren auf dem Reichstage hielten zahlreiche
Gelage ab und hatten fast täglich Tanz auf deutsche und
auf welsche Art, abends und am hellen Tage. Waren
doch so viele Damen von königlichem und fürstlichem
Geblüt zugegen mit einer stattlichen Zahl von fürstlichen
und gräflichen Fräulein, die alle schön und wohlgeputzt
und von adliger Herkunft waren. Besonders König Ferdinand sah fast täglich Gäste bei sich. Die wurden allzeit
herrlich bewirtet, dazu gab's allerlei Kurzweil und prächtige Tanzereien. Er unterhielt eine überaus stattliche wohl-
eingeübte Kapelle, nicht bloß Instrumental-, sondern auch
Vokalmusik. Neben anderer Unterhaltung hatte er allezeit einen höchst beredten Schalksnarren bei sich stehen.
Der besaß volle Redefreiheit, und Ferdinand verstand es

vortrefflich, ihm im Gespräch mit gleich komischer Münze
zu dienen. Meistens hatte er Personen beiderlei Geschlechts von königlicher oder fürstlicher Geburt zur Gesellschaft an seiner Tafel sitzen. Mit denen gab's beständig
gar kurzweilige Reden und Gegenreden. Denn der Mund
stand ihm eigentlich niemals stille. Eines Abends habe ich
bei ihm einen Tanz mit angesehen, den ein Spanier mit
einem Fräulein vollführte. Dabei trug der Tänzer ein
langes Gewand, das bis zur Erde reichte, so daß man
nichts von seinen Füßen sehen konnte. Ab und zu machte
er gewaltige Sprünge, und sie desgleichen. Dabei kam
sie bald von hier und bald von dort auf ihn zugegangen,
daß es eine wahre Lust zu sehen war. Und wenn der
spanische Tanz vorbei war, begann ein andres Paar auf
welsche Art zu tanzen.

Ganz anders war sein Herr Bruder, der römische
Kaiser. Denn wenn er auch seine Schwester und deren
Tochter bei sich hatte und seinen Bruder mit seiner
Tochter, der Frau Herzogin von Bayern, sowie alle Kurfürsten und so viele Fürstlichkeiten, so hielt er doch
keinerlei Bankett ab, und kein Mensch war bei ihm zu
Gaste. Wenn er aus der Kirche kam und in seine Gemächer ging, da begleiteten die Herren ihn wohl und
machten ihre Aufwartung. Da gab er ihnen dann auch
die Hand, dem einen nach dem andern, und damit waren
sie wieder entlassen. Ganz allein setzte er sich zu Tische
und redete kein Wort dabei. Ich erinnere mich nur bei
einer einzigen Gelegenheit ein Wort aus seinem Munde
gehört zu haben. Der Kaiser war soeben aus der Kirche
gekommen und in sein Zimmer getreten. Indem blickt
er im Kreise umher und kann Carlowitz nicht entdecken.
Darauf wendet er sich zu Herzog Moriz mit den Worten:
„Wo steckt denn unser Carlowitz?“ Und als der zur
Antwort gab: „Gnädigster Kaiser, er ist etwas unpäßlich!“

da rief Karl alsbald seinen Leibarzt und sprach: „Vesalius, Ihr sollt sogleich zum Carlowitz gehen, der ist etwas krank; seht doch zu, daß Ihr ihn wieder gesund macht!"

Ich habe den Kaiser auf verschiedenen Reichstagen essen sehen. Dabei war sein Herr Bruder, König Ferdinand, auch zugegen. Aber zur Tafel wurde er nie hinzugezogen. Das Essen ward von einigen jungen Fürsten und Grafen aufgetragen. Jedesmal wurden vier Gänge zu je sechs Gerichten vor ihm auf den Tisch gesetzt. Jetzt nahm man die Deckel nacheinander ab. Karl schüttelte den Kopf gegen die Gerichte, von denen er nichts begehrte. Aber wenn er von irgend einer Speise zu essen wünschte, so nickte er mit dem Kopfe und zog die Schüssel zu sich herüber. Da kam es vor, daß er stattliche Pasteten und Wildpret oder schön zugerichtete Spanferkelchen wieder abtragen ließ und ein gebratnes Schweinchen oder einen Kalbskopf dabehielt. Er ließ sich nichts vorschneiden, bediente sich auch des Messers nicht sehr viel. Sondern er schnitt sich so viele Stückchen Brot ab, als er Bissen in den Mund stecken wollte. Von dem Gerichte nun, davon er essen wollte, löste er mit dem Messer ein Stück ab an der Stelle, wo es ihm am besten gefiel. Manchmal brauchte er auch seine Finger dazu. Jetzt zog er die Schüssel unters Kinn. Und nun begann er so ungeniert, aber auch so reinlich und sauber zu essen, daß es eine Lust zu sehen war. Wenn er einen Trunk tun wollte — und das geschah nur dreimal bei Tische —, so winkte er seinen Ärzten, die vor dem Tische standen. Die traten an den Schenktisch. Da standen zwei silberne Flaschen und ein kristallnes Glas. Das gossen sie aus beiden Flaschen voll. Seine Majestät trank das Glas rein aus, daß auch kein Tropfen darin blieb. Oft holte er zwei- oder mehrmal Atem, ehe er es vom Munde wegzog. Übrigens sprach er kein Wort bei Tisch. Da standen

wohl ein paar Schalksnarren hinter ihm, die allerlei Possen rissen. Er aber kümmerte sich gar nicht darum. Höchstens verzog er einmal den Mund zu einem Lächeln, wenn sie etwas gar zu Komisches gesagt hatten. Es war ihm auch ganz egal, ob so viele Leute herumstanden, die dem Kaiser beim Essen zusehen wollten.

Er hatte einen stattlichen Sängerchor, auch eine Instrumentalkapelle, die sich wohl in der Kirche hören lassen konnte. Aber in seinen Privatgemächern hat sie niemals gespielt. Die Mahlzeit dauerte keine volle Stunde. Dann wurde alles weggeräumt, Sessel und Tische wurden zusammengeklappt und aus dem Zimmer fortgetragen, so daß nur die vier Wände blieben, die überall mit köstlichen Tapeten behängt waren. War dann das Dankgebet gesprochen, so gab man dem Kaiser einen kleinen Federkiel; damit reinigte er sich die Zähne; danach wusch er sich die Hände. Und jetzt war der Augenblick gekommen, wo der Herrscher sich in einer Ecke des Gemachs in der Nähe des Fensters hinstellte. Da konnte jedermann zu ihm herantreten, ihm Bittschriften überreichen oder mündlichen Bericht erstatten. Denen sagte er auf der Stelle, wo sie Bescheid bekämen. Diesem Brauch ist König Ferdinand späterhin nicht gefolgt, wohl aber dessen Sohn, der Kaiser Maximilian.

Herzog Moriz machte viel Bekanntschaften mit bayrischen Frauenzimmern und führte in seiner Herberge, die einem Arzte gehörte, ein recht lustiges Leben. Der Arzt hatte eine erwachsene Tochter, ein schönes Weibsbild, mit Namen Jungfer Jacobine. Mit der badete und spielte er täglich, und Markgraf Albrecht von Kulmbach war der dritte im Bunde [1]). Dabei gab's recht derbe Späße

---

[1]) Kaum eine Institution ist in der Entwicklung der Menschheit größeren Schwankungen unterworfen gewesen, als das Bade-

zwischen den dreien. Und man kann wohl sagen, sie hielten so Haus, daß der Teufel seine helle Freude an ihnen hatte und das Gerede davon die ganze Stadt erfüllte.

Die andern Fürsten und Herren, gleichviel ob weltlichen oder geistlichen Standes, machten es übrigens nicht viel besser. Und das hab ich zum Teil mit angesehen. Markgraf Albrecht hat gerne mit andern jungen Fürsten und jungen Bischöfen, die nicht einmal fürstlichen Standes waren, Gelage abgehalten oder mit der Armbrust geschossen. Dabei hat einer dem andern eben keine Ehrentitel gegeben. Sondern es hieß wohl im Spott: „Pfaff,

---

wesen. Im Altertum und bei den Orientalen sehr beliebt, trat es zu Beginn des Mittelalters unter kirchlichem Einflusse sehr zurück, um dann unter dem Einflusse der Araber in Spanien und wohl auch infolge der Kreuzzüge und des engen Zusammenwohnens in den Städten, gewaltig zuzunehmen. In Ulm gab es 1489 nicht weniger als 168 Badestuben.

Man darf nicht etwa annehmen, daß das Zusammenbaden der Geschlechter die Regel bildete. Es kam aber, wie die Miniaturen zeigen, oft genug vor, und die Bademeister galten nicht ohne Grund als Gelegenheitsmacher. Die Ausschweifungen in den Bädern, mehr aber noch die große Gefahr der Ansteckung, besonders von Aussatz und Syphilis, riefen im 16. Jahrhundert eine starke Gegenbewegung ins Leben, die von Regierungen, Ärzten und Geistlichen ausging. Von dieser moralisierenden Gegenströmung haben wir ja bei Sastrow ein merkwürdiges Beispiel kennen gelernt. (S. 41 Anm. 1.) Wer weitere Auskunft über das Badewesen der alten Zeit sucht, den verweise ich vor allem auf die grundlegende Arbeit von Zappert im Archiv für die Kunde österreichischer Geschichtsquellen, Band 21 (1859), ferner auf Alwin Schultz: Deutsches Leben im 14. und 15. Jahrhundert (1892).

Über Herzog Moriz hat Sastrow ein merkwürdig hartes Urteil. Ohne Zweifel gehört dieser Fürst zu den bedeutendsten Erscheinungen der ganzen Reformation. Für ihn verweise ich besonders auf Erich Brandenburg: Kurfürst Moriz von Sachsen.

schieß hin, was gilt die Wette, du wirst keinen guten
Schuß tun!" Da sah man junge Fürsten bei fürstlichen
und gräflichen Damen auf dem Fußboden liegen. Denn
es ist bei ihnen nicht Sitte, auf Bänken oder Sesseln zu
sitzen. Sondern man breitet mitten im Zimmer gar köstliche Teppiche aus. Darauf kann man sich dann in aller
Bequemlichkeit niedersetzen oder hinlegen. Und hierbei
geht's dann nicht ohne herzhaftes Küssen und Umarmen
ab. Mit dem vielen übermäßigen Bankettieren vertaten
die Fürsten und Herren ein ganz heidenmäßiges Stück
Geld. Nicht bloß, was in ihrem Schatz vorhanden und
auf den Reichstag mitgenommen war, wurde verjubelt —,
und das ging schon in die Tausende. Sondern manche
von ihnen mußten alle Mühe aufwenden, um nur mit An-
stand aus Augsburg fortzukommen und hatten noch viel
Schaden und Verdruß davon. Bei verschiedenen Fürsten,
so bei dem Herzoge von Bayern, dem Schwiegersohne
König Ferdinands, mußten die Untertanen einige 1000
Gulden allein für Spielschulden aufbringen. Das hatten
sie ihrem Herren verehrt und er hat es alles im Spiel
durchgebracht.

Unsere Gesandten verhielten sich ganz ruhig, gaben
keine Gesellschaften und wurden auch nicht eingeladen.
Einmal hatten sie Herrn Jakob Sturm [2]) aus Straßburg zu

[2]) Jakob Sturm war der „größte Staatsmann Straßburgs und
einer der hervorragendsten Förderer und Leiter der deutschen
Reformation" (nach dem Urteil von O. Winckelmann in der
Allgemeinen Deutschen Biographie). Mit seiner Persönlichkeit
ist eine Glanzperiode in der Geschichte von Straßburg aufs engste
verknüpft. Dem deutschen Protestantismus war er einer der
wichtigsten Vorkämpfer. Aber besonders wo es galt zu versöhnen
und zu vermitteln, war er am Platze. Dennoch vergaß er über
den religiösen Angelegenheiten niemals die deutschnationalen und
machte auf das schärfste Front gegen die immer lauter werdenden
französischen Ansprüche. Das erkannte selbst sein Gegner, Kaiser

Gast. Über dessen vortreffliches Gedächtnis haben sich unsre Räte nicht genug verwundern können. Wahrlich, das war ein ganz prächtiger, wohlerfahrener Mann, voll Weisheit und Beredsamkeit. Er war auch auf vielen Reichs- und Kreistagen gewesen, wie denn der Kaiser ihn in hochwichtigen Fragen oft zu Rate zog, obgleich er dem evangelischen Bekenntnis angehörte. Ohne ihn hätte auch Sleidanus wohl nicht seine Geschichte schreiben können. Das bekennt er auch ohne Scheu und gedenkt des Mannes mehrfach in ehrenvoller Weise.

Einige Male hatten die Räte auch Andreas Musculus und Sebastian Lepusculus bei sich, freilich niemals die beiden zusammen und nicht aus irgend einer nebensächlichen Ursache. Denn es war damals schon die Zeit gekommen, wo man das Interim[3]) auf dem Amboß schmiedete. Und da gab's mit diesen Herren nicht allein allerlei lustige Gespräche, sondern es waren auch recht ernste und nützliche Dinge zu besprechen.

Unter den kaiserlichen Trabanten sah man eine Reihe von schön gewachsenen, wohlerzogenen, gescheiten Ge-

---

Karl V., an und hat es ihm bei einem Besuch in Straßburg offen ausgesprochen. So gehört er zu den „vornehmsten und anziehendsten Gestalten des 16. Jahrhunderts".

[3]) Das Interim (lateinisch interim = einstweilen) war die unglückliche Zwitterschöpfung von einigen katholischen und protestantischen Vermittlungstheologen. Es sollte nur für die Zeit bis zu der verheißenen großen Kirchenversammlung Geltung haben (das Tridentiner Konzil wurde von den Evangelischen nicht anerkannt). Auch sollte es nach Karls V. Meinung nur für die Protestanten bindend sein. Doch wurde dieser Punkt, wohl absichtlich, offen gelassen. Im Grunde war es zu drei Vierteln katholisch und opferte der neuen Lehre im wesentlichen nur Laienkelch und Priesterehe. So waren beide Bekenntnisse höchst unzufrieden, und das Volk dichtete: „Das Interim hat den Schalk hinter ihm." Siehe Beutel, über den Ursprung des Augsburger Interims, Dresden 1888. —

sellen, denen jedermann gewogen war. Sie wurden vom
Kaiser sehr prächtig angezogen: das Unterkleid war eitel
schwarzer Samt, der Mantel an seinem Rande mit Samt
besetzt, auf dem Kopf aber trugen sie einen spanischen
Hut. Simon Plate machte viel Wesens von seinem Stu-
diengenossen, was das für ein feiner, gescheiter Mensch
wäre. Da erlaubten die Gesandten ihm, daß er ihn einmal
mit zu Tisch brächte. Er sollte ihnen herzlich willkommen
sein. Das geschah denn auch. Er brachte ihn mit zur
Tafel. Der junge Mann trug über seinem Wams eine
schöne goldene Kette, und man fand ihn durchaus so,
wie ihn Simon Plate geschildert hatte. Man behandelte
ihn daher sehr gut. Und das verdroß unsern Plate nun
wieder. Er drückte aber sein Mißfallen durch die Worte
aus: „Gewiß, es ist ja ein recht gescheiter, anständiger
Mensch, er verkehrt auch in der Umgebung des Kaisers.
Aber dennoch finde ich es jammerschade, daß er kein
Edelmann ist." Nun muß ich freilich sagen, daß die
Gesandten und besonders der Kanzler Zitzewitz über diese
Rede sehr ärgerlich waren. Ich setze die Geschichte aber
trotzdem hierher, damit meine Kinder wohl darauf achten.
Denn ich habe ähnliche Worte aus dem Munde von verschiedenen pommerschen Edelleuten vernommen, die in
allem Ernste der Geburt einen Anteil daran zuschrieben,
wenn jemand vernünftig und klug war.

Von Simon Plate muß ich noch eine andere Tat erzählen. Bei der Gelegenheit hatte er freilich seine fünf
Sinne noch beisammen und war nüchtern. Einmal wurde
im Fuggerhause ein fröhlicher Tanz für beide Geschlechter
veranstaltet. Da wohnten nämlich Schwester und Nichte
Seiner Majestät. Moriz Damitz, der Hauptmann von Ukermünde, war ein richtiger Sanguiniker, ein lustiger Bursche.
Der wollte gar zu gern hingehen und das fürstliche Fest
mit anschauen. Die andern Räte aber hielten das für

hellen Wahnsinn und eine große Leichtfertigkeit, da die Landesfürsten doch noch gar nicht mit Seiner Majestät ausgesöhnt seien. Man erinnerte den Hauptmann auch an des Landgrafen Fußfall zu Halle und sein Lachen, und was das für Folgen gehabt hätte. Der aber rief aus: „Meine Fürstlichen Herren können mir wohl Geld und Gut geben, aber meine Gesundheit können sie mir nicht wiedergeben! Ich muß hier herumliegen. Und da gibt's soviel Heitres zu schaun, woran man sich freuen kann. Wie will man mir verwehren, das anzusehen? Kann ich dabei gesund bleiben und bei lebendigem Leibe wieder nach Pommern heimkommen?" Mit diesen Worten will er die Treppe hinunterlaufen, da packt ihn einer der Räte bei der goldenen Kette, die er am Hals hängen hatte, so daß einige Glieder daran zersprangen. Er aber riß sich los und kam wirklich zum Tanz. Da ging Simon Plate auf Bitten der andern Räte hinter ihm her, der war den Tag gerade mal nüchtern.

Der Tanz war eben in vollem Gange, da kommt unser Moriz Damitz in den Saal. An dem einen Ende geht Hans Walter von Hirnheim umher. Das war ein gewaltiger Oberst und berühmter Kriegsmann. Den Tänzern gegenüber aber steht ein schönes Frauenzimmer in prächtigem Schmuck. An die tritt Damitz heran mit den Worten: „Schöne Frau, wollt Ihr nicht tanzen?" Sie darauf: „Ach nein, mein Herr, was soll ich tanzen? Das paßt wohl für junge schöne Leute. Ich aber bin eine alte verheiratete Frau." Damitz erwidert: „Seid Ihr wirklich verheiratet? Ich hielt Euch für eine Jungfrau; wenn ich jetzt tanzen dürfte und dazu die Allerschönste auffordern, Euch würd ich in Wahrheit um den Tanz bitten!" „Ach, Herr," sagt sie, „Ihr spottet meiner ja!" „Wie heißt denn Euer Mann?" „Hans Walter von Hirnheim." „Oho, Hans Walter, den kenne ich sehr gut." Indem ging der große

Barthol. Sastrow   10

146

Oberst immer noch auf und ab und sah recht sauer drein.
Er wußte nicht recht, was er mit diesem Herrn machen
sollte. Und wie sollte er gar über die Unterhaltung denken,
die der andere jetzt mit seiner Frau führte? Damitz fragte
nämlich: „Habt Ihr auch Kinder miteinander?" „Nein,
leider Gottes nicht." Und der Pommer: „Weiß Gott,
wenn ich ein so schönes Weib hätte, da traute ich mir
mit Gottes Hilfe wohl soviel Kräfte zu, daß ich mit ihr
Kinder bekommen sollte!" Wie er auf naturwissenschaft-
lichem Gebiete soweit gekommen war, hielt Simon Plate
es für angebracht, ihn von der Frau loszumachen und mit
nach Hause zu nehmen.

17. Kapitel

Traurige Geschichte von Sebastian Vogelsberg

Sebastian Vogelsbergs Historie ist bei andern Geschichtsschreibern höchst unvollkommen behandelt
worden. Ich aber habe dabeigestanden, als man ihn hingerichtet hat, habe alles mit angesehen und mir mit ganz
besonderem Fleiß notiert, was ich aus Vogelsbergs Munde
gehört habe. So will ich denn der Wahrheit gemäß davon berichten.

Vogelsberg war von Person ein recht ansehnlicher,
starker Mann, von schönem Äußern und gar wohl pro-
portioniert. Sein langer Bart hing ihm bis an den Gürtel
herab, darüber trug er ein freimütiges Antlitz. Wahrhaftig, ich wüßte nicht, ob ein Maler einen Mann hätte
ansehnlicher malen können. Man erzählte sich auch, daß
er ein recht gelehrter Mann sei, der in Italien dereinst
Schulmeister gewesen wäre. Als er aber die Schulmeisterei
an den Nagel gehängt hatte, wurde er zuerst Musterungs-
schreiber des Grafen Wilhelm von Fürstenberg, der Oberst
im Dienste mehrerer Potentaten war. Alsdann wurde er
Fähnrich und hielt sich brav dabei. Denn er war hohen
Sinnes, stak voll von guten Anschlägen und war beredt.
So kam er ohne Mühe zum Hauptmannsrange. Ja,
manche Potentaten machten ihn viel lieber zu ihrem Oberst
denn den Grafen Wilhelm von Fürstenberg.

10*

148

Das verdroß nun den Grafen gar sehr. Denn der meinte ganz ebenso, wie ich es oben von Simon Plate erzählt habe, daß derartige kriegerische Eigenschaften dem hochgebornen Adelsstande gewissermaßen angeboren und vorbehalten bleiben müßten. Er griff also den Vogelsberg mit beleidigenden Worten an. Der nahm auch kein Blatt vor den Mund. Ja, man begann einen regelrechten Federkrieg mit Druckschriften, worin der Graf den Anfang gemacht haben soll.

Auf seiten des Grafen Wilhelm standen alle Grafen, in der Meinung, daß der ganze hochgräfliche Stand angegriffen und geschmäht sei. Sebastian Vogelsberg aber war nicht bloß ein berühmter Kriegsmann, sondern auch ein Bekenner des evangelischen Glaubens. Daher waren ihm die protestierenden Stände sehr gewogen. Dagegen alles, was papistisch war, haßte ihn aus tiefster Seele.

Wie er nun sah, daß die Schmähschriften nichts fruchteten und auf gewaltsame Weise gegen den Grafen nichts auszurichten war, nahm er seine Zuflucht zu einer Anklage beim Reichskammergericht wegen Beleidigung. Ich bin gerade damals Sekretär bei seinem Anwalt, dem Doktor Engelhart in Speier gewesen. Daher ist mir der ganze Prozeß und Sachverhalt wohl bekannt. Nach langem Hin- und Herstreiten haben sich dann beide Teile dem Spruch unterwerfen müssen, der dahin lautete, daß dem Vogelsberger unrecht geschehen sei. Graf Wilhelm ist dazu verdammt worden, ihm 400 Gulden zu zahlen. Das nahm sich nicht allein des Grafen Bruder, Friedrich von Fürstenberg, sondern auch der ganze Grafenstand sehr zu Herzen. Drei große Ursachen mögen sich meine Kinder als sogenannte Haupt- und Grundursachen vor Augen halten in dieser Angelegenheit, nämlich Religion, Kriegsgebrauch, Erfahrenheit, Mut, Unerschrockenheit, Mannheit und Beständigkeit zum ersten, alsdann die Feind-

schaft aller Grafen und Papisten. Dazu treten dann noch zwei besondere Ursachen, welche die Angelegenheit gewissermaßen in Schwung brachten. Die eine war, daß der Vogelsberger vor Jahresfrist ein Regiment Landsknechte nach Frankreich geführt hatte. Von der andern bin ich selbst Augenzeuge gewesen. Die betraf das Kapitalverbrechen, daß er sich in der Reichsstadt Weißenburg am Rhein ein ansehnliches Haus aus Hausteinen erbaut hatte und vorn über der Tür das französische Wappen hineinsetzte, drei Lilien prächtig und groß in Stein ausgehauen.

Nun meinten seine geschwornen Feinde, die Papisten und alle Grafen, die dem Kaiser in diesem Kriege gegen die Evangelischen ihre getreuen Dienste geleistet hatten, in Religionssachen sei jetzt nicht zu spaßen. Und die Meinung ist denn auch wirklich eingetroffen. Sie hatten aber auch das Gefühl, daß dieser Kriegsmann ihnen noch viel zu schaffen machen würde. Deswegen gelüstete sie nach dem Blute des Vogelsbergers, wie ein Hirsch im Sommer nach frischem Wasser dürstet. Wie sie nun diese schöne Gelegenheit bekamen, nützten sie die beiden vorgenannten besondern Ursachen bei Seiner Majestät mächtig aus. Um ganz sicher zum Ziel zu kommen, nahmen sie sich zwei saubere Gesellen zu Richtern, einen Deutschen und einen Welschen. Die zögerten nicht lange und haben den herrlichen Mann zum Tode verurteilt. Das Blutgericht ist auch sofort zur Ausführung gebracht worden.

Am 7. Februar kurz nach 8 Uhr vormittags ist ein Fähnlein Knechte aus der Liebfrauenvorstadt und bald danach zwei weitere Fähnlein aus der St. Jacobi-Vorstadt herbeigeführt worden. Die haben um das Schafott am Berlach Aufstellung genommen. Von ihnen hat jetzt ein welscher Befehlshaber 30 Hakenschützen mitgenommen

·

und Sebastian Vogelsberg mit Trommeln und Pfeifen aus dem Stadtgefängnis über dem Berlach herbeigeholt und aufs Schafott gebracht. Er hatte ein Gewand aus schwarzem Samt an, und auf dem Kopf einen welschen Hut, der mit Seide bestickt war. Wie er nun von dort oben seine Blicke herumschweifen läßt, sieht er nicht weit davon bei den drei Fähnrichen den Grafen Reinhart von Solms und den Ritter Herrn Conrad von Boineburg stehen. Nun war der Graf ein wütender Papist und in Sachen des Grafen von Fürstenberg sein Todfeind. So kehrt der Vogelsberger sich nicht im mindesten an den Grafen und wendet sich an Herrn Conrad von Boineburg mit den Worten: „Sagt an, Herr Conrad, ist mir denn gar nicht zu helfen?" Als der erwiderte: „Mein Bastian, unser Herrgott helfe Euch!" sagt der Vogelsberger: „Ja, der wird mir auch helfen." Und dabei geht er keck und kühn mit aufrechtem Haupt und gar freiem Mute auf das Gerüst hinauf.

Oben auf dem Schafott sah er sich eifrig nach allen Seiten um. Denn sowohl das Rathaus wie alle andern Gebäude waren an allen Fenstern und auf allen Dächern voll von angesehenen Leuten. Als er nun vollends an den Fenstern des Rathauses kurfürstliche und fürstliche Personen geistlichen und weltlichen Standes erblickte, auch verschiedener Grafen, Freiherrn und Edelleute ansichtig wurde, redete er zu ihnen und zu all den vielen Umherstehenden mit diesen wahrhaftigen Worten, die er mit lauter, männlicher Stimme aussprach, nicht anders, als hätte er als freier Mann mitten in der großen Menschenmenge gestanden: „Hochwürdigste Durchlauchtige Hochgeborne Kurfürsten und Fürsten und ihr ehrwürdige, wohlgeborne, günstige Herren und Freunde! Dieweil ich auf diesen Tag" — da unterbrach ihn der welsche Befehlshaber und rief dem Henker zu, er solle ihm keine Rede-

freiheit geben, sondern seines Amtes walten. Der Henker aber sagte zu Vogelsberg: „Herr, ich habe keine Eile mit Euch, redet nur, so lange und so viel Ihr wollt!" Vogelsberg fuhr fort: „Weil ich heute auf Befehl der Kaiserlichen Majestät, unseres Allergnädigsten Herrn, sterben soll und muß, so hab ich doch gern die Ursache meines Todes anzeigen wollen. Die ist aber keine andere gewesen, als daß ich im vorigen Jahre dem löblichen Könige von Frankreich zehn Fähnlein Knechte zugeführt habe bei Gelegenheit seiner Krönung. Sonst habe ich in den letzten zehn Jahren nicht ein einziges Mal gegen die Kaiserliche Majestät Kriegsdienste getan. Darum bitte ich euch, denkt nicht arg von mir und erbarmt euch meiner bei diesem meinem unschuldigen Tode und laßt es die Meinigen nicht entgelten. Sondern ihr wollet ihnen zukommen lassen, was ich durch meinen Dienst mir erspart habe. Denn ich habe mein Lebtag nicht anders gehandelt, als es einem ehrlichen Manne gebührt. Ich bin aber von Lazarus von Schwendi, diesem verzweifelten Bösewicht, auf die Schlachtbank geopfert worden. Denn der hat mich mit allerlei Vorwänden unter die Spanier gelockt. Vor diesem Erzdieb und Gauner möge sich jedermann hüten und keinerlei Gemeinschaft mit ihm haben. Man hat mir trotz meines Begehrens keinen Prädikanten oder Beichtvater gegönnt, und das wird doch sonst niemandem abgeschlagen. Aber ich will unschuldig und als frommer Christ sterben und weiß, daß Jesus Christus mich durch sein Leiden und Sterben vom ewigen Tode erlöst hat."

Mit diesen Worten ist er herumgegangen und hat einen jeden um Verzeihung gebeten, wie er denn auch einem jeden gern vergeben wolle. Damit befehle er seine Sache dem Allerhöchsten.

Jetzt ist er niedergesessen und der Henker hat ihm seinen langen Bart zerteilt und ihn oben auf dem Kopf

152

zusammengebunden. Dann hat er ihn um Verzeihung gebeten, ihn ermahnt, noch ein Vaterunser und ein Glaubensbekenntnis zu sprechen. Jetzt hat er ihm das Haupt mit einem so kräftigen Streiche vom Leibe getrennt, daß es wie eine Kugel vom Gerüst auf die Erde gerollt ist. Der Henker läuft hinterdrein und hat den Kopf an seinem langen Bart wieder hinaufgetragen, ihn zum Körper gelegt und einen Mantel darübergebreitet.

Nachdem dann noch zwei Genossen des Vogelsbergers hingerichtet sind, hat der Nachrichter von der Richtstätte mit lauter Stimme gerufen: „Es sei der ernstliche Befehl Seiner Majestät, daß keiner dem Könige von Frankreich dienen oder zu Hilfe ziehen sollte. Den, welcher dawider handle, werde Seine Majestät so bestrafen, wie es den dreien geschehen sei."

18. Kapitel
Vom Interim

Auf diesem Reichstag hat die Kaiserliche Majestät sich mit den Reichsständen dahin verglichen, daß sie miteinander einige taugliche und gottesfürchtige Personen einsetzen wollten, damit dieselben eine Ordnung aufstellten, die dem Deutschen Reiche Ruhe und Frieden in Religionssachen bringen sollte. Als sich aber die eingesetzte Kommission nicht hat einig werden können, haben der Bischof von Naumburg, Herr Julius Pflug, und der Brandenburgische Hofprediger Agricola gemeinsam das Buch Interim zusammengetragen und es vor die Kaiserliche Majestät bringen lassen. Als alles fertig war, wurde den Katholiken von seiten des Papstes und Seiner Kaiserlichen Majestät das Rückgrat gestärkt. Deshalb waren sie frech und keck, hoffärtig und unverschämt. Die Evangelischen aber vom Fürstenstande sowie unter den Gelehrten waren kleinmütig und unbeständig. Ja, es kam ihnen mehr auf den eigenen Vorteil an. Es lag ihnen daran, bei Kaiser und Papst und der großen Menge etwas zu gelten. So unterwarfen sie sich dem Interim in aller Untertänigkeit, und die Glocke des ganzen Werkes wurde gegossen, poliert und so verfertigt, daß man an allen Seiten daran läuten und ziehen konnte.

Am 15. Mai gegen 4 Uhr nachmittags ist das Interim öffentlich bekannt gegeben worden. Da stand der Erz-

bischof und Kurfürst von Mainz als des Römischen Reiches Erzkanzler auf und sagte dem Kaiser für seine große Mühe und Arbeit den tiefsten Dank des Reiches. Das geschah ohne Zustimmung und vorherige Unterredung mit den andern Reichsständen. Die Kaiserliche Majestät sah das aber als eine allgemeine Zustimmung an und befahl, das Buch lateinisch und deutsch in Druck zu geben.

Bei dem gefangenen Kurfürsten von Sachsen ließ die Kaiserliche Majestät durch den Herrn von Granvella und seinen Sohn, den Bischof von Arras, mit Fleiß und des öfteren das Ersuchen aussprechen, er möge doch die Lehre des Interims annehmen. Man versprach ihm sogar, er solle alsdann seines Gefängnisses ledig werden. Er ist aber treu und beständig bei der Lehre der Augsburgischen Konfession geblieben. Man hat ihm deswegen seine Bücher genommen und ihm untersagt, an den Festtagen Fleisch zu essen. Auch der Prediger, den ihm der Kaiser bis dahin erlaubt hatte, ist in einer Verkleidung fortgebracht worden.

Als man dem Landgrafen mit derselben Zumutung gekommen ist, hat er geantwortet: „Ich will nicht weiser sein als die heiligen Väter, welche die Bibel besser verstanden haben als ich!" Deswegen hielte er das Buch für recht und wolle dafür sorgen, daß es von seinen Untertanen beobachtet würde. Er bat aber den Kaiser um Christi und aller Heiligen willen, er möge seine Ungnade fallen lassen und ihm die Freiheit wiedergeben.

Als nun die Kaiserliche Majestät nach Beendigung des Reichstages von Augsburg nach den Niederlanden zog, habe ich es mit angesehen, wie die Interimsangelegenheit zu Ulm in Angriff genommen wurde. Der Kaiser setzte nämlich ohne weiteres den alten Rat ab und verordnete einen neuen, der dem Kaiser in allem gehorsam und zugetan war, auch in Sachen des Interims. Mit den

sechs Predigern redete er eine gar harte Sprache. Vier von ihnen, die sich nicht überreden lassen wollten, wurden gefangen fortgeführt. Und auch die zwei, welche abfielen, wurden hart angefahren und mußten Weib und Kinder verlassen.

In Speier lag der Kaiser etliche Tage. Da hatten sie einen evangelischen Prediger, der war Prior im Barfüßer-Kloster, und mit ihm waren alle seine Klosterbrüder gut evangelisch, trugen aber dabei ruhig ihre Mönchsgewänder. So habe ich den Prior vier ganze Jahre lang alle Sonntage in seiner Mönchskutte auf der Kanzel stehen sehen. Ging auch ungescheut auf der Gasse unter den Bürgern umher. Zu seinen Predigten aber war ein solcher Zulauf, daß sie bis unter die Kirchentür standen. Er nannte weder den Papst noch Luther mit dem kleinsten Worte und war ein hochgelehrter begabter Lehrer des reinen Evangeliums. Als die Kaiserliche Majestät nun nahe herzu kam, ließ er sich aus den Mönchsgewändern weltliche Kleider machen und entfloh. Dasselbe taten seine Amtsgenossen in Worms und in den umliegenden Reichsstädten.

Auch zu Landau gab's evangelische Prediger, gar feine gelehrte Männer, denn Landau ist in einer heiteren Gegend gelegen und hat köstliche Weinpflanzungen bis nahe ans Tor. Auch sonst gibt's daselbst eine gute Schnabelweide.

Aber jetzt mußten die evangelischen Prediger weichen und papistische rückten ein: lauter junge, ungelehrte Kerle, ganz gottlose, unverschämte Gesellen. Wie ich einmal über Sonntag in Landau war, bin ich in die Kirche gegangen und habe gesehen, wie sie papistische Messe hielten. Danach hab ich so einen jungen Bengel ganz unverschämt predigen hören:

„Die Lutherischen," so sprach er, „wollen nicht, daß

man die Mutter Gottes und andere Heilige anbeten soll. Hört, meine Freunde, ich will euch eine wahrhaftige Geschichte erzählen: Es starb einer. Wie er aber verschieden war, kam seine Seele vors Himmelstor. S. Peter schloß vor ihm die Türe zu und wollte ihn nicht in den Himmel hineinlassen. Maria, die Mutter Gottes, ging gerade mit ihrem lieben Sohne vor dem Himmel spazieren. Die redet der arme Sünder an und beklagt sich, daß ihm S. Peter den Eintritt verweigert habe. Er erinnert die heiligste Jungfrau Maria daran, wie er sie auf Erden geehrt habe, wie viele Rosenkränze, Pater noster und Ave Maria er gebetet und wie viele Wachslichter er vor ihrem Bilde angezündet und verbrannt habe. ,Ja, es ist so, mein lieber Sohn,' spricht Maria zum Herrn Christus. Aber der Herr sagt zu der Seele: ,Hast du denn nicht gehört oder gelesen, daß ich, der Herr, die Tür und der Weg und die Wahrheit bin, um in den Himmel zu kommen?' Maria antwortete: ,Bist du die Tür, so bin ich das Fenster.' Und mit diesen Worten nimmt sie den Sünder beim Kopfe und wirft ihn durchs Fenster in den Himmel. Was war dem Menschen nun daran gelegen, ob er durch die Türe oder durchs Fenster hineinkam? Was aber sagen nun die lutherischen Buben dazu, welche die Jungfrau Maria nicht anbeten wollen!"

War es wohl möglich, das Wort Gottes unverschämter und frecher zu lehren, das so lange in aller Reinheit und Unverfälschtheit gepredigt und gelehrt worden war?

In Sachen des Landgrafen von Hessen setzte der Kaiser den beiden Kurfürsten von Sachsen und Brandenburg auf ihre eifrige Bitte und stetes Anhalten einen bestimmten Tag an, um ihnen Bescheid zu geben. Ich habe schon an anderer Stelle von den Beziehungen des Kurfürsten Moriz zu den bayrischen Frauenzimmern gesprochen. Nun gut, an jenem Sonntagmorgen, der dem

Montag voranging, an welchem der versprochene Bescheid
ergehen sollte, setzte sich Herzog Moriz in einen Schlitten.
Denn es war schön gefroren und treffliche Bahn. Kommt
der Carlowitz aus der Kanzlei heruntergelaufen und
spricht: „Wohin wollen Eure Kurfürstliche Gnaden
fahren?" Der Kurfürst — das habe ich selbst gehört —
gab zur Antwort: „Ich will nach München fahren." Darauf
Carlowitz: „Bedenken denn Eure Kurfürstliche Gnaden
nicht, daß auf morgen in der hochwichtigen Angelegenheit
für Eure Kurfürstliche Gnaden und den Kurfürsten von
Brandenburg eine Entscheidung von seiten Sr. Kaiserlichen
Majestät angesetzt ist?" Der Kurfürst: „Ich will aber nach
München fahren!" Jetzt aber erhebt der Carlowitz seine
Stimme und sagt: „Ich habe es zuwege gebracht, daß Ihr
ein hochangesehener Kurfürst geworden seid. Ihr aber
habt Euch auf diesem Reichstage so leichtfertig benommen,
daß Ihr bei den Edelsten aller Nationen sowie bei Ihrer
Kaiserlichen und Königlichen Majestät in höchste Verachtung gekommen seid." Bei diesen Worten haut Herzog
Moriz mit der Geißel auf die Gäule ein, und fort ist er,
zum Tore hinaus. Carlowitz aber erhob seine Stimme
noch mehr und rief ihm nach: „So fahrt denn hin, in aller
Teufel Namen, daß Euch Gottes Element schänden möge
mit all Euerm Fahren!" — Man hat denn auch nichts
davon gemerkt, daß einer von den beiden Kurfürsten auf
den angesetzten Tag vor der Kaiserlichen Majestät erschienen sei. Es ist auch wohl anzunehmen, daß dem
Kaiser die Spazierfahrt nach München zu Ohren gekommen ist.

19. Kapitel
Reisen nach Basel und Brüssel

Zu Speier bin ich die nächsten Jahre bei den Prokuratoren Schreiber gewesen. Dies Handwerk läßt
keinen, der es ordentlich betreibt, in Armut leben. Schreiber
ist wohl ein etwas verächtlicher Name, ich aber habe von
der Schreiberei manch leckern Bissen und guten Trunk
bekommen.

Von Speier aus habe ich an den berühmten Kosmo-
graphen, Herrn Sebastian Münster, geschrieben und ihn
darum ersucht, sich mit seiner vortrefflichen Kosmographie
nicht allzu sehr zu beeilen. Denn Ihre Fürstlichen Gnaden
stünden in voller Arbeit, ihm alles Wissenswerte über das
Pommerland zu nicht geringem Ruhme seines Werkes zu
übersenden. Darauf hat der Gelehrte sich damit entschuldigt, er könne unmöglich länger warten. Denn der
Drucker sei schon in voller Arbeit und müsse das Werk
zur nächsten Fastenmesse nach Frankfurt bringen.

Über das vorhandene Material habe ich mit dem
wohlverdienten teuren Mann hin und her geschrieben und
bin zu einer mündlichen Besprechung nach Basel marschiert. Der Weg führte durch das weitberühmte, an
Korn und Wein reiche Elsaß mit seinen zahllosen
Schlössern, Städten und Flecken. Bin auch in Straßburg
gewesen und auf den Kirchturm gestiegen. Zu Basel
bin ich mit dem Herrn Sebastian Münster gut bekannt
geworden. Er hat mir wahrhaftig viel Freundliches erwiesen und mich in seinem Hause in ein ansehnliches
Zimmer geführt, wo er eine große Anzahl gegossene, ge-

schnittene und in Kupfer gegrabene Formen von Karten aus Italien, Frankreich und Deutschland gehabt hat, dazu mathematische und astronomische Instrumente und solche, die man in Bergwerken braucht. Alsdann zeigte er mir Bilder von Ländern, Städten, Schlössern und Klöstern, wie sie später in seiner Kosmographie herausgekommen sind.

Im Mai aber schrieben mir die Räte aus Brüssel, daß ich ihnen die beiden goldenen Geschirre für Granvella hinunterbringen sollte. Denn es ging allgemein die Rede, die Kaiserliche Majestät ließe seinen Sohn aus Spanien nach den Niederlanden kommen.[1]) Man hatte aber den unsrigen gute Hoffnung gemacht, daß durch den Prinzen Philipp unsere Herren recht leicht mit dem Kaiser ausgesöhnt werden könnten. Dazu gehörte denn freilich, daß uns einige von den Räten des Kaisers geneigt und gewogen seien. Diesen Auftrag habe ich erfüllt und bin den Rhein ganz hinabgefahren bis zur Maas, die von Mastricht hinunterfließt. Von da ging's über Land auf Herzogenbusch, Löwen und Brüssel zu. Die Entfernung von Speier nach Brüssel mag ungefähr 70 Meilen betragen. Von Brüssel bin ich nach Überreichung der Kleinodien nach Gent gezogen.[2]) Das ist eine große Stadt mit hochansehnlichen Privilegien. Eines derselben besagte, daß der

---

[1]) König Philipp, schon in jungen Jahren König von Spanien, sollte eben damals von seinem Vater, Karl V., den deutschen Fürsten vorgestellt werden. Der Kaiser beabsichtigte damals allen Ernstes, seine Königswahl auch für Deutschland durchzusetzen. Dem widersetzte sich aber einmal der römische König, Karls Bruder Ferdinand. Andererseits scheiterte der Versuch an der eigentümlichen Steifheit und Ungeschicklichkeit des jungen Herrschers. Nur ungern hat Karl seinen Plan dann aufgeben müssen.

[2]) Erst bei diesem Brüsseler Besuch 1548/49 scheint die Versöhnung des Kaisers mit den Pommernherzögen endgültig zustande gekommen zu sein. Es geschah gegen eine Sühne von 90 000 Gulden und das Versprechen, das Interim in Pommern einzuführen.

Kaiser den andern flandrischen Städten keine Steuer auferlegen dürfe ohne Erlaubnis derer von Gent. Aber Kaiser Karl hat ihnen diese Privilegien wieder genommen und hat einen Platz in der Stadt, wo ein Kloster und viele Häuser gestanden haben, freigelegt. Hier ist von ihm ein festes Schloß errichtet worden, mit einem breiten, tiefen Wassergraben rund herum, und auch sonst trefflich befestigt. Von da aus hielt er die ganze Stadt in Gehorsam, konnte sie aber auch beschirmen. Das Schloß, in welchem Kaiser Karl geboren war, ist eine ganz mäßige alte Scharte gewesen.

Von Gent sind zehn brabantische Meilen bis nach Antwerpen. Nun hatte ich viel von dem Hause des Casper Duitz gehört, wie zierlich es erbaut und geschmückt sei. Dem war auch wirklich so. Gemächer sind unzählige darin, und ein jedes sieht anders aus als das vorige. In einem jeden aber steht eine Sänfte oder ein Faulbett. Gardinen und Wandteppiche waren von derselben Farbe, hier mit schwarzem, dort mit rotem, das dritte mit veilchenfarbenem Samt, andere mit Damaststoffen. In jedem Zimmer stand ein Tisch, dessen Decke die Farbe des Zimmers hatte. Auch gab's überall Musikinstrumente, doch nirgends dieselben. Hier eine Art Orgel, dort polnische Geigen oder Lauten, Harfen und Zithern. Eine Jungfrau, die uns durch die Gemächer führte, konnte recht anständig auf einigen Instrumenten spielen. Hart am Hause lag ein Blumengarten mit allerlei fremden Gewächsen bepflanzt. Etwas weiterhin sah man einen Tiergarten mit allerlei Wild. Über dem Tore gab's ein schönes Gemach, wie es sich wohl ein Fürst nicht besser hätte wählen können. Hier soll denn auch Frau Maria, des Kaisers Schwester, ihren Bruder einstmals empfangen haben. Als der das Haus und all seine Bequemlichkeiten beschaut hatte, soll er sie befragt haben: „Wohlan, liebe Schwester, wem gehört

eigentlich dieses Haus?" Als sie darauf antwortete: „Unserm Schatzmeister," meinte der Kaiser: „Weiß Gott, der legt sein Kapital gut an!"

Dieser Caspar Duitz war von Geburt ein Italiener, wurde darauf ein verschmitzter, hinterlistiger Kaufmann in Antwerpen, hatte ein großes Geschäft und machte zwei-, dreimal Bankrott. Wenn er viele tausend Gulden in Händen hatte, bat er sich eine Zahlungsfrist von fünf Jahren aus und bekam von Frau Maria eine besondere Erlaubnis dazu. Mit solchen Schelmenstücken brachte er viel Geld zusammen. Brauchte Frau Maria Geld, so ließ der Schatzmeister sie nicht im Stiche. Einmal baute er sich bei Antwerpen ein Haus. Wie es fertig stand, war's nicht ganz nach seinem Wunsch geraten. Denn manche Fehler an Häusern bemerkt man erst, wenn sie fertig sind. Casper Duitz aber bricht es bis auf den Grund nieder und erbaut sich ein andres, das seinem Wunsche zusagte.

Nach Mecheln, das von Löwen, Antwerpen und Brüssel gleich weit entfernt ist, hat man durch menschlichen Fleiß das Wasser herangeführt. Hier habe ich auch den Vogel Hein gesehen, von dem man sich folgendes erzählt. So oft Kaiser Maximilian I., des jetzigen Kaisers Urahnherr, verreisen wollte, ist der Vogel beizeiten an den betreffenden Ort geflogen, wohin der Kaiser auf den Abend kommen wollte. Der Kaiser hat ihm darauf in seinem Testament soviel hinterlassen, daß er Zeit seines Lebens Wartung und Unterhalt gehabt hat. Sogar die Frau, die seiner wartete, hat freie Wohnung und Feuerung bekommen. Denn er war zu jener Zeit schon alt und kahl geworden, so daß er eine warme Stube brauchte. Wer ihn aber hat sehen wollen, mußte der Wärterin etwas geben, so daß diese um seinetwillen einen guten Lohn hatte.

158

20. Kapitel
Letzte Zeit am Rhein

Im Juni 1549 ist König Philipp, des Kaisers Sohn, mit vielen großen Herren in Speier angekommen. Er war damals 22 Jahre alt, also 7 Jahre jünger als ich. Ihm hatte der Kaiser den Kardinal von Trient als Marschall beigegeben, das war ein geborner Herr von Madrutz, ein schön gewachsener, stattlicher Herr. Die Gesichtszüge König Philipps ließen erkennen, daß er nicht den Scharfsinn seines Vaters besaß und es diesem überhaupt kaum nachtun könne. Der Kurfürst von Heidelberg und andere Pfalzgrafen, sowie die geistlichen Kurfürsten waren in großer Anzahl herbeigekommen, um ihm auf dem Gange zur Kirche und wieder zurück ihre Aufwartung zu machen. Sein Herr Vater, Kaiser Karl, pflegte von seinem Gemach hinunterzukommen, wenn die Fürstlichkeiten ihm aufwarteten. Ich habe das oft genug mit angesehen. Er setzte sich dann an der Treppe auf sein kleines Reitpferdchen. Die Fürsten ritten dann an ihn heran, und er war jedesmal der erste, der sein Haupt vor ihnen entblößte, auch wenn ihm der Regen auf den bloßen Schädel fiel. Mit freundlicher Gebärde oder gar mit gnädigem Antlitz pflegte er alsdann einem jeden die Hand zu reichen. Wenn sie ihn dann wiederum aus der Kirche bis an die Treppe begleitet hatten, wandte er sich mit dem Pferde um, nahm wieder sein Hütlein ab, gab einem jeden die

Hand und entließ sie gar freundlich und allergnädigst.
Ganz anders König Philipp. Er ließ die aufwartenden
Fürstlichkeiten — und das waren zum Teil alte Herren
— mit besonderem Fleiß stehen und folgen. Wenn sie
dann allesamt vor der Kirche von den Pferden stiegen,
sah er sich nicht einmal nach ihnen um, sondern er
schritt stracks fürbaß, aber von hinten winkte er ihnen
wohl mit beiden Händen, sie möchten doch neben ihm
gehen. Sie blieben aber lieber hinter ihm. War dann
die heilige Messe beendigt und man saß wieder auf, dann
folgten sie ihm bis an seinen Palast zur Treppe. Er aber
stieg vom Gaul, ging die Treppe hinauf und ließ sie
unten stehen, ohne das geringste Zeichen von Freundlich-
keit und Gnade.

Der Kardinal von Trient als der ihm beigeordnete
Marschall suchte ihm klar zu machen, daß es ganz etwas
anderes sei, ob er seine spanischen Granden oder die
Fürsten deutscher Nation vor sich hätte. Aber der be-
kam folgende Antwort: „Es wäre auch ein gewaltiger
Unterschied zwischen ihm und seinem Herrn Vater. Denn
der wäre bloß eines Königs Sohn, er aber sei kaiserlichen
Geblüts."

Von Speier aber ritt König Philipp gen Brüssel. Und
auf dem Wege dahin war's, daß Kurfürst Moriz von
Sachsen ihn bat, für seinen Schwiegervater, den Landgrafen, bei seinem Vater eine Fürbitte zu tun. Es ist
wohl kaum daran zu zweifeln, daß der König von Spanien
sein Versprechen gehalten und eifrig Fürbitte getan hat.
Hat aber gar nichts gefruchtet.

Es ist zu Speier und da umher am Rheinstrom, wo
nur eine Gesellschaft irgendwelcher Art beieinander ist,
eine gute Gewohnheit, daß sie um Neujahr oder Epi-
phanias einen königlichen Hofstaat einrichten. Und je
nachdem sie in ihrem Verein passende Leute dazu haben,

11*

werden die Ämter verteilt: König, Marschall, Kanzler,
Hofmeister usw. Der Narr muß natürlich auch dabei
sein. Bei einem jeden Amte aber wird festgesetzt, was
der einzelne beitragen muß, damit es recht stattlich aus-
falle. Nur der Narr ist steuerfrei. Dann werden die
Ämter durchs Los verteilt. Jeder muß mit dem fürlieb
nehmen, was das Glück ihm zuteilt. Nun hatten wir im
Jahre 1550 einen jungen niederländischen Freiherrn in
unserer Gesellschaft. Der war recht kecken Mutes und
ein richtiges Weltkind. Außer ihm waren noch einige
ansehnliche Personen vom Kaiserlichen Kammergericht an
unserm Tisch. Ich selbst wurde nun bei der Ämterver-
teilung König, der Freiherr mein Marschall. Der Pfaffe
aber, unser Wirt, bekam das Narrenamt. Das stand ihm
aber so natürlich an, als sei er von Natur oder von Jugend
auf ein Narr gewesen. Ich, als der König, mußte ihm eine
Narrenkappe und eine Kutte aus englischem Tuch von
allerlei Farbe machen lassen. Wenn wir bei Tisch Gäste
hatten — und das geschah ziemlich oft, wenn unser wilder
Freiherr sie mitbrachte —, dann zog der Narr seine Kutte
über den Kopf und stolperte auf den Gast los, daß wir
schon nicht wußten, wohin wir vor Lachen gehen sollten.
Er hatte auch keinen Schaden davon. Denn mit seinen
närrischen Zoten brachte er einen jeden dazu, ihm die
Kutte mit irgend etwas zu verzieren, mit Batzen und
Talern, ja sogar mit Goldgulden. An den Sonntagabenden
aber wird das Königreich abgehalten. Man richtet das nun
so ein, daß sich jeden Sonntag zwei oder drei Königreiche
versammeln. Die werden von andern Manns- und Frauenspersonen besucht, die sich vermummen und so ausputzen,
daß man sie nicht erkennen kann. Drei Tänze haben sie
frei, denn sie bringen ja eigene Spielleute mit. Und so
tanzen sie mit den Angehörigen der andern Königreiche
und diese wieder mit ihnen. Einmal hat ein Mann den

ersten Tanz mit seiner Frau getanzt. Den zweiten Tanz
kam er zu einer andern Frau und sie zu einem andern
Mann. Im dritten Tanze aber kamen beide Eheleute
wieder zueinander, ohne daß beide darum wußten. Sie
gingen auch miteinander in ein andres Königreich und
trieben allerlei Scherz zusammen. Dem Mann aber gelüstete danach, zu wissen, mit wem er einen so hübschen
Abend gehabt hatte. Er schnitt ihr daher ein Stück Tuch
aus dem Rock und gab ihr ein Goldstück. Alsdann gingen
beide wieder zu ihrer Gesellschaft mit der Versicherung,
es sei ihnen mit ihren Ehegatten niemals so lustig zumute
gewesen. Am andern Tage aber kommt einer und kauft
bei dem Ehegatten ein Fell ein, denn er war ein Riemen-
schneider. Als der Mann nun dem Käufer Geld heraus-
geben wollte, sprach er zu seiner Frau: „Hast du kein
Kleingeld?" Dabei faßt er nach ihrer Geldtasche und
findet darin das Goldstück, das er ihr vorige Nacht gegeben hatte. Als der Kaufmann gegangen war, mußte
die Frau ihren Rock holen, den sie die letzte Nacht angehabt hatte. Er aber holte das Stückchen Zeug heraus,
das er ihr aus dem Rock geschnitten hatte. Und siehe
da, es paßte gerade an die ausgeschnittene Stelle. So
konnte keiner dem andern etwas vorwerfen. Unser Marschall aber verstand sich vortrefflich auf sein Amt. Er
hatte vor dem Könige Aufstellung genommen, wartete ihm
mit Eifer auf mit Auftragen, Vorschneiden, Knixen und
Handkuß. Der König aber mußte die hohe Ehre, die man
ihm drei bis vier Stunden erwies, teuer genug bezahlen.

21. Kapitel
Heirat und eheliches Leben

Ich glaube, der liebe Gott hat mich durch allerlei Ärger des Hoflebens überdrüssig machen wollen. Deswegen bin ich in eine Eheverhandlung eingetreten mit der Schwester des Bürgermeisters von Greifswald, Peter Frubose, der meine eigene Schwester zur Frau hatte. Ich habe ihr alsdann geschrieben, mit Gottes Hilfe würde ich zu Neujahr in Greifswald sein, sie solle bis dahin alles zurichten, daß wir zur Fastnachtszeit unser eheliches Beilager halten könnten. Ich habe mir sofort zu der Reise dahin einen jungen, wohlgestalten, grauen Klepper gekauft und ihn mit Sattel und Zaum versehen. Als ferner alle Angelegenheiten bei Advokaten und Prokuratoren geordnet waren, bin ich heilfroh gewesen, dem Kammergericht und Speier Lebewohl zu sagen. Denn ich hatte es herzlich satt.

Manchem lächelt die Sonne des Glücks, und das darf ich von mir sagen. Aber auch Verdrießlichkeiten gibt's übergenug, als da sind schlaflose Nächte, arbeitsreiche Tage, bisweilen auch Hunger und Durst, Sorge und Gefahr. Mancher ist davon zurückgeschreckt und hat's nicht ausgehalten. Ja, unter hundert Leuten ist kaum einer ans Ziel gelangt.

Im Jahre des Herrn 1551, in meinem 30. Lebensjahre, bin ich am 1. Januar nach Greifswald eingeritten. Darauf

gab's allerlei Unterredungen mit den Verwandten meiner
Braut. Sodann haben wir beiderseits um Zuschlag bitten
lassen. Das ist denn am 5. Januar im Beichthause der
grauen Mönche vonstatten gegangen, in Gegenwart der
Bürgermeister und Ratsherren und einer Anzahl von angesehenen Bürgern.

Nun hatte ein Ehrbarer Rat der Stadt Greifswald
eine Verordnung folgenden Inhalts erlassen: Da mit
Tänzen und besonders mit unpassenden Walzertänzen bei
Hochzeiten ein gar zu großer Mißbrauch getrieben ist,
so solle jedweder ohne Ansehen der Person vors Niedergericht gefordert werden, der sich fortan unterstehe, gegen
dies Verbot zu handeln. Nun wurde acht Tage nach
meinem Zuschlag eine vornehme Hochzeit gefeiert, zu
der meine Braut und ich auch eingeladen waren. Nach
dem Essen führte man mir meine Braut zu, damit ich mit
ihr tanze. Ich kannte nun das Mandat eines Ehrbaren
Rats nicht und habe mich ein paarmal ganz anständig mit
ihr herumgeschwenkt. Am andern Tage wurde ich durch
den Fron vors Niedergericht gefordert. Über diese Grob-
heit und Unfreundlichkeit hab ich mich nicht genug verwundern können. Ja, ich habe darin einen Vorboten
großen Unglücks erblickt. Acht Jahre lang war ich nicht
länger in meinem Vaterlande gewesen, als dazu nötig ist,
ein Stück Brot zu essen. Dazu hatte ich völlig unwissentlich gehandelt. Und schließlich war's doch die eigene
Braut gewesen, mit der ich in aller Sittsamkeit einige
Sprünge getan hatte. Was geschieht nun aber? Man
heißt mich durch den Henker willkommen. In recht übler
Stimmung ging ich daher zum ältesten Bürgermeister und
hielt ihm eine ziemlich lange Rede. Der hat dann die
Sache entschuldigt und es nicht dahin kommen lassen,
daß ich vor Gericht gefordert bin.

Am 2. Februar aber ist meine Hochzeit gewesen,

auf den Nachmittag bin ich nach altem Herkommen auf den Stein gegangen. Weil ich nun beinahe der letzte Bräutigam gewesen bin, der auf den Stein ging, so halte ich es für nicht ganz unpassend, wenn ich die Sitte beschreibe, wie alles dabei zugegangen ist.

Am Nachmittag nach 3 Uhr versammelten sich die Geladenen, die dem Bräutigam Beistand leisten wollten, an seinem Hause. Dann ging's gemeinsam auf den Markt nach der Seite der Schuhstraße. Der Bräutigam aber ging zwischen zwei Bürgermeistern. Waren die nicht zur Stelle, so nahm man die Vornehmsten unter den Gästen dazu. In der Tür, mitten auf der Schwelle des Eckhauses an der Schuhstraße, lag ein vierkantiger Stein. Auf den mußte der Bräutigam ganz allein hinauftreten. Die andern blieben etwa 52 Schritte zurück, in der Ordnung wie sie gingen. Jetzt spielten die Musikanten dem allein dastehenden Bräutigam eins auf mit ihren Pfeifen. Das dauerte einige Vaterunser. Dann stieg der Bräutigam wieder herunter, und nun ging der ganze Zug in derselben Ordnung zu dem Hause, in dem die Hochzeit stattfinden sollte.[1]) Hier wurden Braut und Bräutigam zusammengegeben.

Die Sage geht, daß der Bräutigam sich deshalb allein und ohne jeden Beistand hat auf den Stein stellen müssen, damit jedermann die Möglichkeit hätte, noch vor der Trauung Einspruch zu erheben.

Acht Tage nach der Hochzeit ritt ich nach Stettin und hatte eine recht böse Reise, nicht ohne eine höchst gefahrvolle Wassersnot. So ließ der Teufel mich gleich

---

[1]) Der Herausgeber Grote erinnert an dieser Stelle daran, daß die eigentümliche Sitte des Steinstehens noch bis in unsere Tage in dem kindlichen Pfänderspiel erhalten geblieben sei, wobei die Kinder rufen: „Ich steh', ich steh' auf einem Stein!"

am Beginn meines Ehestandes merken, daß er damit unzufrieden sei, daß ich den Dienst bei Hofe aufgegeben
hatte. Dagegen hat sein Herr und Meister, mein Erlöser
und Schöpfer, ganz augenscheinlich und klar dargetan,
daß er dem Teufel wehren und mich hat erretten wollen.
In jenem Winter war nämlich viel Schnee gefallen. Dann
kam plötzlich Tauwetter mit längerem warmem Regen.
Allenthalben traten die Wasser über ihre Ufer. Auf ein
Viertel Wegs von Ukermünde, da draußen bei der Heide-
mühle, ist der Teich so stark übergetreten, daß er mitten
auf der Landstraße große Kulen und Löcher hineingerissen
hat. Der Feldweg war völlig weggeschwemmt. Zu der
Zeit kamen einige Wagen von Wolgast gefahren, auf der
Reise nach Stettin. Die hatten unter anderm einen Kasten
mit versiegelten Briefen und Registern bei sich auf dem
Wagen, außerdem noch allerlei Pergamente und Papiere.
Als sie nun an besagten Feldweg kamen, fuhren sie keck
darauf los. Beim Himmel, wie sind die Gäule da in die
Kule hineingepurzelt und der Wagen hinterher! Es fehlte
wenig, so wären Pferde und Insassen ersoffen. Sie hatten
alle Mühe, wieder herauszukommen. Über Nacht blieben
sie in Ukermünde, um ihre Briefe zu trocknen und vom
Verderben zu retten.

Bald nach Mittag kam ich auch an die Stelle und hielt
den rechten Weg inne. Vor mir lag die frische Wagen-
spur der Wolgaster, so ritt ich ohne Furcht weiter. Zu
meinem Glück stand am Wasser nach der Mühle zu ein
Mühlenbursche. Der warnte mich, weiterzureiten und
wies mir linkerhand einen Weg bis ans Dorf. Vor mir
lag ein Wehr, um das Wasser abzulassen. Da mußte ich
wohl oder übel hinüber, einen andern Weg gab's nicht.
Als ich aber in das Dorf kam, zog der Abend schon herauf.
Ich wollte aber um jeden Preis weiter. So kam ich wieder
an das Wehr. Das war inzwischen derartig über-

schwemmt, daß das Wasser dem Klepper bis an den Bauch ging. Dabei hatte der Fluß eine so starke Strömung, daß es schier unmöglich war, den Klepper auf dem Wehr zu halten. Und doch hing daran Leben und Tod, denn der Boden links und rechts vom Wehr war tief und morastig. So oft nun der Klepper auch fehltrat, erkannte er selbst die große Gefahr und strampelte und bäumte sich so lange, bis er wieder auf das Wehr kam. Und so sind wir denn schließlich hinübergekommen. In Ukermünde war's aber schon fast finstre Nacht, als wir zu den Wolgastern in die Herberge kamen. Wirt und Gäste konnten sich nicht genug verwundern, wie ich hatte durchkommen können.

Mit der Hochzeit, dem Anschaffen von Kleidern und allem, was sonst dazu gehört, war alles wieder vertan, was ich mir mühsam verdient hatte. Ich besaß, weiß Gott, nach der Hochzeit nicht mehr als einen lübischen Goldgulden. Ich kam aber in ein Mietshaus zu wohnen. Darin sah es gottsjämmerlich nackt und bloß aus. Mein Weib hatte nicht einmal einen Kessel, um Lauge heiß zu machen. Wenn sie waschen wollte, mußte sie einen Topf dazu nehmen. Ich selbst hatte keinen Beruf und auch keinerlei Nebenverdienst. Kein Brautschatz war mir zuteil geworden weder von meinem Vater noch von den Eltern meiner Braut.

Es hätte mir an keinem Orte lieber sein können, eine Anstellung zu finden, als in Greifswald, wo ich geboren und getauft war und wo ich auch meine meisten Blutsfreunde besaß. Da ich zudem mit meinem Hauswirt in stetem Hader lag, hab ich mir, kurz entschlossen, ein eigenes Haus gekauft, in der Fischerstraße.

Alsdann hab ich ohne Säumen Holz, Kalk, Lehm und Sand anfahren lassen, auch allerlei Handwerker in Tätigkeit gesetzt und zunächst die Haustür ausbrechen lassen.

Denn die war gar zu niedrig. Jetzt habe ich den schweren Giebel stützen lassen und die Tür höher gebaut. So ist sie bis heute geblieben. Auch in den verschiedenen Zimmern wurde allerlei umgebaut. Mein Vater, der in seinem Leben viel gebaut hatte und etwas davon verstand, kam herüber und gab allen Arbeitsleuten an, was sie zu tun hätten. Wenn's nötig war, konnte er sie ordentlich anschnauzen. Es kam auch vor, daß er Leute entließ und andere dafür annahm.

Jetzt muß ich mich eigentlich über meine Dreistigkeit wundern, daß ich das unternahm mit einem so leeren Säckel. Denn ich hatte nichts erübrigt, und dennoch galt es, alle Samstage die Tagelöhner zu lohnen. Ich vertraute meinem Herrgott, und der hat mir geholfen, daß mir mein Notariats- und Prokuratorenamt soviel abwarf, daß es am Sonnabend ausreichte.

Aber nicht lange danach wurde mir ein ansehnliches Amt zu Stralsund angeboten. Der Bürgermeister hatte mir das Sekretariat mit 80 Gulden Besoldung in Aussicht gestellt. Das war soviel Geld, wie zu Greifswald ein Stadtschreiber niemals bekommen hätte. Ich habe darauf Bedenkzeit bis auf den folgenden Tag erhalten, um mich mit den Meinen zu unterreden. Meiner Frau Vater, ein alter Mann, wohl 100 Jahre alt, bat mich unter Tränen und versprach mir ein Geschenk von 100 Gulden, wenn ich dabliebe. Schon wollte ich es tun, da zerschlugen sich die Verhandlungen mit dem Rate zu Greifswald. Während noch darüber hin und her beraten wurde und der Stralsunder Bote auf Antwort drängte, habe ich meiner Familie den Umschwung gemeldet. Da hat sich mein Weib nicht bloß aufs Weinen verlegt, sondern zum Schlusse feierlich erklärt, sie würde Greifswald nimmermehr verlassen und mir auf keinen Fall nach Stralsund folgen. Ihr Bruder und meine Schwester waren auch sehr ungehalten über

mein Vorhaben. Meine Schwester meinte, was ich denn mit dem schönen wohlgebauten Hause anfangen wolle? Die älteste Schwester meiner Frau, eine ehrliche, höchst verständige Matrone, sagte: „Mein lieber Schwager. Ich wäre freilich von Herzen froh, wenn Ihr auch um Eurer alten stümperigen Schwägerin willen hierbleiben möchtet. Denn ich sag es frei heraus, nächst unserm Herrgott kann ich mich auf Euch am meisten verlassen. Aber ich fühle es Euch sehr gut nach, daß es eine ganz andere Sache ist, in Stralsund Stadtschreiber zu werden. Ich könnte es, weiß Gott, nicht vor meinem Gewissen verantworten, Eurem Glücke im Wege zu stehen. So gebe ich Euch denn den Rat, den Stralsundern keine abschlägige Antwort zu geben und Euch auf keinen Fall von Frau und Verwandten herumkriegen zu lassen. Eure Frau ist über den Tod ihrer Mutter weggekommen, sie wird sich auch in Stralsund zufrieden geben!" Aber da ging das ungestüme Heulen meines Weibes erst recht los.

Jetzt ließ ich mein Pferd satteln und aufzäumen und folgte ihm mit Stiefel und Sporn. Als ich ganz fertig war, brachte ich das Pferd vor die Tür und stellte mich auf die Schwelle. Mit äußerstem Verlangen wartete ich, bis der Bürgermeister vom Rathaus kam. Der sagte, es sei wahrhaftig noch keinem Stadtschreiber soviel geboten worden wie mir. Der Rat müsse gleichwohl bekennen, daß mir in Stralsund noch mehr geboten würde. So wollten sie mir an meinem Glück nicht hinderlich sein. Da hab ich keinen Augenblick gesäumt, bin aufgesessen, und bin nicht erst nach Hause geritten, wo ich Frau und Verwandte vor der Tür stehen sah, sondern schnurstracks zum Tore hinaus und wie der Wind nach Stralsund!

✺✺✺✺✺

Mit dem endgültigen Übergang des Verfassers in einen bürgerlichen Beruf schwindet das Interesse an dem Berichte unseres Sastrow. Aus den nächsten Jahren bekommen wir nur von langatmigen Prozessen zu hören und erfahren ganz genau, was der Verfasser an ihnen verdient hat. So erscheint es wohl berechtigt, wenn unsere Auswahl an dieser Stelle abbricht. Über Sastrows weitere Schicksale vergleiche unsere Einleitung. —

Hans von Schweinichen

Ausgabe A

Bibliothek
wertvoller Memoiren

Lebensdokumente hervorragender
Menschen aller Zeiten und Völker

Herausgegeben von
Dr. Ernst Schultze

2. Band

Hamburg
Im Gutenberg-Verlag Dr. Ernst Schultze
1907

Deutsches Bürgertum und deutscher Adel im 16. Jahrhundert

Lebens-Erinnerungen
des Bürgermeisters Bartholomäus Sastrow
und des Ritters Hans von Schweinichen

Bearbeitet von
Dr. Max Goos

2. Teil
Hans von Schweinichen

Hamburg
Im Gutenberg-Verlag Dr. Ernst Schultze
1907

Einbandzeichnung
und Leisten von
Ernst Liebermann
München

Inhaltsverzeichnis

Seite

Vorwort zu der „Bibliothek wertvoller Memoiren"
von Dr. Ernst Schultze 7
Einleitung zum Schweinichen von Dr. Max Goos . 13
Leben und Abenteuer des Ritters Hans von Schweinichen 19

1. KAPITEL: Aus der Jugendzeit 21
2. KAPITEL: Fürstliche Reisen nach Polen 34
3. KAPITEL: Herzog Heinrichs Streit mit seinen Ständen . 46
4. KAPITEL: Bei Hofe und auf Reisen 50
5. KAPITEL: Herzog Heinrichs große Reise ins Reich . . . 58
6. KAPITEL: Die Kampagne in Frankreich 67
7. KAPITEL: Zu Koeln am Rhein 74
8. KAPITEL: Abenteuerliche Kreuz- und Querzüge im Reich 86
9. KAPITEL: Heimkehr Herzog Heinrichs 96
10. KAPITEL: Herzog Heinrich besetzt den Gröditzberg . . . 101
11. KAPITEL: Neue Ausreise Herzog Heinrichs und feierliche
Wiedereinsetzung in Liegnitz 106
12. KAPITEL: Schweinichens Werbung und Heirat 119
13. KAPITEL: Die Belagerung von Liegnitz 125
14. KAPITEL: Herzog Heinrichs Gefangennahme, Flucht und
Tod 131
15. KAPITEL: Schweinichen im Dienste Herzog Friedrichs IV.
von Liegnitz 142

Vorwort des Herausgebers
zu der
Bibliothek wertvoller Memoiren

Seit die Menschen in staatlicher Gemeinschaft leben, haben sie dem bunten Wechsel der Geschehnisse, den wir „Geschichte" nennen, Interesse zugewandt. In ältester Zeit waren es Stammes-Sagen oder Erzählungen von Heldentaten, was die Seelen fesselte und erregte; so finden wir bei allen Völkern den Beginn der Dichtkunst durch die Entstehung von National-Epen bezeichnet, von denen viele noch heut unvergänglichen Reiz ausüben. Später entstand die Geschichtsschreibung, noch später die Geschichtswissenschaft, die kühl und unbestechlich aufzuzeichnen sucht, wie sich die Handlungen der Menschen zu dem wechselnden Spiel und dem blutigen Ernst der Geschehnisse zusammenfügten, und wie sie so die Grundlage aller späteren Geschichte — also auch der unsrigen — wurden.

Aber neben dem ruhigen Strome dieser kühlen, leidenschaftslosen Geschichtsschreibung läuft ein anderer Literatur-Quell frisch sprudelnd einher, von jener viel benutzt, weil sie ihn gar nicht entbehren könnte: die S c h i l d e r u n g   e i g e n e r   E r l e b n i s s e. Im klassischen Altertum noch selten geübt, im Mittelalter wenig gepflegt, kam diese Kunst erst in den letzten drei Jahrhunderten zu wirklich voller Entfaltung. Staatsmänner und Feldherren, Volksführer und -Verführer, Eroberer und Entdecker, Gelehrte und Künstler, hervorragende Frauen, einfache Bürger und Soldaten — kurz alle, deren Leben Elemente enthielt, welche für weitere Kreise Interesse bieten, haben einzelne Episoden ihres Lebens oder auch ihren ganzen Lebenslauf beschrieben; oder sie haben ihre Beziehungen zu berühmten Persönlichkeiten, denen sie nahe standen, geschildert und uns Einblicke in deren Leben tun lassen. Viele Tausende solcher Bücher sind der Nachwelt überliefert worden, und reicher als je blüht dieser Literaturzweig in der Gegenwart.

9

Für die Wissenschaft der Geschichte (insbesondere der Kulturgeschichte) ist er von unschätzbarem Werte, so vorsichtig selbstverständlich bei der Benutzung einzelner Memoiren-Werke verfahren werden muß. Denn natürlich drängen sich oft genug Eigenliebe, verletzte Eitelkeit, Unwille über arge Behandlung, Enttäuschung über unerfüllte Hoffnungen oder der Wunsch, sich weiß zu waschen, vor die klare und gerechte Schilderung der wirklichen Vorgänge und trüben die Zeichnung mehr oder minder stark. Aufgabe der Geschichtswissenschaft ist es, solche gewollten und ungewollten Entstellungen nachzuweisen und unparteiisch das wahre Gesicht der Geschehnisse wiederherzustellen.

Andererseits sind Memoiren zuweilen geradezu die einzige Quelle, aus der sich über die Geschichte bestimmter Zeiträume überhaupt schöpfen läßt. Und was vielen Memoiren einen so besonderen Reiz verleiht — einen Reiz, den nur verhältnismäßig wenige Werke der reinen Geschichtswissenschaft ausüben können — das ist die Anschaulichkeit und der Stimmungsgehalt, die von ihnen ausströmen. Wir mögen schon aus den Werken der Geschichtsschreiber ersehen, welche verheerenden Wirkungen ein Krieg über die Lande brachte, wie ein ganzes Volk sich heldenmütig gegen den Untergang wehrte, oder wie in Friedenszeiten Wohlstand und Gesittung sich mehrten. Mit wieviel greifbarerer Deutlichkeit aber erkennen wir dies alles, wenn wir aus einer guten Selbstbiographie anschaulich erfahren, wie diese Ereignisse dem Einzelnen das Schicksal bitter oder angenehm machten. Das Leben und Treiben in Stadt und Land, gewaltige Unglücksschläge, die auf ein Volk herniederfielen, die Gedanken und Ansichten eines Zeitalters, seine Art, sich zu freuen und Leiden zu tragen, seine Geselligkeit und seine öffentlichen Einrichtungen — kurz interessante Begebenheiten sowohl wie eigenartige Zustände treten uns mit besonderer Klarheit vor Augen, wenn sie uns von Augenzeugen geschildert werden.

10

Häufig rühren wertvolle Memoiren von Menschen her, die an ihrem Lebensabend auf ein an Schicksalen und Erlebnissen überreiches Leben zurückblicken, und denen doch unter der Schneelocke noch ein jugendliches Herz schlägt. Und wenn wir auch nicht den geringsten Grund haben, über die Geschichtswissenschaft unserer Tage so schroff zu urteilen wie Goethe über die Geschichtsschreibung seiner Zeit, für den sie „etwas Leichenhaftes", „den Geruch der Totengruft" an sich hatte — so bleibt doch auch jetzt für die Mehrzahl der Gebildeten bestehen, was er von sich über die starke Anziehungskraft berichtete, die „alles wahrhaft Biographische" auf ihn ausübte. In jeder Selbstbiographie sah er eine willkommene Bereicherung unseres Wissens vom Menschen, und über den Benvenuto Cellini, den er selbst bearbeitete, äußerte er: „Er ist für mich, der ich ohne unmittelbares Anschauen gar nichts begreife, von größtem Nutzen; ich sehe das ganze Jahrhundert viel deutlicher durch die Augen dieses konfusen Individui als im Vortrage des klärsten Geschichtsschreibers."

Auch Schiller hat den Wert guter Memoiren ungemein hoch veranschlagt. Viele Jahre seines Lebens hat er eine bändereiche „Sammlung historischer Memoires" herausgegeben, und wenn diese heute auch fast ganz vergessen ist, so ist doch das Interesse für wertvolle Memoiren geblieben.

Um so sonderbarer mag es anmuten, daß in keinem Lande der Welt seither der Versuch unternommen wurde, die wertvollsten Memoiren aller Zeiten und Völker in einem Sammelwerke zu vereinigen. Wohl gibt es eine Sammlung von Memoiren zur französischen Geschichte — wohl eine solche zur Geschichte der französischen, eine andere zur Geschichte der englischen Revolution — wohl eine Anzahl anderer Memoirensammlungen — aber eine umfassende Sammlung aus der ganzen Weltliteratur ist nicht wieder unternommen worden. Sie ist nicht leicht herzustellen — und je geringeren Umfang sie haben soll, desto schwerer. Aber sie kann von aller-

11

größtem Interesse für jeden sein, für den lebendige Schilderungen aus Geschichte und Kulturgeschichte Reiz besitzen.

Es soll nichts in diese „Bibliothek wertvoller Memoiren" Aufnahme finden, was nicht allgemein menschlich interessant ist; einem Erzähler, der für sich selbst kein Interesse zu erwecken vermag — zu welchem Zwecke er doch keineswegs beständig im Vordergrunde zu stehen braucht — wird sie sich nicht öffnen. Auch wer mit der Wahrheit leichtfertig umspringt, mag draußen bleiben. Kleine Irrtümer werden die Bearbeiter der einzelnen Bände in Anmerkungen richtig zu stellen suchen, von denen auch sonst (zur Aufklärung schwieriger Stellen, zur Erläuterung wenig bekannter Ort- und Zeitumstände) Gebrauch gemacht werden wird. Einleitungen sollen das ihrige zu demselben Zwecke beitragen. Einzelne Sätze oder größere Teile, die wenig Interesse bieten und ohne Schaden für das Ganze entbehrt werden können, werden fortgelassen werden. Denn die „Bibliothek wertvoller Memoiren" ist mehr für den gebildeten Laien bestimmt als für den Historiker von Fach, der doch immer nach den Originalen selbst greifen muß.

Kein Volk hat eine reichere Memoirenliteratur geschaffen als die Franzosen. Aber auch die Deutschen, die Engländer, die Italiener, die Spanier, einzelne orientalische und manche andere Völker besitzen köstliche Lebens-Dokumente einzelner Männer und Frauen. Nur ist eben vieles davon — selbst für das eigene Volk — so vom Staube der Jahrzehnte oder Jahrhunderte überdeckt, so gänzlich in Vergessenheit geraten, daß eine Wiederbelebung nötig ist. Welche Schätze in diesen vergessenen Memoiren schlummern, das werden schon einige der ersten Bände dieser Sammlung zeigen. Hoffentlich erregen sie das erwünschte Interesse und erfüllen damit ihren Zweck: die Neigung für die Beschäftigung mit Geschichte und Kulturgeschichte zu stärken und Hunderten Wissensdurstiger Stunden interessanter Belehrung zu verschaffen.
Hamburg-Großborstel.   Dr. Ernst Schultze.

Einleitung zu den Erinnerungen
Hans von Schweinichens

von

Dr. Max Goos

Hans von Schweinichen wurde 1552 als Sproß einer altadligen schlesischen Familie geboren.

Als Knabe genoß er eine nach damaligen Begriffen vortreffliche Erziehung: zuerst auf dem Lande in der Hut seiner prächtigen Eltern, später abwechselnd beim Torschreiber, am herzoglichen Hofe und auf der berühmten Goldberger Schule. Bald aber zieht ihn das Hofleben fester in seine Netze. Er rückt in wenigen Jahren vom Edelknaben zum Hofmarschall auf und kettet so in jugendlichen Jahren sein Schicksal an das des unsteten, abenteuerlichen Herzogs Heinrich XI. Den Fahrten mit diesem Fürsten in deutschen und benachbarten Landen ist der Hauptteil seiner Denkwürdigkeiten gewidmet. Nebenher erfahren wir von seiner Vermählung, von der Geburt und dem frühen Tode seiner sämtlichen Kinder und anderes mehr. Nach einer kurzen Dienstzeit bei dem Bruder und Nachfolger seines alten Herrn zieht er sich auf sein Landgut zurück. Hier gelingt es ihm durch rastlosen Fleiß, seine anfangs tief zerrütteten Vermögensverhältnisse allmählich zu bessern. Sein Werk bricht mit dem Beginn des siebzehnten Jahrhunderts ab. Er selbst ist im 64. Jahre 1616 gestorben.

Die Hauptcharaktereigenschaften dieses Mannes waren zwei sehr wertvolle Dienertugenden: Treue und Schläue. Würdig reiht er sich der Schar von berühmten Dienern an, den Hagen, Leporello, Sancho Panso usw. Eigentümlich verschieden ist er als Privatmann und im herzoglichen Dienste.

Der Schweinichen „in Zivil", wenn ich so sagen darf, ist ein recht unentschlossener, zaghafter Mensch, der allen Händeln in weitem Bogen aus dem Wege geht, dabei stets auf seinen Vorteil bedacht ist, eitel und etwas pedan-

tisch. Bei den Männern ist er deshalb recht wenig beliebt, und auch die Frauen können ihn aus zwei Ursachen nicht gut leiden: er ist zum ersten mordshäßlich und dann ein recht zurückhaltender Liebhaber. Gesteht er uns doch bei Gelegenheit seiner Verheiratung, daß er das Ehebett ebenso keusch bestiegen habe wie seine Frau — und das will bei einem Höfling in damaligen wilden Zeitläuften allerdings viel sagen! Tut man noch eine starke, echte Frömmigkeit hinzu, gemischt mit etwas Aberglauben, so ist Schweinichen, der Mensch, fertig!

Viel günstiger erscheint derselbe Mann als „treuer Diener seines Herrn". Hier gewinnt er einen gewissen großartigen Anstrich. Wo es sich um dessen Wohl und Wehe handelt, wird der Hasenfuß zum mutigen Draufgänger. Seine Schlauheit, die im Privatleben kleinlich erscheint, ist hier eine nie versagende Vielgewandtheit. Wenn die Not für Herrn und Knecht am höchsten ist — der Hans weiß stets noch einen Ausweg, er braucht ja nicht immer ganz gerade zu sein! Und wie versteht er zu reden und zu überreden, wo es sich darum handelt, den Fürsten oder Stadtvätern das Geld aus der Tasche zu locken! Nicht weniger groß ist er daheim als Hofmarschall, wenn es gilt, einen Empfang zu arrangieren oder ein Fest zu leiten. Und trinken kann er, daß es eine Art hat! Darin tut's ihm keiner gleich.

So wohlgelungen eine ganze Reihe von Skizzen und Anekdoten sind, der Hauptwert des Buches liegt doch wohl in der trefflichen Charakterskizze der drei Herzöge, denen Schweinichen nacheinander seine Dienste gewidmet hat.

Friedrich III., den uns Sastrow im vierzehnten Kapitel seiner Erinnerungen noch in der Vollkraft seines Saufens und seiner losen Streiche vorgeführt hatte, ist bei Schweinichen ein gefangener Mann, entmündigt und

tief verstimmt. Schweinichen ist als kleiner Bube in mannigfache Berührung mit ihm gekommen und erzählt uns etliche harmlose Stückchen von dem alten Saufbruder, der zuletzt fromm geworden ist. Aber einen festen Trunk verachtet er deshalb doch nicht, und das ist der Boden, auf dem er sich mit seinem Sohne und Zwingherrn Heinrich gern und oft zusammenfindet. Mit prophetischen Worten hat er dabei dem Sohne das gleiche Schicksal vorausgesagt.

Denn im Saufen — Trinken kann man schon nicht mehr sagen — war Heinrich dem Vater ebenbürtig, wenn nicht überlegen. Und dabei konnte er scheinbar eine Unmenge vertragen. Von Gewaltsamkeiten und sinnloser Trunkenheit hören wir eigentlich nichts. Vielmehr hat er alle liebenswürdigen Eigenschaften trunkfester Herren in der Vollendung besessen: ein guter Kumpan ist er gewesen, ohne alle Vorurteile und voll Humor.

Bei allem Leichtsinn verläßt ihn nie das Gefühl seiner fürstlichen Würde, und auch seinem evangelischen Bekenntnis wird er keinen Augenblick untreu. Auf zwei Gebieten leistet er geradezu Tüchtiges: als Redner und als Kriegsmann; da sucht er an Anschlägigkeit und Gewandtheit seinesgleichen. Also gerade umgekehrt wie bei seinem Diener: als Mensch hat er manch sympathischen Zug.

Der Fürst zeigt um so tiefere Schatten! Es hat wohl selten einen Landesfürsten gegeben, der seiner Aufgabe als Regent weniger gerecht geworden ist als Heinrich XI. von Liegnitz. Das Geld wurde nur den eigenen höchst abenteuerlichen Zwecken geopfert und Schulden auf Schulden gehäuft, die das Land bezahlen sollte. Das Recht der Untertanen ward mit Füßen getreten, kein Gericht gehalten und nie eine Abrechnung vorgenommen.

Als Regent erheblich besser, aber menschlich ein

187

höchst dürftiger Streber und Schwächling, war der um
vieles jüngere Bruder und Nachfolger Heinrichs, Herzog
Friedrich IV. Auch in seinen Diensten hat Schweinichen gestanden, aber offenbar nicht mit der gleichen
Liebe und Zuneigung.

*　　*　　*

Der Vergleich zwischen Sastrows und Schweinichens
Aufzeichnungen fällt zweifellos sehr zu Ungunsten des
letzteren aus. Schweinichen sieht nur das Nächstliegende,
ihm fehlen die großen Gesichtspunkte. Auch besitzt er
nicht entfernt die Kunst der Charakterisierung: Zustände,
Gegenden, Menschen sind bei ihm in viel matteren Farben
zum Ausdruck gekommen. Sein Werk gleicht mehr einer
Reihe von hübsch erzählten Anekdoten, die sich im wesentlichen an das Leben seiner drei schlesischen Fürsten reihen.

Trotz — oder sollen wir sagen, wegen seiner geringeren Tiefe — ist er in Laienkreisen weit bekannter und
häufiger herausgegeben worden als sein norddeutscher
Zeitgenosse. Auch ihn hat Gustav Freytag der Aufnahme in
seine „Bilder aus der deutschen Vergangenheit" für würdig
befunden. Nach der letzten Gesamtausgabe von Oesterley
(Breslau 1878) habe ich diese gekürzte Ausgabe her-
gestellt. Aber ich habe zur Ergänzung das biographische
Werk desselben Verfassers herangezogen: (H. v. Schweinichen: Leben Herzog Heinrichs XI., erschienen in den
Scriptores rerum Silesiacarum IV edid. Stenzel 1830.)
Was die Grundsätze bei der Herausgabe des Schweinichen angeht, so brauche ich nur auf das in der Einleitung
zum Sastrow (1. Teil dieses Bandes) Gesagte zurück-
zuverweisen. Wo es irgend anging, habe ich die Ausdrucks-
weise des Autors beibehalten. Leise Änderungen in Stil
und Ausdruck sind nur eingetreten, wo die Deutlichkeit
oder — der gute Geschmack es zu fordern schien. —

Leben und Abenteuer
des Ritters
Hans von Schweinichen

ꙋꙋꙋꙋꙋꙋꙋꙋꙋꙋꙋꙋꙋꙋꙋꙋꙋꙋꙋꙋꙋꙋꙋꙋꙋꙋꙋꙋꙋꙋꙋ

2*

1. Kapitel
Aus der Jugendzeit

Im Jahre 1552, am Montag nach Johanni, bin ich, Hans Schweinichen, auf dem fürstlichen Hause Schloß Gröditzberg geboren und acht Tage später getauft worden. Bis ins Jahr 1558 haben mich darauf meine geliebten Eltern in der Furcht Gottes auferzogen. Man sagt, ich habe als kleines Kind viel Wartung gebraucht. Als aber im Jahre 1558 der durchlauchtige und wohlgeborene Fürst, Herzog Heinrich von Liegnitz, mündig geworden ist, da hat sich mein Vater auf sein Gut Mertschütz zurückgezogen mit dem Titel eines fürstlichen Rats. Das hat ihm freilich keinen roten Heller eingebracht.

Wie ich aber neun Jahre alt war — es geschah im Jahre 1561, ich war just ein wenig zu Verstand gekommen —, da hab' ich in Mertschütz zum Dorfschreiber Georg Pentz gehen müssen und bei ihm zwei Jahre lang schreiben und lesen gelernt. Wenn ich aus der Schule kam, mußte ich Gänse hüten. Wie ich aber eines Tages damit beschäftigt bin, meine Tiere zu weiden, und die Gesellschaft mir zu viel herumläuft, hab' ich den Gänsen allen mit kleinen Stäben den Mund aufgesperrt. Da blieben sie nun freilich hübsch still, aber es hätte bald geschehen können, daß sie vor Durst verendet wären. Indes bemerkte die Mutter es noch rechtzeitig und gab mir einen guten Schilling. Ich durfte hernach nie wieder Gänse hüten. Jetzt hab' ich ein anderes Amt bekommen: ich mußte in den Ställen und Scheunen

Eier suchen. Hatte ich deren ein Schock zusammen-
gebracht, so gab die Mutter mir sechs Heller dafür. Die
hielten nicht lange vor und verwandelten sich schnell
in Marmel und Wurfsteinchen.

Als neunjähriger Bub habe ich eine gar lebensgefähr-
liche Krankheit gehabt, die rote Ruhr und noch andere
Leiden dazu. Vater, Mutter und Geschwister waren
bereits von mir fortgegangen in der Annahme, ich sei
tot. Zwei Stunden lang haben sie das fest geglaubt. Nur
meine Amme ist noch bei mir geblieben. Da hab' ich
mich von ungefähr mit dem Arme bewegt. Sie fängt laut
zu schreien an, ich sei noch am Leben. Jetzt hat man
mich gekühlt und, als ich ein wenig wieder zu Kräften
kam, haben sie mir warmes Brot mit Butter zu essen
gegeben. Wie das geschehen war, hat Gott seine Gnade
dazu getan. Und siehe, es ist von Tag zu Tag besser
geworden.

Habe darauf wieder die Dorfschule besuchen müssen.

Mit dem Lesen ging's noch recht schwach, ich fing
eben an zu stammeln, wie man wohl sagt. Im Schreiben
hatte ich gerade gelernt, Buchstaben zu malen, die
man Krähenfüßchen nennt. Da bin ich von meinem
lieben Vater im Jahre 1562, vierzehn Tage vor Ostern,
zum Herzog Friedrich III. nach Liegnitz gebracht, wo
Ihre Fürstliche Gnaden im Gefängnis gehalten wurden.[1]
Ich sollte mit dem jungen Herrn, Herzog Friedrich IV.,
zusammen Unterricht bekommen. Denn es wurde für ihn
damals ein Präzeptor gehalten, mit Namen Hans Pfitzner

---

[1] Friedrich III. v. Liegnitz ist uns wohlbekannt aus Sastrows
Leben, Kap. 12, wo wir diesen Fürsten auf dem Augsburger Reichs-
tag in der Blüte seiner Kraft und Trinklust antreffen. Später wurde
er entmündigt und von seinem eigenen Sohne gefangen gesetzt.
In diesem letzten Stadium seiner Lebensbahn treffen wir ihn bei
Schweinichen, vergl. auch unsere Einleitung.

aus Goldberg. Da gab mir mein Herr Vater 32 Weißgroschen zum Bücherkaufen und zur Zehrung. Außer
mir durfte nur noch Barthel Logau mit dem jungen
Herrn studieren. I. F. Gn., Herzog Heinrich, der damals
regierende Landesfürst, hatten dem jungen Herrn und
seinem Lehrer ein eigenes Zimmer gegeben: das hieß
die kleine Bastei. Hier mußten wir alle Tage studieren.
Den Katechismus und die Litanei haben wir fleißig
lernen müssen; dazu lehrte man uns den Rosenkranz
beten[2]) und auch sonst tüchtig Lateinisch lesen. Alle
Tage sollten wir uns vier Vokabeln einprägen, die mußten
wir am Schluß der Woche hintereinander aufsagen. Der
Lehrer war gegen den jungen Herrn recht streng. Ich
aber war stets gut bei ihm angeschrieben. Denn mein
Mütterchen schickte mir zuweilen etwas Geld. Damit
kaufte ich mich beim Herrn Lehrer frei, denn der gute
Mann ging gar zu gern mit schönen Jungfrauen spazieren, und Geld hatte er blutwenig. Darum ließ er bei
mir oft fünf gerade sein, wenn ich ihm nur mit Geld
aushalf. So kam's, daß ich während der ganzen Zeit,
wo er Lehrer war, nur zweimal Haue gekriegt habe.
Und da hatte ich es wohl so reichlich verdient, daß er
es mit Ehren nicht hat umgehen können. Übrigens hat
man mich und den v. Logau mit Essen und Trinken
nicht darben lassen. Auch mußten wir dem alten Herrn
auf seinem Zimmer aufwarten und ihm die Speisen herbei-

---

[2]) Die Benutzung eines Rosenkranzes in einer evangelischen
Fürstenfamilie könnte auf den ersten Blick wundernehmen. Die
Persönlichkeit des Lehrers weist uns indes auf die richtige Spur.
Der Präzeptor ist ein Lehrer aus Goldberg, also wohl ein Schüler
Trotzendorfs und unterrichtete sicherlich nach dem Rosarium oder
Rosenkranz seines Meisters. Das war eine Sammlung von Ge-
beten T.s, wie dieser sie aus seiner Lehrtätigkeit zusammengestellt
hatte.

Über Trotzendorf vergl. unsere Anm. 8 zu S. 29.

holen, kurz alle Dienste leisten, die Edelknaben tun müssen. Sehr oft kam's vor, daß I. F. Gn. einen Rausch hatten. Dann mußten wir bei ihm aufbleiben, denn I. F. Gn. gingen nicht gern zu Bett, wenn sie bezecht waren.

Der Herzog gab mir alsbald ein Amt: ich mußte Kellermeister sein. Das soll heißen: I. F. Gn. hatten eine gewisse Anzahl von Weinflaschen aus Herzog Heinrichs Keller als Deputat. Hatten I. F. Gn. nun keine Lust zum Trinken, so mußte ich den Wein in einem Fäßlein sammeln, das bei I. F. Gn. auf der Kammer stand. Das faßte ungefähr einen Eimer. Sowie das Fäßchen nun voll war, luden I. F. Gn. sich Gäste ein. Und dann wurde so lange gezecht, bis alles leer getrunken war. Später hatte ich auch I. F. Gn. Rapier in meiner Obhut: das nannte er allemal „meine Jungfer Käte". Oft hieß es dann: „Pusch! Daß dich Potz Marter! Gib mir meine Jungfer Käte her, ich will ein Tänzlein tun!"

In solcher Laune gaben mir I. F. Gn. wohl eine Ohrfeige. Dazu hieß es: „Na, wie gefällt dir die? War das nicht eine gute, fürstliche Maulschelle?" Lobte ich sie dann, so gaben I. F. Gn. mir einen Silbergroschen für Semmeln. Aber die Maulschelle war viel besser als zwanzig Silbergroschen. Denn sie ist mir ein Zeichen seiner allerhöchsten Gnade gewesen. — Ferner mußte ich I. F. Gn. Geschoß in Verwahrung nehmen: das waren Blasrohre mit Köchern und Bolzen, auch Vögel dazu, denn danach schoß man mit den Blasrohren. Hatten nun I. F. Gn. Besuch, und es wurde geschossen, so bekam ich für jeden Vogel, der getroffen ward, einen Kreuzer. Und das brachte mir manchmal an einem einzigen Tage sechs oder sieben Weißgroschen ein. Dafür mußte ich freilich beim Schnitzer Vögel machen lassen, die kosteten zwei Heller das Stück.

I. F. Gn. waren dazumal in ihrem Gefängnis gar

gottesfürchtig. Abends und morgens beteten sie fleißig in lateinischer Sprache, mochten sie nun voll sein oder nüchtern. I. F. Gn. haben Herzog Heinrich, ihren Sohn, nicht sehr lieb gehabt. Man konnte den Vater oft heftig schelten hören, zumal wenn das graue Elend über ihn kam. Wenn aber dann Herzog Heinrich erschien, um seinen Vater zu besuchen, setzte der alte Herr alles beiseite und trank sich mit seinem Sohne einen guten Rausch an. Oft genug habe ich aus I. F. Gn. Munde die Worte vernommen: „Sohn, wie du mich jetzt gefangen hältst, so wird man dermaleinst auch dich wieder in Fesseln legen."[3])

Mit I. F. Gn. Herzog Friedrich, dem jungen Herrn, war der alte Fürst gar wohl zufrieden. Etliche Male setzte es aber auch Schläge. Einst war vorgenannter Herr Präzeptor auf Buhlschaft ausgegangen. Da rauften der v. Logau und ich nach Jungenart, und es war niemand da, der uns auseinanderbringen konnte. Siehe, da ist eine Sau die Wendeltreppe heraufgekommen aus dem schwarzen Rittersaal und hat laut gegrunzt. Da haben wir einen heilsamen Schrecken bekommen und sind voneinander gegangen. Was für eine Sau das aber gewesen ist, kann man wohl unschwer erraten. Denn kein Mensch ist im Schloß gewesen. Gott aber hat uns beide in seine Hut genommen.[4])

---

[3]) Bekanntlich waren diese Worte prophetisch und sind wörtlich eingetroffen, wie aus dem 14. Kapitel unserer Ausgabe ersichtlich ist.

[4]) An dieser Stelle zeigt sich Schweinichen zum erstenmal als Anhänger des volkstümlichen Aberglaubens, der Luft, Wald und Haus mit Geistern bevölkert. Hier handelt es sich offenbar um einen einfachen Poltergeist, der nach Art der Kobolde Tiergestalt angenommen hat. Viel interessanter ist die breite Schilderung des Hausgeistes zu Emmerich im 8. Kapitel. Dort kommen wir des näheren darauf zurück!

So bin ich von Ostern 1562 bis .Ende 1563 bei I. F. Gn. im Gefängnis gewesen und habe aufgewartet. Gelernt habe ich: Deutsch- und Lateinisch-Schreiben und Lesen, dazu den Katechismus und die Gebote. Auch bekam ich zu wissen, was sonst noch zum höfischen Wesen gehört.

Die Ursache meines Weggangs vom Hofe ist aber die folgende gewesen: I. F. Gn. konnten Herrn Leonhard Krenzheim,[5]) den Hofprediger, ganz und gar nicht leiden. Da hatten I. F. Gn. ein Spottgedicht verfaßt, zugleich auf Herzog Heinrich und auf den Hofprediger gemünzt. Ich habe bloß die letzten Verse davon behalten:

Alles Unglück und Zwietracht,

Zwischen meinem Sohn, Herzog Heinrich, hochgeacht't,

Das richt't alles der Suppen-Pfaffe an,

Der verlaufene, fränkische, lose Mann!

Dies Pasquill mußte ich in der Schloßkirche auf die Kanzel legen, damit es Herr Leonhard ganz sicher bekäme. Wie der Herr Prediger nun auf die Kanzel steigt, findet er besagten Zettel, welcher ziemlich lang war. Darüber geriet er gar heftig in Zorn. Als er nun aber das Wort Gottes lesen sollte, trug er statt dessen das Spottgedicht vor. Darüber ergrimmte Herzog Heinrich gar sehr. Nach der Predigt wird Gericht gehalten. Und da fanden sich alsbald Verräter, die sagten aus, ich hätte es getan und zwar auf besonderen Befehl I. F. Gn., meines Herrn. Darauf hat mein Vater mich vom Hofe weggenommen, da ihm nicht lieb war, daß durch mich, auch unwissentlich, zwischen den fürstlichen Personen Uneinigkeit gestiftet würde.

Ich bin eigentlich ungern heimgezogen. Denn das

---

[5]) Der Herr Hofprediger wurde etliche Jahre später kalvinistischer Irrlehren verdächtigt und aus dem Lande gejagt, siehe Kap. 15.

höfische Wesen gefiel mir bereits gar wohl. Einen Augenblick hat der Herr Vater die Absicht gehabt, mich nach Preußen an den Hof des alten Markgrafen[6]) zu schicken, damit ich mit dem jungen Herrn zusammen studierte. Denn I. F. Gn. der Markgraf hatten es meinem Vater, als seinem alten Diener, von Herzen gern bewilligt, mich bei Hofe aufzunehmen. Wie es aber bei lieben Kindern zu geschehen pflegt, so war's auch hier: meine Mutter wollte mich nicht so weit von sich lassen, sondern mich lieber bei sich behalten. Vielleicht haben sie mir damit aus wohlmeinendem elterlichen Herzen mein Glück verscherzt. Ich muß aber annehmen, daß es nicht Gottes Wille gewesen ist. Denn ich meine, wenn Gott es ernstlich gewollt hätte, so wär's auch wohl gegen meiner Eltern Willen geschehen. Ich danke daher Gott und meinen lieben Eltern für ihre treue Fürsorge.

Danach hat mein Vater mich zu Hause behalten, und ich habe zum Torschreiber gehen müssen. Alsbald sind aber im Jahre 1563 allerhand Reisen vorgefallen, wobei mein Herr Vater mit Herzog Heinrich viel unterwegs sein mußte. Da hat er mich gewöhnlich mitgenommen. Am 28. Dezember heiratete Fräulein Katharina, Herzogin von Liegnitz, den Herzog Kasimir von Teschen. Zu dieser Hochzeit ist auch König Maximilian II. nach Liegnitz gekommen. Zugleich haben I. F. Gn. Herzog Heinrich an demselben Tage seine Tochter auf den Namen Emilie taufen lassen. Dabei habe ich als Edelknabe in einem Samtröcklein aufwarten müssen, wie es derzeit gebräuchlich war. Die Gasterei hat im ganzen vierzehn Tage

---

[6]) Zweifellos ist mit dem alten Markgrafen Herzog Albrecht v. Preußen gemeint. Sein junger Sohn und Nachfolger Albrecht Friedrich trat 1578 die Regierung an, er bedurfte aber eines Administrators, weil er schwachsinnig war. Nach seinem Tode fiel das Land an Brandenburg.

gedauert. Dann bin ich mit meinem lieben Vater wieder
heimgezogen und habe mich des Schreibens, Lesens und
anderer adliger Tugenden befleißigt, dazu meine Eltern
mich erzogen haben.

Auf einer Reise nach Dresden im folgenden Jahre
hab' ich so viel gesehen, daß ich mein Leben lang daran
denken werde. Beim Einzuge hat Kurfürst August[1]) mit
meinem Vater ein Stechen getan, denn sie sind beide
gute Renner und Stecher gewesen. Es geschah aber ganz
heimlich, und nur die hohen fürstlichen Personen haben
darum gewußt. I. Kurf. Gn. haben meinem Vater eigenhändig den Küraß angelegt und selbst dafür Sorge getragen, daß er gut verwahrt war. Wie sie nun aufeinander losreiten, haben sie beide als gute Renner ihr Ziel
nicht verfehlt. Der Kurfürst hat einen so schweren Spieß
gehabt, daß zwei Männer kaum imstande waren, ihn
I. Kurf. Gn. einzulegen. Ja, der Spieß war um etliches
schwerer, als der Kurfürst selber. Dazu kam nun noch
der Stoß, den I. Kurf. Gn. von meinem Vater bekommen
haben. Genug, I. Kurf. Gn. kamen zu Fall. Mein Vater
aber, obgleich ihn der Kurfürst nicht verfehlt hatte, wäre

[1]) Kurfürst August von Sachsen (1553—1586) ist der Bruder
und Nachfolger des genialen Kurfürsten Moriz, der durch seine
ränkevolle Politik der albertinischen Linie die Kurwürde verschafft
hatte. Mit argwöhnischer Angst suchte August diesen Rang zu
behaupten. Daraus erklärt sich seine schwächliche Haltung in
allen Fragen der großen Politik, sowie seine vermittelnde Stellung
in religiösen Dingen. Um so glücklicher war der knauserige, vor-
sichtige Mann in der Fürsorge für sein Territorium. Nicht nur
nach außen hat er sein Gebiet abgerundet, sondern geradezu muster-
haft war die innere Verwaltung seines Landes: Ausbau der Straßen,
Bergbau, Fabriktätigkeit usw. Das ist wohl auch der Grund gewesen, weshalb er an einer späteren Stelle unseres Werkes (Kap. 4)
den Verschwender Heinrich v. Liegnitz so ausgesucht verächtlich
behandelt.

wohl imstande gewesen, im Sattel zu bleiben. Weil er
aber sah, daß der Kurfürst fiel, ließ er sich gleichfalls
vom Rosse fallen, damit es aussähe, als ob I. Kurf. Gn. ihn
heruntergerannt hätten. Und das hat nachher dem Kurfürsten eine ganz besondere Freude gemacht. Er hat auch
gesagt, dies solle sein letztes Turnier gewesen sein. Er
verehrte meinem Vater eine Kette für 70 Gulden, dazu
sein Kurf. Bildnis. Er hat ihm nachmals seine großen
Schätze gezeigt und bot ihm an, er möge I. Kurf. Gn. um
etwas bitten, es solle ihm nicht versagt werden. Mein
Vater aber hat nur darum gebeten, daß jener sein gnädiger Kurfürst sein und bleiben möge. Das haben ihm
I. Kurf. Gn. hoch und teuer versprochen.

Im Jahre 1566, am Donnerstag nach Kantate, bin ich
von meinem Herrn Vater auf die Schule zu Goldberg⁶)
geschickt worden, damit ich daselbst studiere. Balthasar
Thiemen, der Pfarrer zu Mertschütz, hat mich hinge-
bracht. Ich habe meine Stube im Kollegium gehabt neben
einem Kreckwitz aus dem Glogauischen. Unser Pädagog

---

⁶) Der Begründer der Goldberger Schule, Valentin Trotzendorf, war nach Melanchthons Urteil ein „geborener Schulleiter".
Er übernahm die kleine unscheinbare Schule im Jahre 1531 und
brachte sie binnen kurzem zu ungeahntem Aufschwunge. Anfang
der 40er Jahre hatte er schon einige 100 Schüler. Lateinisch stand
im Mittelpunkt des Unterrichts. Viel Wert wurde daneben auf
Übung des mündlichen Ausdrucks gelegt: Offenbar hat unser
Schweinichen gerade in dieser Hinsicht viel gelernt. Das ausgesprochene Unterrichtsziel war die Heranbildung der Jünglinge
zu guten Christen und tüchtigen Staatsbürgern. Eine Haupt-
bedeutung Trotzendorfs liegt auf dem Gebiete der Charakter-
erziehung. Am Beginn der 50er Jahre ging die Anstalt durch
verschiedene Unglücksfälle stark zurück. 1556 ist Trotzendorf
selbst gestorben. Der Ruf seiner Anstalt hat ihn noch lange über-
lebt, wie wir an Schweinichens Schilderung der Frequenz erkennen
können. Noch um das Jahr 1600 war kein geringerer als Wallen-
stein ein Schüler der Anstalt.

ist Balthasar Tietz aus Glogau gewesen, ein grund-
gelehrter Mann. Bei Hans Helmerich bin ich zu Tisch
gegangen. Ich war auch wohlangesehen an jener Schule,
denn alle Lehrer haben mich wegen meines Vaters hoch
und wert gehalten. Ich wurde fleißig unterrichtet. So
hab' ich in fünf Vierteljahren zu meinen früheren Kennt-
nissen allerlei Neues hinzugelernt. Ich konnte das Nötigste
auf lateinisch ausdrücken. Auch war ich imstande, auf
einem halben Bogen ein Argument niederzuschreiben. Ich
hab' nicht ein einziges Mal zu Goldberg Haue gekriegt.
Nur Magister Barth, der mir ganz besonders scharf auf
die Finger sah, schlug mich einmal mit der Rute auf
die Hände, als ich meinen Terenz nicht gelernt hatte und
sprach: „Lernt ein andermal, oder ich werde euch die
Hosen herunterziehen!"

Weil aber in meinem Kopf bereits gar zu viel höfisches
Wesen steckte, wovon ich zuvor genug kennen gelernt
hatte, bekam ich viel mehr Lust zum Reiten als zu den
Büchern. Und mein Herz dachte mehr an ein freies
Leben als an fleißiges Studieren. Deshalb machte ich
allerlei Anschläge, um aus Goldberg fort zu kommen. Das
hatte aber alles bei meinem Vater keinen Erfolg, sondern
es hieß stets, ich solle nur Lust am Studieren haben;
hätte ich sie aber nicht, so würden die Herren Lehrer
sie mir schon kaufen mit guten Ruten. Zuletzt aber bekam ich Fieber und wurde heimgeholt. Es war jedoch
im Grunde nur halb so schlimm, wie ich tat. Wie ich aber
heimkam, da hatte es mit dem Studium bald genug ein
Ende: denn in Goldberg herrschte eben die rote Ruhr.
So behielt mein Vater mich zu Hause, und ich kriegte
es fertig, in vierzehn Tagen wieder zu vergessen, was ich
in fünf Vierteljahren gelernt hatte.

Im übrigen hab' ich auch in Goldberg mehr Freiheit
genossen als die anderen Schüler. So oft ich zu einer

Festlichkeit geladen wurde, hab' ich hingehen dürfen. Damals hat der alte Albrecht Bock ein paar schöne Töchter gehabt. Die wurden häufig in der Stadt eingeladen zu Festlichkeiten in Bürgerhäusern. Da geschah es denn oft genug, daß ich zusammen mit dem Junker von Fauleneck, einem andern Goldberger Studenten, eine Jungfrau zu Tische führen mußte. Wenn das sich ereignete, kam ich mir als ein höllisch forscher Kerl vor, weil ich zu Sachen gebraucht wurde, die man viel älteren Burschen nicht zuteil werden ließ. Besonders stieg mir die Tatsache in den Kopf, daß Herrn Bocks Tochter, Jungfer Käthchen, ein paar Worte Latein reden konnte. Wenn sie mir dann auf lateinisch zutrank, und ich ihr zu antworten wußte, da kam's mir vor, als ob ich so viel Latein könnte wie ein Doktor, und als wäre ich ein großer Gelehrter.

Auch sonst war ich in guter Gesellschaft von Altersgenossen. Denn es gab nicht weniger als 140 Studenten adligen Standes in Goldberg, ungerechnet die Bürgersöhne, deren es über 300 gegeben haben mag. In der letzten Zeit meines Aufenthalts ist der Junker Georg Landeskron v. Ausch zu mir in die Wohnung gezogen. Das war ein rauhbeiniger Bursch, zum Studieren taugte er im Leben nicht. Mit dem hab' ich manchen derben Spaß getrieben. Honig aß er für sein Leben gern. Wenn ich nun mit einem andern Jungen einen Streit hatte, so versprach ich dem Landeskron eine Honigschnitte. Dafür raufte er sich mit dem andern, solange ich es haben wollte.

Der Bischof v. Logau hat sich damals meinem Vater gegenüber dazu erboten, mir das Gut Bischdorf oder 500 Taler jährlich zu geben, wenn mich mein Vater weiterstudieren lassen wolle.

Auf Umwegen aber hatte mein Vater in Erfahrung gebracht, daß die Absicht vorlag, mich katholisch zu

machen.[*]) Da hat er's dem Bischof sofort rund abgeschlagen, besonders als die Forderung hinzugefügt wurde,
ich solle von der Universität alsbald in den Dienst des
Bistums eintreten.

Mein Vater hatte mir zwei Taler als Wegzehrung
auf die Schule mitgegeben. Damit glaubte ich ein Krösus
zu sein. Nebenher bekam ich für Bücher 22 Weißgroschen
und ließ mir ein Samtbarett anfertigen. Wenn ich das
aufsetzte, was nur am Sonntag und bei Festlichkeiten
geschah, dann dünkte ich mir kein schlechter Geselle zu
sein. Einmal hat mir die Mutter dann noch zwei Gulden
und eine lange, weiße Feder geschickt. Die bewahrte
ich gut auf in meiner Kommode und hab' sie nur bei
hohen Festlichkeiten aufgesteckt. Ich war aber töricht
genug, meinen Schatz recht oft am Tage zu beschauen.
Das merkte ein anderer Student, der bei mir auf der Stube
lag, und dachte, da möchten wohl noch mehr ungarische
Gulden stecken. Was geschah? Er stellt sich eines
Nachts, als wenn er toll würde, und bricht nicht bloß
meine Lade auf, sondern auch einige andere. Das treibt
er so lange, bis wir aus der Kammer weglaufen. Dann
stiehlt er mir in aller Ruhe die zwei Gulden und zwei
Taler, die ich für Brot bekommen hatte. Da war ich
meinen ganzen Schatz los und konnte es weder dem
Lehrer noch der Mutter klagen. Der diebische Bursche
aber hat Goldberg bald darauf verlassen.

---

*) So mancherlei sich auch gegen den Charakter unseres
Schweinichen und seines späteren Herrn, Herzog Heinrichs IX.,
sagen läßt, eins muß rühmend hervorgehoben werden: ihre treue,
mutige Haltung in religiösen Fragen. Mehrfach tritt an Herrn
und Diener die Versuchung heran, sich Vorteile zu verschaffen
auf Kosten ihres evangelischen Bekenntnisses. Aber die sonst so
wenig charakterfesten Männer haben dem Katholizismus niemals
auch nur das kleinste Zugeständnis gemacht.

Es wäre gewiß besser gewesen, wenn ich nicht meinem Kopfe gefolgt wäre, sondern hätte das Studieren fortgesetzt, wie mein Vater und meine Lehrer es wollten.

So aber bin ich, wie vorgemeldet, von der Schule nach Hause gekommen und hab' mich mit allem Eifer aufs edle Weidwerk geworfen. Täglich bin ich mit dem Sperber geritten oder habe Gänsen und Enten nachgestellt oder bin mit Windspielen losgezogen. In der Wirtschaft hab' ich nebenher meinem Vater eifrig zugeschaut, hab' ihm auch aufgewartet, bin mit ihm geritten und gefahren und hab' mich auch sonst wie ein Junker gehalten. Auch im deutschen Schreiben hab' ich mich geübt und dem Vater von all seinen Briefen Kopien angefertigt. Man kann mir also keinen Müßiggang vorwerfen, sondern es gab allezeit zu tun! —

2. Kapitel
Fürstliche Reisen nach Polen

Zu Fastnacht 1569 ist Herzog Heinrich von Liegnitz aus- gezogen auf einen Landtag oder, wie sie es in Polen nennen, einen Racas.[1]) Die Reise ging nach Lublin, un- gefähr 90 Meilen weit. I. F. Gn. haben dabei gehofft, zum Könige von Polen erwählt und gekrönt zu werden. Denn König Sigismund war dazumal schon ein alter Herr. I. F. Gn. aber hatten starke Hoffnung und Vertröstung von ansehnlichen Herren bekommen, es könne nicht fehlen, daß sie in kurzem von den Ständen in Polen zum König erwählt werden würden. Darum haben I. F. Gn. sich stattlich ausgerüstet mit 80 Reisigen hoch zu Roß und zahlreichen Wagen, ungerechnet eine Leibwache von 16 Trabanten mit Hellebarden und reichem Schmuck. Bei dieser Gelegenheit haben auch mein Vater und ich selbst mitziehen müssen. Ich bin als Knappe mitgegangen, den kleinen Halbsäbel mehr unterm Arm als an der Seite, die goldene Adelskette um den Hals. Habe mit sechs andern Edelknaben häufig aufwarten müssen, besonders bei Tische. Meist habe ich bei meinem Vater im Wagen gesessen. Nur beim großen Einzug in Lublin, da haben wir beide, der Vater und ich, reiten müssen. I. F. Gn. haben uns dazu die Pferde geliehen. Mein Wams war aus Barchent mit Samt verbrämt, die Hosen waren nach deutscher Art, die eine gelb, die andere schwarz, darauf waren etwa 16 Ellen Taft verwendet. Dazu kamen dann Strümpfe aus Bocksleder und ein schwarzer, faltiger Rock.

---

[1]) Racas, poln. Rokosz = Versammlung.

Es zog aber mit Herzog Heinrich zugleich ein Herr Hans Paroffzicki in Lublin ein, der hatte auch über 70 Rosse. Und wie die unsrigen in den Farben schwarz und gelb schimmerten, so trugen jene rot und blau. Der polnische König schickte Herzog Heinrich über 300 Pferde entgegen, hinaus vor das Tor. Der Herzog wurde auch vom Könige und anderen Herren höchst ehrenvoll empfangen. Man gab ihm zwei Häuser in Lublin zur Wohnung, während Kaiser Maximilians Gesandte draußen vor der Stadt liegen bleiben mußten. Zehn Tage vergingen, da wurden I. F. Gn. vom Könige an den Hof entboten. Die Zwischenzeit hatte der Herzog dazu benutzt, verschiedenen polnischen Herren in der Stadt seine Aufwartung zu machen.

Am zehnten Tage, um zwölf Uhr, an einem Sonntag, erschienen ungefähr 30 ansehnliche polnische Herren, vom Könige gesandt, und luden I. F. Gn. auf die Burg ein. Der Herzog ritt dahin auf einem gar schönen Pferde, mit einer schwarzsamtnen Decke belegt, die mit Gold und Silber bestickt war. Die polnischen Herren aber ritten alle vor I. F. Gn. her, der Weihbischof blieb ihnen zur Rechten, während Hans Paroffzicki sich zu seiner Linken hielt. Ganz dicht vor I. F. Gn. ritten mein Herr Vater und der alte Hans Zedlitz von Konradswaldau, der damals Hofmeister war, zwischen ihnen der Kanzler Hans Schramm. Bei diesem Aufzug entstand ein gewaltiges Gedränge, besonders als I. F. Gn. in die königliche Burg kamen und absteigen mußten. Es wurde so schlimm, daß die königliche Wache I. F. Gn. nur mit Mühe haben Raum schaffen können, als sie zu den Zimmern Ihrer Majestät hinaufgehen wollten.

Der König von Polen[*]) ist alsdann I. F. Gn. aus

---

[*]) König Sigismund II. August regierte Polen von 1548 bis 1572, er war der letzte vom Jagellonen-Stamme. Mit seinem Tode

3*

seinen Zimmern bis an die Treppe entgegengegangen.
König Sigismund hatte einen Zobelpelz an, mit schwarzem
Tuch gefüttert. Auf dem Haupte trug er eine ungeheuer
hohe Mütze aus Marderfell. Bei der Begrüßung hat der
König die Mütze abgezogen, um sie alsbald wieder auf-
zusetzen; dann hat er I. F. Gn. bei der Hand genommen
und sie in sein königliches Gemach geführt. Allda haben
die Herren drei Stunden lang an einem Fenster beieinander
gestanden, so daß jedermann sie hat sehen können.

I. F. Gn. hatten dem Könige in einem hölzernen
Käfige zwei Löwen mitgebracht. Jetzt haben I. F. Gn. die
Tiere auf die königliche Burg führen lassen, gerade unter
das Fenster, wo die beiden Herren zusammenstanden.
Und da haben I. F.Gn. sie dem Könige feierlich über-
geben und sich bald danach bei Sr. Majestät empfohlen.

Drei Tage später haben mein Vater, der Kanzler und
Hans Zedlitz die anderen Geschenke überreicht, unter
andern ein Kleinod mit einem weißen Adler, das auf
2000 Gulden geschätzt worden ist. Ich selbst habe die
Geschenke bei der Überantwortung halten müssen, während Hans Schramm, der Kanzler, eine lateinische Rede
verlas. Der König aber ließ in polnischer Sprache darauf
Antwort erteilen. Ein paar schlechte Polacken[)] mußten

uns die Geschenke abnehmen und sie wegtragen, wohin, mag der liebe Himmel wissen.

Ein jeder von uns meinte nun ganz bestimmt, er würde zum mindesten eine goldene Kette davontragen. Indes, das war eine arge Täuschung: wir bekamen auch nicht ein kleines Fischlein!

An demselbigen Tage aber veranstalteten I. F. Gn. ein großes Bankett. Dazu waren die vornehmsten polnischen Herren eingeladen, und wahrhaft königlich ging's dabei zu. An diesem Tage hab' ich zum ersten Male als dritter Vorschneider fungiert und hab's so gut gemacht, wie ich konnte. Einige meinten sogar rühmend, ich hätte meine Sache recht brav gemacht.

Zwei Tage später hat der König I. F. Gn. noch einmal zu sich entbieten lassen. Was die Herren miteinander geredet haben, ist mir völlig unbekannt. Darauf hat der König I. F. Gn. für den Abend zu Tische behalten. Weil ich dabei mit aufwarten mußte, habe ich gesehen, daß die Bewirtung eine so schäbige gewesen ist, daß I. F. Gn. es in ihrem gewöhnlichen Quartier weit besser gehabt haben. Ganz einsam saß der König mit I. F. Gn. und dem Erzbischof an einer ziemlich langen Tafel, mit zwei Vorschneidern. Der König aber hat I. F. Gn. nur einmal aus dem kleinen Kristallbecher zugetrunken, den I. F. Gn. ihm kurz vorher hatte verehren lassen. Die Mahlzeit hat kaum zwei Stunden gedauert. Danach haben I. F. Gn. sich beim Könige empfohlen und ihn von dem Augenblick an nicht mehr gesehen.

Am Morgen hat der König I. F. Gn. 40 Stück Zobel- und ebensoviele Marderfelle verehren lassen. Mein Vater aber und Hans Zedlitz, sowie der Kanzler erhielten von jeder Sorte zwei Stück, sonst hat kein Mensch etwas bekommen.

Auf der Rückreise waren wir einen Tagemarsch, das

sind fünf Meilen, von Lublin an die Weichsel gekommen.
Da hat Hans Zedlitz einem Polacken zwei Jungen ent-
führen wollen. Es geschah aber mit dem ausdrücklichen
Wunsch dieser Jungen: sie wollten mit nach Schlesien.
Denn sie waren von Geburt Schlesier, dazu gute Musi-
kanten und auf allen Instrumenten gewandt.

Dies merkt aber der Polacke und jagt uns nach;
nächtlicherweile überfällt er uns in einem Flecken, läßt
Sturm läuten und will mit uns anbinden, falls wir ihm
nicht seine Jungen wiedergeben. Denn ihm war die
ganze Geschichte zu Ohren gekommen. Nun waren wir
freilich recht stark mit Schußwaffen versehen. Aber der
Weiterzug über die Weichsel wurde uns von den Polacken
versperrt. Und man wollte gesehen haben, daß ihrer
mehr denn 3000 zusammengeströmt waren. Schon rückte
man mit Gewehren aufeinander los. Wäre ein Schuß
gefallen, wer weiß, ob auch nur einer von uns mit dem
Leben davongekommen wäre. Zuletzt rückten wir in der
Richtung auf die Weichsel weiter. Da konnten sie sehen,
daß wir die Jungen nicht bei uns hatten. Inzwischen
findet man die beiden hinter einer Feuermauer versteckt.
Sobald sie ihre Beute wieder hatten, ließen sie uns in
Frieden ziehen, baten sogar um Verzeihung und nahmen
keinen weiteren Anstoß an unserem Tun.

Man sagt, daß diese Reise I. F. Gn. über 24000 Taler
gekostet habe. Und was ist der Erfolg gewesen? I. F. Gn.
haben sich die kaiserliche Ungnade[4]) zugezogen und ungeheuer viel Geld verbraucht. Ihr Quartier in Lublin ist,

[4]) Polen war damals mit dem kaiserlichen Hofe zu Wien
arg zerfallen. Wurde doch kurz darauf ein französischer Prinz —
der spätere König Heinrich III. — für kurze Zeit polnischer König.
Um so verdrießlicher mußte es den Habsburgern sein, wenn einer
ihrer Reichsfürsten immer wieder mit der polnischen Krone lieb-
äugelte und zu den Reichsfeinden in offene Beziehungen trat,
vergl. auch Kap. 14.

nebenbei bemerkt, so schäbig gewesen, daß es daheim eine Sau viel besser gehabt hat. Mein Vater und Hans Zedlitz der Alte lagen beieinander in einer Dachkammer, Junker Zedlitz aber und ich selbst fanden ein Unterkommen wie die Sau in ihrer Bucht.

Auf der Weiterreise traf meinen Vater und mich die schmerzliche Nachricht, wenn wir die liebe Mutter noch einmal am Leben sehen wollten, so müßten wir uns beeilen. Das war für uns beide eine böse, traurige Botschaft, insonderheit für mich, denn ich wußte, daß ich meiner Mutter liebes Hänslein war. So gern wir nun auch geeilt hätten, um drei Tage früher zu Hause zu sein, war es dennoch nicht wohl angängig wegen der Räuber, die es auf I. F. Gn. Gesinde abgesehen hatten, um den Silberwagen zu plündern. So mußten wir bis in die Gegend von Kalisch zu unserm tiefen Schmerze beim Zuge bleiben. Von dort ist der Vater Tag und Nacht durchgefahren und hat am 13. Mai sein Gut Mertschütz erreicht, nach elfwöchentlicher Abwesenheit.

Wie wir aber auf den Hof kamen, erhielten wir die schmerzliche Kunde, daß die liebe Mutter bereits am 2. Mai gestorben und den vergangenen Sonnabend bestattet sei. Ich wünschte, daß die Polacken mich damals an der Weichsel erschlagen hätten, damit ich bei meiner Heimkunft nicht diese tiefschmerzliche Nachricht hätte erfahren müssen! Für meinen Vater ist das hernach eine Verkürzung seines Lebens gewesen. Erst später habe ich es mit Schmerzen Gott anheimgestellt, habe auch mit Kummer und kindlichem Herzeleid das gebührliche Trauerkleid angelegt und ein Jahr lang, nicht bloß mit Kleidern, sondern auch mit dem Herzen ein christliches Trauern gehalten. Bin auch, soweit es anging, ganz still zu Hause geblieben.

Einige Jahre später, es war 1574, haben I. F. Gn.

mich zu einer neuen polnischen Reise nach Liegnitz kommen lassen. Auch diesmal handelte es sich um etliche Anschläge, wie mein Herzog König von Polen werden könne. Alle Welt schmierte ihm zu jener Zeit Honig um den Bart, um ihm hernach bittere Galle zu trinken zu geben: denn es steckte ganz und gar nichts dahinter.

I. F. Gn. haben damals bei einem Herrn Kobelinsky Aufenthalt genommen und eine ganze Nacht mit ihm Brett gespielt. Dabei hatten I. F. Gn. so viel Glück, daß sie dem Herrn 200 ungarische Doppelgulden, 300 Kronen und 200 Taler abgewannen. Am folgenden Morgen waren I. F. Gn. lustig und guter Dinge. Ich ging nach dem Aufstehen ein wenig spazieren, denn das Bett war auf der blanken Erde gewesen, mit dem Mantel unter dem Kopf. Wie ich heimkomme, steht der Herzog da und wäscht seine Gulden und Taler. Ich frage, was I. F. Gn. denn damit anfangen wollen. Antwortet der Fürst: „Ich will mir beim Zählen die Finger nicht so schwarz machen!"' Na, ich lass' es gut sein. Nach Tisch borgt der Polacke sich von neuem hundert Gulden, und das Spiel beginnt von frischem. Es hatte aber noch keine zwei Stunden gedauert, da war nicht bloß der frühere Gewinn verspielt, sondern auch noch 200 ungewaschene Taler dazu. Kobelinsky bedankte sich nun höflichst und versicherte meinem Herrn, er werde jetzt auch die 200 Taler noch dazu waschen. So hatten I. F. Gn. zum Schaden auch noch den Spott.

Im nächsten Jahre ist des besagten Herrn Kobelinsky Bruder, der Bischof von Posen, gestorben. Da fuhren mein Herr und ich in einer Kutsche zum Begräbnis. Es war aber Mitte Januar und eine ganz unerhörte Kälte, so daß die Knechte unterwegs von den Pferden fielen. Da begab es sich, daß wir uns in der Heide im Schnee verirrten; etliche Stunden mußten wir die Kreuz

und Quer fahren, und dabei war's tiefe Nacht. Zuletzt konnten die Knechte nicht mehr weiterkommen. Deswegen wurden I. F. Gn. sich schlüssig, über Nacht in der Heide zu bleiben. Der Herzog ließ Zweige von den Bäumen hauen und ein Feuer anzünden, damit sich die Diener etwas warm halten könnten, bis es Tag würde. In diesem Moment kommt ein Bauer und sagt, er wolle uns gern zurechtweisen. Woher er kam und wohin er ging, wußte kein Mensch, und noch viel weniger, wer er war. Er konnte polnisch, lateinisch und deutsch sprechen. Ihm folgten I. F. Gn., und er brachte uns ohne allen Schaden und Umwege zurecht. Ich hatte vor, ihm im Namen von I. F. Gn. — denn ich hatte unterwegs meistenteils den Beutel — neun Weißgroschen Trinkgeld zu geben, er aber wollte sie um keinen Preis annehmen. Wo er nachher verblieb, als er uns auf den rechten Weg gebracht hatte, das wußte kein Mensch zu sagen. Ich glaube ganz gewiß, es ist ein guter Engel gewesen.[5]) Denn ohne großen Schaden an Menschen und Pferden hätten wir sonst wohl kaum die Nacht überstehen können.

Wie nun I. F. Gn. andern Tags nach Posen kamen, erhielten sie Quartier in der Stadt. Aber für Essen und Trinken mußten wir allein Sorge tragen. Den nächsten Morgen sind I. F. Gn. auf den Dom[6]) zum Begräbnis gegangen. Das war ziemlich weit draußen. I. F. Gn. waren

---

[5]) Diese Stelle erinnert sehr an eine ganz ähnliche Situation bei Sastrow. Beide Male befindet sich der Erzähler in einem fremden Lande unter einer feindseligen Bevölkerung. Um so wunderbarer mußte in beiden Fällen die Gestalt eines ehrlichen, zuverlässigen Mannes wirken, der denn auch sofort göttlichen Ursprung bekam. Persönliche Schutzengel sind übrigens eine altkirchliche Lehre, Spuren davon finden sich mehrfach im Neuen Testament, vergl. Matth. 18, Vers 10.

[6]) Der Dom liegt in Posen weitab von der eigentlichen Stadt. Noch heute hat man einen Arm der Warthe zu überschreiten

zu Pferde, die Junker aber gingen, wie es auch sonst üblich ist, zu Fuß. Dabei herrschte eine gewaltige Pracht, wie es bei den Polacken üblich ist. Und man kann nicht genug Worte machen von dem Gedränge,[1]) das bei dem Begräbnis vorfiel. Die Predigt, welche ein Mönch hielt, währte drei Stunden und wurde auf polnisch gehalten. Als das vorüber war, gab's eine prächtige Mahlzeit an langen Tafeln; auch hierbei ging's höchst glänzend zu. Ich mußte I. F. Gn. beim Trunk aufwarten, und die Polacken gaben mir tüchtig zu essen und zu trinken. I. F. Gn. andere Junker wurden anderswo gespeist. Gegen Abend erhielten I. F. Gn. in der Nähe des Doms eine kleine Stube, wäh- die anderen Junker ins Quartier zurückgehen mußten. Nur ich selbst und ein Junge blieben bei I. F. Gn. Die Betten waren eigentümlich. I. F. Gn. hatten zwar ein Ding, das einem Bett ähnlich sah. Mein Bett aber war nichts als die harte Diele und vier Ziegelsteine darauf; darüber hatte ich zu Häupten meinen kleinen Mantel ge- breitet. Und das mußte man vier Tage lang aushalten, freilich hatten wir alle Abende einen guten Rausch.

Es geschah aber am dritten Tage nach dem Begräb- nis, da wollte des verstorbenen Bischofs Schwestersohn mit dem Herrn von Kobelin ans Werk gehen, die Hinter- lassenschaft des Bischofs zu teilen. Allein Herr von Kobelin wollte nichts aus den Fingern lassen und erhob Einspruch. Hei, was gab das für einen Tumult! Die Polacken dringen ins Haus und reißen die Spieße mit dem Gebratenen vom Herdfeuer. Darauf zerschlagen sie alles, was sie finden. Ein großes Geknall geht los. Sie

---

und die polnische Vorstadt zu durchqueren, ehe man an die einsame Stelle kommt, wo in einem schattigen Baumgarten der alte Dom und der Palast des Erzbischofs gelegen sind.

[1]) Das Drängen war bekanntlich in alter Zeit ein besonderer Akt der Huldigung von seiten des Volkes.

erbrechen den Weinkeller, schießen Löcher in die Fässer und lassen über 100 Eimer Wein auslaufen. Der wird dann weggetragen. Zuletzt wollen sie den Herrn von Kobelin in eigener Person haben. Der aber rettet sich auf das Zimmer meines Herrn. Nun hatte der Herzog nur mich ganz allein in seiner Nähe, alle Junker und Diener von I. F. Gn. lagen weitab in der Stadt. Mir war bei alledem nicht ganz wohl ums Herz. Die polnischen Herrn, die es am ärgsten trieben, waren mir wohlbekannt. Deswegen bin ich zu ihnen hinausgegangen und habe sie gebeten, doch um Gotteswillen meinen armen Herrn zu schonen. Der sei dort im Zimmer und hätte nicht das Geringste verschuldet. Er sei doch nur aus dem Grunde hierher gekommen, um ihrem verstorbenen Freunde die letzte Ehre zu erweisen. Das fruchtete aber wenig genug. Freilich versicherten sie, dem Herzog und mir solle kein Haar gekrümmt werden, aber ihren Feind, den Herrn von Kobelinsky, den wollten sie haben und sofort in Stücke hauen. Währenddessen erscheint der Woiwode von Posen und macht Frieden. Er stillt den Aufruhr und legt meinem Herrn für die Nacht eine Wache von 50 Mann vor die Stubentür. Auch schickt er etliche Speisen und Wein. Also waren wir die Nacht in guter Hut.

In diesem selben Jahre sind I. F. Gn. noch ein zweites Mal nach Polen gezogen; diesmal ging's über Breslau nach Krakau. I. F. Gn. hatten zwölf reisige Pferde und drei Kutschen mitgenommen. Es war aber erstlich seine Absicht, Herrn Peter Paroschke, den Woiwoden, zu besuchen. Zum andern sollte dieser fleißig dazu helfen, daß I. F. Gn. polnischer König würden. Zum dritten aber wollten I. F. Gn. der alten Königin von Polen dabei behilflich sein, eine der Prinzessinnen mit Herzog Friedrich zu vermählen. Sie kamen also nach Krakau und bezogen eine Herberge. Am nächsten Morgen lud der

Woiwode I. F. Gn. zu Gaste mit den fürstlichen Junkern zusammen. Da gab's eine wüste Sauferei. Die Polacken, die in hellen Haufen da waren, schrien: „Das soll unser König sein!" Sie tranken auf die Gesundheit von I. F. Gn. Wenn sie aber ein Glas geleert hatten, schlugen sie es an ihren Schädeln entzwei. Das machte dem Herzog einen Heidenspaß. Er tanzte ihnen den welschen Tanz vor und war lustig und guter Dinge.

I. F. Gn. trugen aber an einer Kette ein Kleinod, das hieß der weiße Adler und wurde auf 17000 Taler geschätzt. I. F. Gn. geben das Stück beim Tanzen einem Polacken zu halten, ohne seinen Namen zu kennen. Außerdem hatten I. F. Gn. einen Beutel in der Hosentasche stecken, mit 100 Gulden ungarisch. Auch den bekommt ein unbekannter Polacke zu halten. I. F. Gn. Diener hatten nichts davon bemerkt. Auch ich, damals Kammerjunker bei I. F. Gn., hatte gar nicht acht darauf gegeben, weil ich ganz unten an der Tafel saß.

Nachher aber waren I. F. Gn. sehr bezecht. Sie waren kaum fähig, ins Quartier zu reiten. Zwei mußten nebenher gehen und I. F. Gn. auf dem Pferde festhalten. Beim Auskleiden aber merkte ich zu meinem größten Schrecken, daß I. F. Gn. weder das Kleinod noch den Beutel bei sich hatten. I. F. Gn. gaben mir auf meine Fragen keine Antwort. Auch war ich selbst ziemlich voll, weil ich I. F. Gn. beim Trunk bedient hatte. Da wurde mir doch recht bange. Soviel ich auch fragte, kein Mensch wollte jemand gesehen haben. Ich hieb auf die Jungen ein, sie sollten mir die Wahrheit sagen. Es kam aber nichts dabei heraus. Habe deshalb in der folgenden Nacht nicht viel Schlaf gekriegt trotz der erreichten Bettschwere. Am nächsten Morgen, als der Herzog erwachte, sagte ich ihm, daß Kette und Beutel fort seien, ob er wüßte, wo sie wären. Aber I. F. Gn. wußten auch nichts weiter.

45

Da war nun guter Rat teuer. Indem geh' ich zu den Herren Junkern auf die Stube und klage ihnen mein Leid. Sagt mein Vater: „Es gab mir heute nacht ein Polacke einen Beutel, der sollte meinem Herrn gehören, den hab' ich eingesteckt." Ich ihn sehen und das Geld ausschütten, war eins: und siehe da, es finden sich noch sämtliche 100 Gulden darinnen.

Es dauert aber keine Stunde, da kommt ein Polacke und bringt auch die Kette. Das war eine Freude! Ich trank mir mit ihm einen kleinen Rausch an und muß wirklich sagen, daß im ganzen Polenlande keine frömmeren zwei Polacken gelebt haben, als diese beiden![e]

---

[e]) Vergl. dazu die Anm. zu S. 26.

3. Kapitel

Herzog Heinrichs Streit mit seinen Ständen[1]

Ihre F. Gn. sind auf zahlreiche Reisen gegangen, die eine große Summe Geldes gekostet haben. Währenddessen hat man bei Hofe böse haus gehalten. Die Amtleute haben nach ihrem Gefallen regiert und niemals Rechenschaft abgelegt. So kam's, daß ein Tausend nach dem andern geborgt ist, ohne daß auch nur die Zinsen bezahlt wurden. Alle Ermahnungen sind in den Wind geschlagen. Man hat in dulci jubilo gelebt. Dabei ist's aber nicht geblieben. Auch die Regierungsgeschäfte sind schwer vernachlässigt, und keine Gerechtigkeit hat man walten lassen. Die armen Leute mußten stehen und warten, ohne ihr Recht zu bekommen. Jmmer hat's geheißen: Kommt nur morgen wieder! Und nachher ist doch nichts Ordentliches geschehen.

Eine große Gefahr ist's überdies gewesen, daß I. F. Gn. in Kanzlei, Rentkammer und Wirtschaft lauter fremde, ausländische Räte und Diener gehabt haben. Die haben um I. F. Gn. Einkommen und Wirtschaft so wenig gewußt, wie um die Art und Bräuche des Landes. Sie haben daher nur das Ihrige gesucht und daran gedacht, wie sie recht reich werden könnten. So ist die Schuldenlast von Tag zu Tag angewachsen bis auf 500000 Taler. Ja, die Schurken haben I. F. Gn. noch Mut zugesprochen und selbst wie Lämmlein auf grüner Heide gelebt. Das

---

[1] Dies Kapitel ist in der Hauptsache dem biogr. Werke Schweinichens über Herzog Heinrich IX. entnommen, Näheres siehe in der Einleitung.

haben sie so lange getrieben, bis es selbst I. F. Gn. zu arg geworden ist. Denn es hat an allen Ecken und Enden gefehlt, war auch kein Geld mehr auf Borg zu bekommen. Auch zu Bürgen haben sich weder die vom Adel noch die Städter hergeben wollen. Da haben die auswärtigen, fremden Räte kein Mittel weiter gewußt, als daß die Herren Untertanen aus Land und Stadt die allerhöchste Pflicht und Schuldigkeit hätten, I. F. Gn. aus der Patsche zu helfen und ihre Schulden zu bezahlen.

Das haben sie dem frommen Herrn so lange eingeredet, bis er es selbst geglaubt hat.

Als nun I. F. Gn. die Landschaft berufen und ihr dahingehende Vorschläge gemacht haben, waren die Stände höchlichst erschrocken. Es ist darauf mehrfach hin und her geredet worden. Schließlich aber haben I. F. Gn. wohl merken müssen, daß bei den Ständen nichts zu erhalten war. Da haben I. F. Gn. ihre Zuflucht zu Zwangsmitteln genommen. Alles Gesinde der Herren wurde entfernt und die Landschaft alsdann in den großen Saal eingesperrt. Weil es aber recht kalt gewesen ist, so haben I. F. Gn. das hohe und das niedere Wartezimmer neben dem sog. Rossezimmer am Saale heizen lassen. Auch sind besondere Leute aus der Stadt dazu bestellt worden, den Herren aus ihren Herbergen Speise und Trank zu bringen. Es wurde ihnen aber durch die herzoglichen Räte eröffnet: sobald, als sie sich eines andern besinnen und erklären wollten, sollten sie ohne Verzug auf freien Fuß gesetzt werden.

Die Landschaft aber hat um keinen Preis von ihren alten Erklärungen zurückweichen wollen. Sie haben sich vielmehr zum höchsten darüber beschwert, daß man ihnen so mitgespielt habe und sie mit Weib und Kind vor aller Welt zum Gespött gemacht hätte. Sie haben daher ernstlich darum gebeten, daß man den Saal aufmache

und sie losgebe. Ja, sie haben sich in dieser Sache
auf Ihre Kaiserliche Majestät berufen.

Über diese Antwort sind I. F. Gn. noch heftiger in
Zorn geraten. Die Räte mußten wieder auf den großen
Saal gehen und der Landschaft eine Berufung auf den
Kaiser allen Ernstes verbieten. Weil sie aber durch dies
Benehmen ihre eidliche Pflicht gebrochen hätten, so forderten I. F. Gn. von einem jeden seinen Degen. Sie
möchten sich fortan als Gefangene I. F. Gn. betrachten
und sich klarmachen, daß sie nicht loskämen, falls sie
sich nicht eines Besseren besännen.

Diese neue Zumutung haben nun wieder die Herren
Adligen mit wehmütigem Herzen vernommen. Das sei
eine schwere Beleidigung und Verkleinerung ihrer Würde,
daß man rittermäßigen Leuten ihre Wehr und Waffen
abfordere. Denn ihr ritterliches Schwert sei ihnen doch
zur eigenen Verteidigung, ferner zum Schutze von Weib
und Kind, ja, zur Beschirmung des Landesfürsten selbst
verliehen worden. Als adlige Rittersleute hätten sie dieselben zu tragen bekommen, jetzt könnten und wollten
sie nicht von ihnen lassen. Sonst seien sie alles schul-
digen Gehorsams erbötig. Hiermit aber möchten I. F. Gn.
sie gnädigst verschonen.

Darauf sind I. F. Gn. durch ihre ausländischen Räte
noch mehr in Hitze gebracht worden. Sogar um den
heiligen Christabend haben sie sich nicht gekümmert,
sondern der Herzog ist in eigener Person zur Stadt geritten, hat Alarm trommeln lassen und 400 gerüstete Mannschaften aufs Schloß geführt. Danach hat er die Geschütze
vom Zeughaus auf die Wälle ziehen lassen und 200
Knechte dahin gelegt. Mit den anderen Bewaffneten ist
er selbst aufs Schloß gerückt.

Inzwischen ist die heilige Christnacht herangekommen. Bis zum Abend blieb alles beim alten. Die Wache

ist mit Trommeln und Pfeifen auf und ab geführt worden. Die Herren aber mußten ruhig in ihrem Saal verbleiben. Des Morgens am heiligen Christtag haben I. F. Gn. der Landschaft anbefehlen lassen, sie solle mit I. F. Gn. zur Kirche gehen. Nach der Predigt aber sollten sie mit I. F. Gn. in der großen Hofstube zu Mittag speisen. Dem Befehl haben sie auch gehorcht und I. F. Gn. zur Kirche aufgewartet. Der Herzog hatte hierbei 200 Schützen in seinem Gefolge. Nach der Predigt haben I. F. Gn. mit der Landschaft das heilige Abendmahl genommen. Beim Frühmahl auf der großen Hofstube hat der Herzog sich höchst gnädig bezeigt und ist recht fröhlich gewesen. Jedermann hat gehofft, I. F. Gn. würden die Ungnade jetzt völlig fallen lassen. Aber nach der Mahlzeit mußte ein jeder sich wieder in den großen Saal verfügen. Noch zweimal haben I. F.Gn. dann bei der Landschaft angefragt und immer dieselbe Antwort erhalten. Die Herren haben sich verschworen, beieinander zu bleiben und alles zusammen zu leiden. So blieb's wiederum bis zum Abend. I. F.Gn. haben das Schloß von neuem stark besetzt und die Wache aufziehen lassen. Die Saaltüren sind wohl verwahrt worden. Wer aber von den Adligen einen guten Freund gehabt hat, der hat sich Wein und Bier bringen lassen, da haben sie Hosenträger aneinandergebunden und den Wein und andere Dinge daran heraufgezogen.

Die Sache ist bald in ganz Schlesien ruchbar geworden. Denn sie hat sich anfangs scharf angelassen. Man hat aber nicht wissen können, worauf sie hinauslaufen würde.

Erst am vierten Tage ist durch Vermittlung einiger hoher Herren ein Vertrag zustande gekommen und die Gefangenschaft aufgehoben. Schließlich aber hat auch dies wenig Frucht getragen, und eigentlich sind nur Gram und Eifer am Ende davon nachgeblieben.

Hans v. Schweinichen   4

4. Kapitel
Bei Hofe und auf Reisen

Wie ich aber das Weintrinken zuerst gelernt habe, davon will ich jetzt berichten. Ich war noch ein junger Bursche von 18 Jahren, da saß ich mit einem Junker von Tschewitz bei meines Vaters vortrefflichen Weinen. Wir tranken ganz mächtig, mir aber war der Weingenuß noch ungewohnt. Da dauerte es denn nicht lange, und ich lag unter dem Tisch und war so betrunken, daß ich weder stehen noch reden oder gehen konnte. Ich mußte als Weinleiche weggetragen werden und habe im Anschluß daran zwei Tage und zwei Nächte hintereinander geschlafen. Man hat nicht anders geglaubt, als daß ich sterben würde. Aber, Gott sei Dank, es ist besser geworden. Es hat aber nicht lange gedauert, da habe ich nicht nur trinken gelernt, sondern ich bin bald genug ein solcher Meister im Trinken geworden, daß keiner es mir darin hat gleichtun können. Ob's mir aber zur Gesundheit und ewigen Seligkeit gereicht hat, das lasse ich dahingestellt sein.

Im nächsten Jahre bin ich viel auf allerhand Festlichkeiten geritten. Aber ich habe mich nie, nach dem Brauche der Zeit, unflätig benommen, sondern mit jedermann bin ich gut ausgekommen. Und ich kann wohl sagen, es hat kein Geselle mit mir in Unfrieden gelebt. Halbe und ganze Nächte habe ich mit den Leuten gefressen und gesoffen und dabei alles mitgetan. Waren sie derb, so gab ich ihnen nichts nach, sondern renommierte tüchtig mit. Gaben sie gute Worte, so war ich gleichfalls gut. Allein, ich sah doch darauf, mit wem ich's zu tun hatte.

In Celle ist's einmal geschehen, daß die Liegnitzer und Lüneburger Junker miteinander um den Vorrang im Saufen gestritten haben. Da hab' ich neben einem Lüneburger das Feld behauptet, und zuletzt sind wir beide allein nachgeblieben. Ich hab' mich nun wohl in der Lage gefühlt, den andern im Trinken zu bezwingen. Ich hab's aber nicht gewollt, damit wir Schlesier nicht in den Ruf kämen, als hielten wir's für eine besondere Ehre, die Einheimischen in anderen Landesteilen wegzusaufen. Ob ich nun wohl schon mehr getrunken hatte, hab' ich's dabei gelassen, daß die Partie unentschieden blieb. Und das hat allen Fürsten große Freude gemacht.

Ein anderer Schwank ereignete sich zu Güstrow im Lande Mecklenburg. Der Trunk hatte mich übermannt, und es waren schon etliche Stunden von der Nacht vergangen. Da lief ich geschwind die Treppe hinunter. Mein Knecht aber, der mir leuchten sollte, war noch voller als ich. Der kam auf der Treppe ins Stolpern. Ich sprang über ihn weg. Die andern aber, die mir nachlaufen, um mich aufzuhalten, fallen alle über meinen Knecht zu Boden, und einige tragen tüchtige Beulen davon. Sieh, da liegt ein großes Weinfaß an der Treppe, dem war der Boden ausgeschlagen. Ich, wie der Wind, hinein. Und es dauert nicht lange, da bin ich fest eingeschlafen und habe mehrere Stunden darin gelegen.

Man fing an, mich zu suchen und wurde allmählich recht besorgt, als man mich ganz und gar nicht entdecken konnte. Erst am nächsten Morgen finde ich mich in meinem Faß wieder und habe dem frommen Herzog Ulrich[1]) die ganze Begebenheit erzählen müssen. Der hat seine helle Freude daran gehabt.

[1]) Herzog Ulrich von Mecklenburg-Güstrow war der Bruder des bekannten Herzogs Johann Albrecht, der dem Fürstenbunde gegen Karl V. 1552 angehörte.

4*

52

Im folgenden Jahre 1574 hatten sich I. F. Gn. mit
dem Kurfürsten August von Sachsen[2]) wegen einiger Reden
überworfen. Da haben einige gute Freunde I. F. Gn. den
Rat gegeben, sich vor I. Kurf. Gn. zu demütigen und un-
angemeldet in Dresden zu erscheinen. Sicherlich würden
I. Kurf. Gn. damit wohl zufrieden sein. Indes erfuhren
I. F. Gn., daß eben in Dresden ein Vogelschießen veranstaltet werde, wozu des Kurfürsten Schwiegersohn, Pfalzgraf Johann Kasimir, erschienen sei. Durch diesen meinten
I. F. Gn. die Aussöhnung mühelos bewerkstelligen zu
können und zogen am 12. Februar mit zwei Kutschen
nach Dresden. Nach unserer Ankunft wurde ein Quartier
bezogen und durch den Pfalzgrafen um eine Unterredung
beim Herrn Kurfürsten nachgesucht. Allein der halbe
Morgen verstrich ohne irgend eine Antwort.

Eine halbe Stunde vor zehn Uhr stehe ich mit I. F. Gn.
am Fenster und sehe, daß viele bewaffnete Leute, besonders von der Leibgarde I. Kurf. Gn., die Gasse entlang kommen, auf unser Quartier zu. Der Herzog freute
sich anfangs darüber und glaubte, er solle mit großer
Pracht an den Kurf. Hof geführt werden. Wie aber
I. F. Gn. sehen, daß es über 300 Personen sind, und daß
etwa 50 Schützen schnurstracks ins Quartier gegangen
kommen und niemand herauf- und hinunterlassen wollen,
— da entfiel I. F. Gn. das Herz!

Darauf erscheint der kursächsische Hofmarschall und
zeigt I. F. Gn. die Verwunderung I. Kurf. Gn. an über
ihr unangesagtes Erscheinen im Lande und in der Residenz und Festung. I. F. Gn. verdienten dafür Gefängnis
oder mindestens eine Beschwerde bei I. Kais. Maj. Aber
man wolle den linderen Weg einschlagen, und I. F. Gn.
solle dem Marschall angeloben, daß sie sich alsbald auf-

---

²) Vergl. die Anm. zu S. 28.

221

machen und sich ohne weiteres nach Liegnitz begeben wollten, um daselbst I. Kurf. Gn. fernere Anordnungen abzuwarten.

Auf die wiederholten Entschuldigungen I. F. Gn. war nur so viel zu erlangen, daß sie erst am folgenden Morgen abzureisen brauchten. So geschah es denn auch.

Am folgenden Tage, nach unserer Ankunft in Liegnitz, sind der Kanzler und ich selbst wieder nach Dresden abgefertigt worden, um bei I. Kurf. Gn. um Befreiung von der Haft nachzusuchen. Diesmal sind wir draußen in Alt-Dresden geblieben, haben uns bei I. Kurf. Gn. anmelden lassen und um eine Audienz nachgesucht. Darauf ist dann die Aussöhnung erfolgt, und I. Kurf. Gn. haben Herzog Heinrich aller Gnade und Freundschaft versichert.

Auf einer anderen Reise der fürstlichen Brüder machte sich Herzog Friedrich von Liegnitz allerlei mit mir zu schaffen. Nun hatte ich damals ein Pferd, das im allgemeinen recht höflich und gut war. Es hatte sogar gelernt, niederzuknien, sobald man es nur mit der Reitgerte ganz sanft am Knie berührte. Das machte Herzog Friedrich viel Spaß. Und wenn ich im besten Reiten war, kam der junge Herr hinter mir drein mit einer langen Gerte. Da schlug er das Pferd aufs Knie und ließ es niederfallen. Verschiedene Male hatte ich den Herzog gewarnt, er solle es nachlassen. Auch Herzog Heinrich ermahnte ihn. Half aber alles nichts. Zwei Meilen hinter Neiße fängt er dasselbe Spiel an und haut vorbei. Da schlägt mein Pferd hinten aus und trifft I. F. Gn. Pferd, so daß es lahm geht. Andern Tags beginnt das Spiel von neuem. Wieder schlägt mein Roß hinten aus und trifft diesmal den Herzog selbst am Schenkel. I. F. Gn. werden auf dem Pferde ohnmächtig und müssen auf den Rasen gelegt werden. Wem war bänger zu Mute als mir? Ich rannte selbst spornstreichs zu Herzog Hein-

rich. Der fragt genau, wie es zugegangen sei und meint:
„Es ist ihm ganz recht geschehen; du brauchst keine
Angst zu haben, denn er trägt ganz allein die Schuld
daran!" Auch Herzog Friedrich verzieh mir. Nur
wünschte er, ich solle das Roß wegtun, damit er es
nicht wieder zu sehen brauche. Ob es nun Gottes
Schickung oder des Barbiers Ungeschick war, genug, der
Schaden schlug I. F. Gn. übel aus. Der Spaß hat I. F. Gn.
viele hundert Taler gekostet, und die Schenkelwunde ist
zeitlebens offen geblieben.

Bald darauf, im Jahre 1575, kam ich wieder nach
Liegnitz und war schon willens, mir im Reiche irgend
einen Dienst zu suchen. Das hört Herzog Heinrich und
sinnt auf ein Mittel, wie man mich an den Hof fesseln
könne. Mein Vater hatte auf I. F. Gn. Ansuchen erwidert,
wenn es mein Wille sei, wolle er nicht dagegen sein.
Indem lädt mich die Frau Kittlitz auf I. F. Gn. An-
stiften zu einem Gastmahl in ihr Haus ein. Wie wir
nun gegessen haben und in recht lustiger Stimmung sind,
erscheint der Herzog wie ein guter Kumpan bei dem
Gelage und ist mit uns fröhlich und guter Dinge. Als
I. F. Gn. schon einiges im Kopfe hatten, setzten sie sich
mit der alten Kittlitz und mir zusammen und begehrten
nach manchen Vorreden, ich solle I. F. Gn. Kammerjunker
werden. Ich machte anfangs allerhand Entschuldigungen,
erreichte damit aber gar nichts. I. F. Gn. ließen nicht
locker.

Nachher hat die Kittlitzin mit ihren Töchtern das
Überredungswerk fortgesetzt, konnten aber keine end-
gültige Antwort von mir bekommen, so ungern ich ihnen
etwas versagte. Jetzt ersah ich eine Gelegenheit, mich
fortzustehlen, und ging zu meinem Quartierwirt, da meinte
ich sicher zu sein. Was geschah? Es dauert nicht gar
lange, da kommen I. F. Gn. mit einer kleinen Musik-

bande bei mir an, sind heiter und guter Dinge und trinken mir ein Glas Wein zu auf gute Freundschaft. So schwer es mir wurde, ich habe I. F. Gn. auf ihr inständiges Bitten für ein Jahr zugesagt.

Ich merkte gar bald, daß I. F. Gn. nur deshalb so viel reisten und zu tun hatten, damit sie nicht in Liegnitz zu sein brauchten. I. F. Gn. waren ungern dort. Und der Hauptgrund davon war, daß I. F. Gn. durch Aufhetzung der Frau Kittlitz mit dero Frau Gemahlin in Unfrieden lebten.

Eines Tages hatten I. F. Gn. auf dem Schlosse ein Bankett zurichten lassen. Dazu wollte die Herzogin nicht kommen, weil sie mit der Frau Kittlitz eben nicht zum besten stand. Dreimal ließ sie sich deswegen bei I. F. Gn. entschuldigen. Die Frau Kittlitz aber, die eben bei meinem Herrn auf der Stube war, ließ nicht ab, I. F. Gn. aufzuhetzen, sie sollten doch die Herzogin zum Gehorsam zwingen. Dadurch brachte sie den Herrn in eine solche Wut, daß I. F. Gn. in hellem Zorn ins Zimmer der Frau Herzogin gelaufen kamen. Die Herzogin war davon völlig überrascht. Denn es war einige Wochen nicht geschehen, daß I. F. Gn. bei ihr im Zimmer gewesen war. Ich, als der Kammerjunker, folgte ihm. I. F. Gn. fuhren die Herzogin mit harten Worten an, warum sie denn nicht zu Tische kommen wolle. I. F. Gn. wollten es durchaus haben, weil sie eine Menge ehrenhafte Leute eingeladen hätten. Die Frau Herzogin aber war übler Laune und fuhr nach einigen Umschweifen mit dem bösen Wort heraus, sie wolle nicht bei der Hure, der Frau Kittlitzin, zu Tische sitzen. Darüber aber war der Herzog gar sehr verdrossen, er redete die Herzogin mit „Du" an und sprach: „Du sollst es jetzt erfahren, daß die Frau Kittlitz keine Hure ist," und damit gibt er der Herzogin eine saftige Maulschelle, davon die Fürstin ins Taumeln kam. Jetzt fahre

ich dazwischen und packe den Herzog am Arm, halte
ihn auch so lange fest, bis die Fürstin sich in ihre Kammer
retten kann. Mein Herr aber wollte der Herzogin nach
und sie noch besser schlagen. Aber ich nicht faul, werfe
geschwind meinem Herrn die Kammertür vor der Nase
zu, so daß I. F. Gn. nicht hinterher konnten. Jetzt ent-
lud sich der Groll I. F. Gn. auf mich: ich sollte ihn
doch gefälligst „ungehofmeistert" lassen, es wäre sein
Weib, und er könne damit machen, was er wolle. Ich
gab gute Worte: was ich getan hätte, sei zu I. F. Gn.
Besten geschehen, und ich hätte es als I. F. Gn. getreuer
Diener getan. Unterdessen gelang es mir, den Herzog fort-
zubringen. Danach gehe ich ein wenig beiseite. Es dauert
aber keine Stunde, da fragten I. F. Gn. nach mir. Anfangs
redeten I. F. Gn. mich hart an. Aber ich wußte nur zu
gut, daß sie nicht lange Zorn halten konnten. Deswegen
trat ich wieder einen Augenblick ab. Und es verging keine
Viertelstunde, da hieß es: „Hans, willst du mich nicht
wieder mit meiner Gemahlin aussöhnen? Denn du kannst
dir wohl denken, daß unsre Freude heute abend sonst
vorbei ist." Ich gehe also zur Herzogin und bringe meine
Sache aufs beste an, stelle I. F. Gn. Reue ins schönste
Licht und verspreche überdies eine stattliche Verehrung.
Allein die Herzogin wollte anfangs gar nicht darauf eingehen, sondern verschwur sich, sie wolle I. F. Gn. wegen
der Maulschelle noch in große Not bringen. Schließlich
aber hab' ich es doch dahin gebracht, daß die Herzogin
mit zu Tisch gehen wollte, nur dürfe die Kittlitzin nicht
mit an der Tafel sitzen. Darauf wollte nun freilich der
Herzog zunächst nicht eingehen. Schließlich hat man sich
aber dahin geeinigt, daß die Kittlitzin als Hofmeisterin
am Jungferntisch essen solle. Eben war diese Aussöhnung zustande gekommen, da erschienen zehn Trompeter
und ein Paukenschläger und bliesen zu Tische. Am Abend,

bei der Mahlzeit, war man recht lustig und guter Dinge. Die Herzogin erzählte allen Leuten, sie hätte sich an einer Schrankecke gestoßen. Es hatte aber die Herzogin in ihrem ersten Groll die Sache mit der Maulschelle an den Herrn Markgrafen geschrieben, so hat die unglückliche Geschichte den Herzog hernach um Land und Leute und in große Not gebracht.

5. Kapitel

Herzog Heinrichs große Reise ins Reich

Wie nun I. F. Gn. auf ihrer Reise durch Deutschland nach Heidelberg kamen, mußte ich I. F. Gn. beim Herrn Kurfürsten anmelden. Ich war todmüde von der Post, und die Kletterei zum Schloß hinauf nahm mir schier die letzten Kräfte. Der Kurfürst war ein frommer, sittenstrenger Herr; er fragte mich persönlich nach allen Umständen und Ursachen und ferneren Absichten von I. F. Gn. und zeigte sich mit meiner Auskunft gar wohl zufrieden. Nicht lange danach schickten sie einen schwarzen Samtwagen mit sechs braunen Gäulen nebst fünfzehn Herren vom Adel in die Stadt hinunter und ließen I. F. Gn. mit herzlicher Empfehlung zu sich aufs Schloß fordern.

Bei I. F. Gn. Ankunft ging der Kurfürst meinem Herrn durch das halbe Schloß entgegen. Dabei führten I. Kurf. Gn. die Frau Kurfürstin an der Hand; sie war eine überaus schöne Frau. I. F. Gn. bekamen einen freundlichen Empfang und ein fürstlich ausgestattetes Zimmer. Es ist aber gerade der Prinz von Condé aus Frankreich am Hofe gewesen. Der war aus seinem Vaterlande verjagt worden und wartete auf die Hilfe des Kurfürsten,[1] der ihn wieder einsetzen sollte. An diesem

---

[1] Der damals regierende Kurfürst von der Pfalz hieß Friedrich III. Er war Kalvinist und mit dem Landgrafen Wilhelm IV. von Hessen zusammen der Vertreter einer aktiven Kriegspartei im evangelischen Lager. Uns interessiert hier noch mehr der im folgenden Kapitel (Kap. 6) vielgenannte Sohn des regierenden Kurfürsten, Pfalzgraf Johann Casimir. Er war der eigentliche

Abend aber bliesen bei Tische zehn Trompeter samt einer
Kesselpauke. Für gewöhnlich pflegten I. Kurf. Gn. in
einem einfachen Zimmer zu speisen, wobei nur einige
Jungen aufwarteten. So hatten sie es schon jahrelang
gehalten. I. Kurf. Gn. waren ein gottesfürchtiger Fürst
und hielten sich eifrig zur Kalvinischen Lehre, und die
schrieb ihren Bekennern am Beginn und Schluß der Mahlzeit Gebete und Psalmen vor.

Als I. F. Gn. auf ihrer Weiterreise nach Prag gekommen waren und von dort weiterzogen, hatten sie
nicht mehr als 335 Taler Zehrung. Es läßt sich leicht erkennen, daß ein Fürst mit so wenig Geld nicht weit
kommt. Allein nichtsdestoweniger faßten I. F. Gn. sich ein
Herz und meinten, sie würden wohl unterwegs Geld auf-
treiben können. Zu Nürnberg wurde der Rat um 4000
Gulden ersucht. Man bekam aber keinen roten Heller. Da
schrieben I. F. Gn. an den Markgrafen von Ansbach und
baten denselben, er möge den beiden herzoglichen
Töchtern, Sophie Katharina und Anna Maria — die sich
eben beim Markgrafen aufhielten — erlauben, zu ihrem
Herrn Vater nach Nürnberg zu kommen, damit man sich
einmal wiedersähe. I. F. Gn. schickten mich in dieser
Angelegenheit mit drei Junkern, zehn reisigen Rossen
und einer sechsspännigen Kutsche nach Ansbach. Denn
I. F. Gn. meinten, durch die Fräulein könnten sie sich
mit dem Herrn Markgrafen aussöhnen. Es herrschte nämlich zwischen ihnen ein heftiger Groll seit der Maul-

---

Vorkämpfer des deutschen Kalvinismus und mischte sich unruhig
und ohne feste Ziele in die Kämpfe der Hugenotten und in den Be-
freiungskampf der Niederlande. Er tat es nicht immer mit Glück
und nicht einmal stets mit Ehre. Bezold nennt ihn daher mit Recht
in der Allg. deutschen Biogr. „einen ungeschickten und unglücklichen
Spieler auf der Bühne der europäischen Politik". Der deutsch-
reformierten Kirche ist er zeitlebens ein treuer Schirmherr gewesen.

60

schellengeschichte.*) I. F. Gn. mochten auch hoffen, nach erfolgter Aussöhnung vom Herrn Markgrafen Geld zu bekommen. Es wollte aber der Herr Markgraf weder zugeben, daß die Fräulein nach Nürnberg gingen, noch daß mein Herr zum Markgrafen käme, sondern er gab I. F. Gn. den guten Rat, alsbald heimzuziehen und die Frau Herzogin, des Herrn Markgrafen Schwester, besser, als es bisher geschehen sei, zu lieben und in Ehren zu halten. Würden sie alsdann beide, I. F. Gn. und seine Gemahlin, die Fräulein als ihre Kinder begehren, so sei der Markgraf gern erbötig, sie nach Liegnitz zu bringen. Mit dieser Antwort mußte ich wieder abziehen.

Über Donauwörth sind I. F. Gn. alsdann nach Augsburg gekommen. Hier sind I. F. Gn. beim Gastwirt Jürge Lindemann am Weinmarkt in Quartier gegangen und haben drei Wochen und vier Tage daselbst still gelegen. Es ist ja wahr, I. F. Gn. hatten an diesem Ort so wenig ein eigentliches Geschäft, wie anderswo. Aber es gefiel ihnen daselbst ausnehmend gut. Auch hofften sie wohl, an diesem Orte Geld aufzutreiben, um nach Italien zu ziehen. Das Leben war da auch gar zu vortrefflich, denn der Wirt gab gutes Essen. Dazu hatten wir Tag für Tag die allerschönste Musika. Mein Lebtag habe ich nicht so viel Geflügel und feine Fische zu essen bekommen. Aber auch an trefflichen Weinen, wie Muskateller und Rheinwein, war da die Hülle und Fülle. Unser Leben spielte sich etwa folgendermaßen ab: wir gingen spazieren oder auch wohl zur Kirche, besuchten die Proviant- und Zeughäuser, sahen uns wohl auch nach schönen Jungfrauen um, tranken und spielten und waren guter Dinge. Augsburg ist ja so recht ein Ort zum Amüsieren, und Gesellschaft findet man stets. I. F. Gn. spielten täglich

---

*) Vergl. hierzu Kap. 4, Ende.

mit den Patriziern der Stadt: manchen Tag wurden 100, 200 und mehr Taler gewonnen, ein andermal ward alles wieder verspielt. Immerhin hatte man nach dreieinhalb Wochen über 170 Taler Reingewinn.

Eine Geschichte muß ich bei dieser Gelegenheit noch erzählen. Ich war einst auf ein hohes Fest bei einer vornehmen Familie geladen und ging auch dahin. Nun wären I. F. Gn. auch für ihr Leben gern dabei gewesen, schon um die Gebräuche und sonst allerlei beobachten zu können. Da gab's nur ein einziges Mittel: I. F. Gn. mußten mein Diener werden und mir aufwarten. Und so geschah es. I. F. Gn. erschienen mit mir auf der Hochzeit und taten Dienste, wie sie einem Diener zustehen. Ganz unversehens geschah es, daß sich mein Diener dabei einen kleinen Rausch antrank, so daß ich ihn abführen lassen mußte. Wie aber I. F. Gn. den Rausch verschlafen hatten, meinten sie, es habe ihnen sehr wohlgefallen auf der Hochzeit. Sie ließen sich daher bei dem Bräutigam anmelden und sprachen den Wunsch aus, zum Abendtanz kommen zu dürfen. Dies sah der Bräutigam von Herzen gern. Er ließ daher I. F. Gn. in einem Wagen durch drei seiner vornehmen Freunde stattlich einholen. So schreibt es die Sitte vor. I. F. Gn. wurden darauf gar fürstlich empfangen. Wenn I. F. Gn. tanzten, hatten allemal zwei vornehme Ratsherrn den Vortanz. Bei anderen Gelegenheiten ist es nämlich Brauch, daß zwei Personen in langen, roten Röcken mit einem weißen Ärmel den Vortanz haben.[*]) Und keiner, wer es auch sei, darf

---

[*]) Der Tanz der höheren Gesellschaft war damals der Regel nach eine Art Polonaise. Eine Unterbrechung fand dies feierliche Herumgehen allerdings durch gelegentliches Hochschwenken der Damen oder durch gegenseitiges Küssen. Gegen die Lockerheit der Tanzsitten wird von den zeitgenössischen Moralisten vielfach geeifert, vergl. Geiler von Kaisersberg.

allein einen Tanz anfangen. Wie gesagt, jene beiden Rot-
röcke tanzen voran. Wenn sie sich aber drehen, dann
dürfen die Tänzer sich gleichfalls herumdrehen. Geschieht
es aber, daß sie sich beim Tanzen ans Herz drücken,
so ist das auch den Jünglingen und Jungfrauen erlaubt.
So kommt es denn oft genug vor, daß die Vortänzer mit
Geld bestochen werden, einander bei einem Tanz recht
oft ans Herz zu drücken, damit die andern Tänzer auch
recht häufig dazu kommen.

Ich habe mir das gleichfalls zunutze gemacht und bin
mit einem halben Taler recht oft zum Herzen und Küssen
gekommen. Den Abend war also mein Knecht vom vorigen
Tage wieder mein Herr und Gebieter. Als ich ihn aber
nach dem Grunde seines Kommens fragte, meinte er
schmunzelnd, es gäbe da so viele schöne Jungfrauen, die
mir alle so gute Worte gegeben hätten. I. F. Gn. seien
lieber mitgekommen, sie wollten einmal sehen, ob ich
irgendwo anbisse und mich dann davon abziehen. Ich
muß, weiß Gott, zugeben, daß ich mein Lebtag nicht
so viele schöne Frauenzimmer beieinander gesehen habe
wie hier. Es gab ihrer über siebzig. Und alle waren sie
der Braut zuliebe weiß gekleidet, in Damast und dergleichen, mit Ketten und Kleinodien auf das reichste geschmückt. Das Fest fand in einem schönen, großen
Saale statt, der von Gold und Silber ganz und gar fun-
kelte. Es waren aber mehr als hundert Lichter darin,
große und kleine. Man hätte wohl meinen können, man
befände sich im Himmel oder im Paradiese. Zur Nacht
bin ich mit einer Jungfrau in ihres Vaters Haus gefahren. Es hieß von ihm, daß er zwei Tonnen Gold habe.
Der Alte empfing mich, als ob ich ein Graf wäre, und
bewirtete mich aufs herrlichste. Als man mich nachher
in einem Wagen ins herzogliche Quartier zurückbrachte,
wurden Stablichter nebenher getragen.

Viel Kurzweil gibt's auf den Trinkstuben, auch allerlei ritterliche Spiele. Will einer Gäste einladen, so gibt er für die Person 18 Weißgroschen; dafür erhält man ein Essen mit zwanzig Gerichten, dazu den allerschönsten Rheinwein, so viel, bis die ganze Gesellschaft total bezecht ist. Auf diese Weise habe ich verschiedentlich Gäste bewirtet. Gibt man aber einen Taler für die Person, so ist die Bewirtung geradezu fürstlich. Ich hätte gewollt, dies Leben wäre noch recht lange so fortgegangen.

Einmal hat auch Herr Marx Fugger[4] I. F. Gn. eingeladen. Ein derartiges Bankett ist mir noch nicht vorgekommen. Auch der römische Kaiser hätte es nicht glänzender abhalten können. Denn es ward eine wahrhaft überschwengliche Pracht dabei entfaltet. In einem Saale wurde gespeist, darinnen war mehr Gold als Farben zu sehen. Der Boden aber war aus Marmor und so glatt, als ginge man auf dem Eise. Ein Kredenztisch war aufgestellt von einem Ende des Saales bis zum andern. Der war mit lauter vergoldeten Schalen und prächtigen venetianischen Gläsern besetzt. Es hieß, daß das Ganze wohl eine Tonne Gold wert sei. Ich stand bei I. F. Gn. als Mundschenk. Als Willkomm verehrte der Herr Fugger I. F. Gn. ein Schiff[5] vom allerschönsten venetianischen

---

[4] Marcus F u g g e r , der damalige Vertreter des reichen Augsburger Patrizierhauses, lebte von 1529—1597. Er war ein sehr gelehrter Mann und hat unter anderem das erste brauchbare Buch über Pferdezucht geschrieben.

[5] Ein „Schiff" ist eine Art „Glas", welches aus England oder Frankreich stammte und damals auch in Deutschland sehr beliebt war. Ein solches Schiff wurde besonders Ehrengästen zum Willkomm vorgesetzt. Auf einem gläsernen Fuß ruhte das Trinkgefäß in Form eines Schiffsrumpfes, gleichfalls aus Glas. Die Hauptzierde aber war der Deckel. Er stellte in feinster Silber- und Goldschmiedearbeit das Verdeck eines Schiffes dar mit allerlei Masten, Segeln und Fahnen.

Glas, gar künstliche Arbeit. Wie ich es nun aber vom
Schenktisch nehme und durch den Saal gehe, gleite ich
in meinen neuen Schuhen aus und falle mitten im Saale
auf den Rücken. Den Wein gieße ich mir über mein
neues Kleid von rotem Damast. Das gab einen bösen
Schaden. Das schöne Schiff aber ging in tausend Stücke.
Darüber erhob sich ein großes Gelächter. Es war jedoch
ganz ohne meine Schuld geschehen, denn ich war noch
völlig nüchtern. Später, als ich wirklich einen Rausch
hatte, stand ich viel fester und bin kein einziges Mal
zu Fall gekommen.

Der Herr Fugger hat I. F. Gn. auch in seinem Hause
herumgeführt. Das ist ein so gewaltig großes Gebäude gewesen, daß der römische Kaiser mit seinem ganzen Hof-
staate darin Platz gehabt hat, wenn in Augsburg Reichstag*) abgehalten wurde. Herr Fugger führte meinen Herrn
auch in ein Türmlein. Darin hat er ihm einen Schatz von
Ketten, Kleinodien und Edelgestein gezeigt, auch seltsame
Münzen und Goldklumpen, so groß wie ein Kopf. Er selbst
hat all das auf eine Million Goldes angeschlagen.

Einen Kasten hat er aufgeschlossen, der war bis
an den Rand mit lauter Dukaten und Kronen gefüllt, wohl
an die 200 000 Gulden! Die wollte er dem Könige von
Spanien auf Wechsel leihen. Darauf führte er I. F. Gn.
auf dasselbige Türmlein. Und siehe da, es war von der
Spitze bis herab auf die halbe Höhe mit lauter guten
Talern gedeckt. Er sagte, es seien ungefähr 27 000 Taler.
Hiermit hat er I. F. Gn. viel Ehre erwiesen, zugleich aber
auch seine Macht und sein fürstliches Vermögen gezeigt.

Es hieß, der Herr Fugger hätte so viel Geld, daß
er ein ganzes Kaiserreich bezahlen könnte. Um eben

---

*) Einen solchen Reichstag schildert höchst anschaulich unser
Sastrow im 14. bis 16. Kapitel seines Werkes.

jene Zeit verheiratete er seine Tochter an einen Grafen. Die bekam als Morgengabe außer dem Schmuck 200 000 Taler. Das nenn' ich noch einen Brautschatz!

Inzwischen war auch in unserer Herberge allerhand draufgegangen, so daß I. F. Gn. dem Wirte über 1300 Taler schuldig waren. Obgleich ich ihm nun bereits 250 Taler gegeben hatte, wollte er jetzt endlich sein ganzes Geld haben. Aber I. F. Gn. hatten nur wenig. So schickte mich der Herzog zum Herrn Fugger und ließ, ihn um 4000 Gulden bitten. Der aber schlug I. F. Gn. diese Bitte aus verschiedenen Gründen ab, besonders aber weil er dem Könige von Spanien eine größere Summe schuldig war.

Andern Tags aber schickte er seinen Hofmeister und ließ I. F. Gn. 200 Gulden und einen schönen Becher im Wert von 80 Talern verehren, dazu ein Roß mit schwarzer Samtdecke. I. F. Gn. haben die Dinge in aller Freundschaft und mit großem Dank entgegengenommen. Da nun der Anschlag beim Fugger mißlungen war, schickten I. F. Gn. mich zu den Herren vom Rat und ließen dieselben um eine Anleihe von 4000 Talern bitten. Wie ich nun in die Ratsversammlung komme, finde ich da zwölf alte, tapfere Männer, darunter zwei Grafen und drei Freiherren. Und obwohl ich noch jung und recht blöde war, faßte ich mir doch ein Herz und brachte mein Gesuch vor, so gut ich's konnte. Darauf ließen sie mich abtreten. Zwei Stunden mußte ich im Vorzimmer warten. Hernach kamen vier Ratsherren zu mir heraus und hielten eine längere Rede, in der sie meine Geschicklichkeit und Wohlredenheit lobten und schließlich dahin kamen, sie wollten I. F. Gn. 1000 goldene Taler auf dero Revers auszahlen lassen und ihnen dieselben zinslos auf ein Jahr vorstrecken. Er möge das Geld nur folgenden Tages im Rentamte erheben. Auch wollten sie daneben I. F. Gn.

Hans v. Schweinichen   5

einen Gaul verehren, so gut er zu haben sei. Dafür hab'
ich mich dann im Namen I. F. Gn. höflichst bedankt. Der
Herzog war über die gute Zeitung sehr erfreut. Weil
aber auch das nicht ausreichen wollte, mußte ein Tisch
mit Silbergerät für 800 Gulden zu einem Kaufmann wan-
dern; er war aber über 1200 Gulden wert gewesen.

Darauf wurden dem Wirt die 1000 Gulden vom Rat
gegeben, den Rest borgte er I. F. Gn. zwei Monate lang
auf I. F. Gn. Revers. Wie aber der Herzog merkte, daß
der Wirt im Borgen so gutwillig war, beschloß er, vor
der Abreise noch ein Bankett zu veranstalten. Ich bekam
den Befehl, das Mahl aufs stattlichste auszurichten. Das
geschah denn auch. Sechs Ratsherren wurden eingeladen,
darunter ein Graf, ein Freiherr und zwei Fugger.
Da ist's recht lustig zugegangen.

6. Kapitel
Die Kampagne in Frankreich

Auf einer Reise ins Bayrische waren I. F. Gn. in das Kloster Zwiefalten gekommen und daselbst von dem Herrn Abt gar freundlich aufgenommen. Denn es war eine fürstliche Abtei. I. F. Gn. blieben allda fünf Tage und wurden vom Abt vortrefflich bewirtet. Siehe, da kommt mit der Post aus Heidelberg ein Hauptmann von den Landsknechten und bringt I. F. Gn. ein Schreiben mit dem Ersuchen, sie möchten dahin kommen. Dazu mußte der Herr Abt I. F. Gn. 50 Taler vorstrecken, alsdann ging's auf die Reise nach Heidelberg. Derweil sollte ich mit dem Gesinde im Kloster liegen bleiben und hab' es mir wohl sein lassen.

Eines Tages kommt der Herr Abt zu mir mit der Nachricht, daß I. F. Gn. eine kriegerische Bestallung bei den Hugenotten angenommen hätten; diese Rüstung aber sei wider die katholische Religion gerichtet. Verhielte sich das also, so stünde es ihm nicht länger zu, uns im Kloster zu beherbergen. Wir sollten uns nur dahin begeben, wo unser Herr sei. Die 50 Taler wolle er mir gern verehrt haben. Ich tat nun alles mögliche, I. F. Gn. zu entschuldigen. Der Herr Abt wollte es sich aber nicht ausreden lassen und war nur mit Mühe dahin zu bringen, daß er die Sache noch ein paar Tage mit ansehen wollte. Mir war bei alledem nicht sehr wohl zu Mute, denn ich hatte keine blasse Ahnung, wo mein Herr steckte, mein Zehrgeld aber näherte sich bedenklich seinem Ende. Drei Tage später aber traf ein reitender Bote aus Heidelberg

5*

ein. Der brachte die Bestätigung, daß I. F. Gn. in französische Dienste treten würden. Ich aber solle ohne Aufenthalt mit dem Gesinde nach Heidelberg aufbrechen. Anbei bekam ich 100 goldene Taler, davon sollte ich dem Abt die geliehenen 50 Taler wiedererstatten und mich bei ihm für seine großen Wohltaten herzlich bedanken. Die Nachricht berührte mich recht schmerzlich. Was half's aber? Man mußte sich in Geduld fassen und gehorchen.

So froh nun auch der Herr Abt darüber war, daß er sein Geld wiederbekam und daß wir das Kloster verließen, so erbot er sich dennoch hoch und teuer, er wolle mich mit drei Pferden über Jahr und Tag bei sich behalten und mir außer der Zehrung noch 200 Gulden verehren, wenn ich nur nicht gegen Frankreich und die Papisten kämpfen würde. Was war aber dabei zu tun?

Wie ich nun gen Heidelberg komme, da sind I. F. Gn. schon mit dem Pfalzgrafen nach Frankreich aufgebrochen und über alle Berge. Ich finde einen Brief und 20 Gulden vor mit dem Befehl, I. F. Gn. alsbald nachzuziehen in der Richtung auf Saarbrücken an der Lothringer Grenze. Der Kurfürst ließ mir einen Berittenen mitgeben. Denn auf allen Wegen rückte das Kriegsvolk herbei, und es war recht unsicher zu reisen. Geld hätte man ja freilich nicht bei mir gefunden, aber gute Pferde und Pässe.

Zu Annis, im Lager, bin ich dann als Kammerjunker in den Dienst des Herrn Pfalzgrafen Johann Kasimir eingetreten, was I. F. Gn. nur sehr ungern und auf starkes Bitten des Pfalzgrafen zugegeben haben. Mein Glück schien zu blühen. Schon meinte ich auf dem Wege zu sein, ein reicher Mann zu werden. Eben waren 9000 dänische Pferde eingetroffen, die hab' ich an der Seite des Pfalzgrafen gemustert. Meine Bekannten aus Schlesien machten große Augen, als sie sahen, wie ich bei der Fahnenmusterung allemal an der Seite des pfalzgräflichen

Kommissars dem Herrn Fähnrich die Fahne überreichen mußte. Das wurde allseitig als eine hohe Ehre angesehen.

Einige Tage später baten I. F. Gn. Herzog Heinrich mich beim Pfalzgrafen Johann Kasimir los, damit sie mich nach Nancy an den Herzog von Lothringen schicken könnten. Es wurde nämlich dort eben Hochzeit gefeiert zwischen Herzog Erich von Braunschweig und der Tochter des Herzogs von Lothringen. Das Fräulein hatte einen silbernen Fuß; ich hab' ihn selbst beim Goldschmied gesehen, der ihn für die Hochzeit angefertigt hatte. Ich aber sollte Herzog Erich von Braunschweig im Namen meines Herrn um ein Pferd ansprechen. Ebenso hatte ich Befehl, den Grafen von Salm für den bevorstehenden Zug um ein Pferd zu ersuchen. Ich richtete meinen Auftrag denn auch auf das beste aus. Aber die Antwort klang recht kläglich. Der Herzog meinte, er hielte jetzt Hochzeit und hätte alle seine Pferde in eigener Sache nötig, auch gäbe er als Päpstlicher keine Pferde an einen lutherischen Ketzer, der die katholische Lehre ausrotten wolle. Der Graf aber sagte höhnisch, der Herzog von Liegnitz sei ja behilflich, seine Bauern um Haus und Hof zu bringen. Daher habe er ganz und gar keine Lust, ihm ein Roß zu geben, sondern wolle ihm lieber was ganz anderes besorgen; er werde das seinerzeit schon merken! Diese spitzige Antwort verdroß den Pfalzgrafen derartig, daß er beim Aufbruch ein Dorf in Brand setzen ließ, welches dem Grafen von Salm gehörte. Das hätte dieser mit einem freundlichen Worte oder durch einen geschenkten Gaul vermeiden können. Man fürchtete inzwischen allerhand Anschläge von seiten der Katholischen. Allein diese wagten sich nicht an den Pfalzgrafen heran, der ihnen schon zu stark erschien. Wie der Herr Pfalzgraf aber die bösen Schliche seiner lothringischen Gegner bemerkte, tat er ihnen allerhand Schaden an. Überall, wo sein

Kriegsvolk lag, wurden beim Aufbruch frühmorgens die
Quartiere in Brand gesteckt. So konnte man täglich beim
Weitermarsche zehn bis zwölf blühende Dörfer brennen
sehen. Es mußte einem von Herzen jammern um das
schön angebaute Land, das also zugrunde ging. Nur die
Mühlen und Herrenhöfe wurden verschont.

Im Weitermarsch blieb man nahe bei der Stadt Metz
liegen. Der Pfalzgraf wollte gern wissen, was er sich
von dieser Stadt zu versehen habe. Denn der Weg ging
entweder quer durch die Stadt oder draußen an der Mauer
entlang. Auch sollten eben hier die schweizerischen
Schützen und Landsknechte zu I. F. Gn. stoßen. Indessen
kommt die Erlaubnis von der Stadt Metz, auf der Straße
außerhalb der Tore vorbeizumarschieren. Während nun
alle anderen lothringischen Städte mit Geld und Tuch,
sowie mit Schuhwaren gebrandschatzt waren, mußten
I. F. Gn. mit dieser Stadt auch ohne dies vorliebnehmen.
Denn erstlich ist Metz[1]) an sich eine mächtige Stadt.
Außerdem aber ist der König von Frankreich ihr Schutz-
herr. So hielt sie sich neutral und gewährte den Vorbei-
marsch. Hier trafen denn auch die Knechte aus der
Schweiz ein. War das eine Pracht! Ihre Rüstungen und
Gewehre waren vergoldet, ihre übrigen Waffen aber mit
Silber beschlagen. Auch waren sie zum Verwundern ge-
putzt und ausstaffiert.

Ebendort bekamen I. Kurf. Gn. die Nachricht, der
König von Frankreich sei aufgebrochen und ziehe ihm
mit 80 000 Mann entgegen, um ihn aus dem Lande zu
treiben. Frankreich aber galt als ein unüberwindliches

---

[1]) Es bleibt ein ewiger Schandfleck des Kurfürsten Moriz
und der mit ihm verbündeten protestantischen Fürsten, daß sie 1552
die drei lothringischen Städte Metz, Toul und Verdun gegen eine
größere Subsidiensumme an Frankreich abgetreten haben. Das
übrige Lothringen folgte bekanntlich erst 1766.

Königreich.[1]) So überlegte sich der Pfalzgraf die Sache weiter und kam mit dem Prinzen von Condé und anderen französischen Herren darin überein, daß man einen Nachschub brauche. Da es aber an Kriegsobersten mangelte, die das Geschäft hätten übernehmen können, verfielen die Herren, insonderheit der Prinz von Condé, auf Herzog Heinrich. Der solle ihnen 3000 Pferde und 4000 Knechte nachführen. I. F. Gn. haben das Angebot mit beiden Händen ergriffen. So wurde I. F. Gn. eine Bestallung ausgestellt. Das dazu gehörige Wartegeld sollten I.F.Gn. bei einem Doktor zu Frankfurt alle Monate abfordern. Wer war froher als der Herzog?

Einer aber erschrak sehr darüber und suchte die Sache nach Kräften zu hintertreiben: das war ich. Mir konnte nur Schaden daraus erwachsen. Denn sobald als I. F. Gn. im Besitze ihrer Bestallung waren, gingen sie zum Pfalzgrafen und forderten mich zurück, weil ich I. Pfalzgr. Gn. nur geliehen sei. Trotz inständiger Bitten und Fürsprache mußte ich in Herzog Heinrichs Dienste zurücktreten.

Auf dem Marsch durch das Elsaß kamen wir vier Meilen von Straßburg an ein gar hohes Gebirge, das man überschreiten muß. Daselbst ist's zu Wagen nicht ganz ungefährlich zu reisen. Denn der Gebirgspfad ist so schmal,[2]) daß man nur einer hinter dem andern reiten kann. Zur Seite aber fällt das Tal so jählings ab, daß es ein wahrer Graus ist, hinunterzusehen. Unser Weg über den Berg dauerte gute sechs Stunden. Wie wir

---

[1]) Es war ein altes Dogma, daß Frankreich nicht ohne große Heere erobert werden könne. Dieser lähmende Gedanke hat noch die deutschen Truppen in den Revolutionskriegen beherrscht. Ja, er wirkte auch 1814 nach, und nur Blüchers kühnes Vorgehen hat ihn zeitweilig mit Erfolg durchbrochen.

[2]) Gemeint ist wahrscheinlich die Zaberner Steige in den Vogesen.

aber fast hinüber sind und das Tal dicht vor uns haben, da sehe ich, daß unten in der Ebene ein Fähnlein Reiter hält. Auf die mußten wir im Weitermarsche stoßen. Da gab's kein Ausweichen. War auch nicht zu erkennen, wer sie seien. Ich ritt vorne weg. An Umkehr war nicht zu denken. So schrei' ich denn zurück und melde I. F. Gn., was ich gesehen habe. Nicht lange, so kommen I. F. Gn. herangesprengt, das Antlitz mit Schweiß bedeckt, und fragen, was denn los sei? Sieh, da rücken die Leute im Tal in Ordnung zusammen, es waren an die 500, bleiben aber ganz still halten. Die Sache wurde immer ängstlicher. Waren es Französische, so handelte es sich offenbar um einen Überfall im Auftrage des Königs von Frankreich.

Jetzt bat ich I. F. Gn. um einen Trompeter und sechs Mann. Mit diesen wollte ich schon herausbringen, wen wir da eigentlich vor uns hätten. Leute, die sonst das große Wort führten, drückten sich jetzt. Schließlich nehme ich fünf Berittene mit und lasse den Trompeter blasen. Was geschah? Auch von der Gegenseite setzen sich sechs Berittene mit einem Trompeter in Gang. Im Hin-, und Herreden erkenne ich einen vom Hofe des Herzogs von Bayern, der mein Duzbruder war. Den ruf' ich an: „He, Bruder, kommen wir beide hier zusammen?" Auf dies gaben die andern freundlich Bescheid. Es war Herzog Wilhelm von Bayern, der die königliche Witwe aus Frankreich heimführte und ebenfalls nach Straßburg wollte. So kam's heraus, daß der Herzog von Bayern sich ebenso sehr vor uns entsetzt hatte, wie wir vor ihm. I. F. Gn. werden jetzt zur Aufwartung vor die Frau Königin gefordert; das war ihnen weit lieber, als eine tüchtige Rauferei. Abends gab's auf den Schreck eine fidele Kneiperei.

Über Frankfurt sind wir auf Mainz gezogen. Von

hier haben sich I. F. Gn. aufgemacht und sind mit Roß und Wagen auf drei Schiffe gegangen, fuhren alsdann auf dem Rhein bis nach Köln. Auf I. F. Gn. Schiff waren acht Trompeter und eine Kesseltrommel. Die sind tagsüber nicht viel still gewesen. Denn es war gar lustig zu fahren auf dem Rhein. Die schönsten Städte und Schlösser sind daran gelegen, dazu wohlgebaute Dörfer. Am Rheinfels blieben I. F. Gn. über Nacht und ließen die Schiffe liegen, um einen Abstecher zum Pfalzgrafen von Simmern zu machen. Hier waren I. F. Gn. gezwungen, den Pfalzgrafen in eigener Person um Geld anzusprechen. I. F. Gn. erhielten jedoch keine Antwort. Ich aber wurde zum Herrn Pfalzgrafen entboten. Der begann also: „Ich würde Eurem Herrn ja gern behilflich sein, aber ich fürchte, ich bekomme mein Geld nie wieder zu sehen. Auch möchte ich wohl wissen, ob wirklich kein Geld im Kasten ist." Ich mußte bestätigen, daß in der Tat nicht mehr als zwei Taler vorhanden waren. Darauf haben I. F. Gn. mir 100 Taler für meinen Herrn verehrt. Der Herzog war darüber sehr lustig. Aber die 100 Taler waren verschwunden, noch ehe wir Köln erreichten. Am 20. Februar 1576 sind I. F. Gn. in Köln angekommen, mit großer Pracht und unter Trompetengeschmetter. Das Wetter ist so lieblich gewesen, wie es in Schlesien um Pfingsten zu sein pflegt. Deshalb gab's einen großen Volksauflauf, als wir die Schiffe verließen. Man meinte nicht anders, als daß wir schwer reiche Leute wären und Geld und Gut in Fülle hätten. Ich weiß aber nur zu wohl, daß wir nur anderthalb Taler im Beutel hatten, und dabei waren wir noch das Geld für zwei Nachtlager schuldig geblieben. Wir besaßen nicht einmal genug, um die Leute abzulohnen, die unser Gepäck vom Schiff ins Quartier getragen hatten.

7. Kapite
Zu Köln am Rhein

Unser Wirt hat uns am ersten Abend gut gespeist und getränkt. Wie ich aber am nächsten Morgen mit ihm abrechnen will, stellt es sich heraus, daß I. F. Gn. an dem einen Abend 81 Taler verzehrt hatten. Ich gehe zu I. F. Gn. und ermahne sie, frage auch, was das wohl für einen Ausgang nehmen solle. Der Herzog aber meinte unwirsch: „Laß nur noch zwei Tage verstreichen, dann bin ich hier bekannt und bekomme Geld genug." Alsbald mache ich mit dem Wirt ein Gedinge, und wir werden dahin einig, daß jede Person, die beim Herzog am Tische äße, einen Taler zu geben hätte, die übrigen Edelleute einen halben Taler und jeder Knecht neun Weißgroschen. Dafür solle der Wirt nicht bloß gute Speisen verabreichen, sondern auch Wein, soviel jeder wollte. Alle Extraausgaben müßten für sich gebucht werden. Für ein Maß Hafer sei ein Taler zu zahlen und für Rauhfutter[1]) fünf Weißgroschen pro Pferd. Alle Sonnabend aber solle der Wirt seine Rechnung vorlegen.

Am folgenden Sonntag haben I. F. Gn. dem Rate der Stadt Köln seine Aufwartung machen lassen. Als Ehrengabe schickte der Rat 30 tönerne Krüge mit Wein, davon jeder drei Quart faßte. Damit hatte es folgende Bewandtnis. Ehedem war der Ehrentrunk in silbernen Flaschen überreicht worden. Aber einmal ist's vorgekommen, daß ein Graf von Arberg die Sendung mit Dank angenommen

---

[1]) Rauhfutter ist nach Grimms Wörterbuch eine Mischung aus Heu und Stroh.

und die Silberflaschen mit fortgeführt hat. Er soll dazu
gesagt haben, daß er die Flaschen samt dem Wein als
Geschenk genommen hätte. Seitdem ist man vorsichtiger
geworden.

Als nach acht Tagen die erste Rechnung kam, mußte
ich den Wirt zur Geduld ermahnen. Indessen lebte man
weiter mit Trompetenschall, als ob man ein großer König
wäre, und es gab ein mächtiges Gefresse und Gesaufe.
Wieder erscheint der Wirt mit der Rechnung. Ich gebe
meine allerschönsten Worte. Aber da war nichts zu
machen, er wollte sein Geld haben.

Als sich nun I. F. Gn. keinen Rat wußten, wandten
sie sich an die Rittmeister, die von Frankfurt gekommen
waren, und fragten, was zu tun sei. Die Herren aber rieten
I. F. Gn., sie sollten an den Rat der Stadt Köln schicken
und ihn um 10 000 Taler ansprechen. Mir wurde dieser
heikle Auftrag zuteil, zusammen mit einigen Offizieren.
Darauf lassen wir uns beim obersten Hofmeister des Rats
anmelden: wir bäten einen hochberühmten Rat um eine
Audienz. Wir werden auf den folgenden Morgen bestellt.

Früh um sechs Uhr fanden wir uns auf dem Rathause ein und wurden alsbald vorgelassen. Allda sahen
wir in einem geräumigen Zimmer, das mit schönen Tapeten behangen war, die drei Bürgermeister und Obersten
der Stadt in einer Reihe nebeneinander sitzen. Ihre Sessel
standen drei Stufen höher, gerade wie man es bei der
Königlichen Majestät findet. Und auf jeder Seite, weiter
unten, saßen acht feine, ansehnliche, alte Leute. Und
hinter diesen wieder waren zwölf Trabanten aufgestellt,
schön gekleidet und mit Seitengewehren und Hellebarden
bewaffnet. Wie ich sie da so würdig sitzen sah, ent-
sank mir doch fast der Mut. Denn ich mußte meine
Sache mündlich ausrichten. Jetzt erhoben sich die drei
Bürgermeister von ihren Sesseln und gingen zwei Stufen

hinunter, um uns zu empfangen. Nachher setzten sie sich
wieder hin. Auch für uns wurden Sessel herbeigeholt,
und die Trabanten mußten abtreten. Nun war der Augenblick gekommen, wo ich wohl oder übel meine Sache
vorbringen mußte.

Nachdem ich von meines Herrn Reise und Bestallung
zum Kriege in Frankreich gesprochen hatte, hieß es weiter:
„Dieser Kriegszug ist der ganzen Christenheit, vornehmlich aber diesen niederländischen Provinzen und der löblichen, hochberühmten kaiserlichen Reichshauptstadt Köln
zur Beschirmung und zum Besten geschehen. Gilt es
doch, die Macht des Königs von Spanien zu schwächen,
so daß es ihm nicht möglich ist, der Stadt Köln einen
Schaden zuzufügen, wie er es längst beabsichtigt. Die
hochberühmte Stadt Köln hat aber auch einen hohen,
großen Nutzen und Gewinn davon, daß I. Kurf. Gn. zu
Heidelberg den Rheinstrom noch offen und rein halten,
so daß die Schiffe hinauf- und herabfahren können, nicht
bloß bis hierher, sondern auch weiter abwärts nach Fries-
land und Seeland. Endlich geschieht es der löblichen
Stadt Köln auch zu nicht geringem Nutzen, daß I. F. Gn.
in ihren Mauern liegen. Es ist nämlich überall bekannt,
daß I. F. Gn. sich nicht bloß für sich allein zum Kriege
rüsten, sondern auch Knechte und Reiter anwerben lassen.
So wird niemand sich unterfangen, die Stadt zu überfallen, wie es wohl schon geschehen ist in diesen Landen.“
Aus alten Geschichten wüßten I. F. Gn. aber gut genug,
wie die hochlöbliche Stadt Köln sich zu allen Zeiten ihren
Freunden gegenüber dankbar erwiesen habe. I. F. Gn. er-
hofften dasselbe für sich. „In der Not erkennt man gute
Freunde“, so laute ein altes, wahres Sprichwort. I. F. Gn.
wüßten aber in diesem Augenblick keine bessere Zuflucht
als bei einem Wohlgeborenen löblichen Rat der Kaiserlichen Reichsstadt Köln.

Nun folgte die Bitte um 10 000 Taler mit dem Versprechen, sie binnen drei Monaten zurückzuzahlen.

Danach ist ein alter, grauer Mann, ein Syndikus, aufgestanden und hat uns nach umständlicher Anrede ersucht, abzutreten. Nach drei Stunden sind wir wieder hineingebeten. In der Zwischenzeit hatten I. F. Gn. verschiedene Male bei mir anfragen lassen, ob ich noch nichts ausgerichtet hätte. Bei unserem Wiedererscheinen war auch die Wache mit aufmarschiert, was mir recht seltsam vorkam. Der Rat beschied uns aber ganz kurz, I. F. Gn. sollten in wenigen Tagen schriftliche Antwort erhalten.

Vier Tage verstrichen ohne Antwort. Ich werde zu einem mir wohlbekannten Bürgermeister geschickt. Aber, obwohl ein tüchtiger Trunk getan wurde, konnte ich ihm dennoch kein Wort entlocken. Der Wirt wurde immer dringlicher. Zwei neue Tage verstreichen. Siehe, da erscheinen drei alte Leute, die haben einen vor sich hergehen, der war rot und weiß gekleidet und hatte einen großen Pergamentbrief in der Hand mit einem Insiegel der Stadt Köln darauf. Den hielt er hoch in der Hand. Sie kommen in unser Quartier und lassen mich vor sich fordern. Ich sollte sie bei I. F. Gn. anmelden. Wie I. F. Gn. solches vernehmen, werden sie frohen Muts und sagen: „Hans, nun werden wir Geld bekommen, sei unbesorgt, es wird so geschehen!" Die Gesandten werden vor I. F. Gn. geführt und halten eine lange Rede. Dabei wiederholen sie meine Worte und loben ihren zierlichen Vortrag. Schließlich übergeben sie das Schreiben des Rates. Im Lesen finden I. F. Gn. darin nach langerzählten Ursachen und Entschuldigungen eine gänzliche Absage. Zuletzt folgt die Bitte, I. F. Gn. möchten von den Gesandten ein Präsent von 200 Reichsgulden annehmen. I. F. Gn. ließen durch mich Dank sagen und die Hoffnung aus-

sprechen, ein hochwohllöblicher Rat wolle zum wenigsten zu der halben Summe seine Zustimmung geben. Des Rates Abgesandte ließen sich aber auf keine Weiterungen ein. Auch auf verschiedene mündliche und schriftliche Vorstellungen von I. F. Gn. bekommen wir keinen anderen Bescheid. Ebenso war bei den Kaufleuten kein Geld aufzutreiben und noch weniger bei den Grafen und Herren der Umgegend.

Während aber mein Herr zu Köln lag, in großer Hoffnung, Geld aufzubringen und durch den französischen Zug reich zu werden, ward Herzog Friedrich IV. von der Römischen Kaiserlichen Majestät am 17. April 1576 zu Liegnitz bis auf weiteres zum regierenden Fürsten eingesetzt. Dadurch wurden also I. F. Gn., mein Herr, seines Fürstentums beraubt. Jetzt aber waren die Schulden beim Kölner Wirt bis auf 2354 Taler gewachsen. Darauf erbittet der Wirt ein Bekenntnis dieser Abrechnung mit I. F. Gn. Unterschrift. Das erfolgt auch. Aber der Wirt hinterging I. F. Gn. und mich. Mit dieser Abrechnung und dem fürstlichen Bekenntnis in Händen geht er zum Kurfürstl. Hofgericht in Köln. Alsbald wird auf die Pferde und Wagen Beschlag gelegt. Schon am folgenden Morgen erscheint auf Anhalten des Wirtes um sieben Uhr eine Person, in rot und weiß gekleidet, mit einem langen, rotgefärbten Dorn in der Hand, als Abzeichen der Justiz. Der zeigt an, die Kurfürstl. hohen Obergerichte legten hiermit Beschlag auf des Fürsten zu Liegnitz Hab und Gut, soweit es in diesem Augenblick in der Stadt Köln vorhanden sei. Falls der Wirt binnen acht Tagen nicht bezahlt wäre, würde alles Vorhandene abgeschätzt und verkauft werden. Darüber erschraken I. F. Gn. nicht wenig. Guter Rat war teuer, denn der Wirt wollte in keiner Weise mit sich reden lassen.

Ich mußte alsbald zum Hofgericht gehen, welches zu

jener Zeit im Dom abgehalten wurde. Hier sollte ich die Richter darum ersuchen, den Arrest aufzuheben, in erster Linie aus dem Grunde, weil I. F. Gn. ein Reichsfürst seien und dergleichen Gerichten mit seinem Hofstaat nicht unterständen. Außerdem wären I. F. Gn. in reichskurfürstlichen Diensten. I. F. Gn. könnten sich daher diesem Gerichte in keiner Weise unterwerfen, sondern protestierten dagegen mit Berufung auf das Reichskammergericht zu Speier. Die Gerichte aber gaben zur Antwort, sie seien derartig privilegiert, daß sie sogar des römischen Kaisers Hab und Gut arrestieren könnten. I. F. Gn. Person und Dienerschaft dagegen solle frei und unangetastet sein. Ihre Pflicht sei es, jedermann zu seinem Rechte zu verhelfen. Könnten I. F. Gn. indessen bei dem Herrn Kurfürsten einen Gegenbefehl erwirken, so würden die Gerichte gern darauf Rücksicht nehmen. So wurde ich denn in den Lustgarten[2]) des Kurfürsten geschickt, der zwei Meilen von Köln gelegen ist. Wie ich dahin kam, war der Kurfürst auf der Jagd. Es war aber ein Graf von Demgen am Hofe, der mir wohlbekannt war und dabei in hohem Ansehen beim Kurfürsten stand. Dem berichtete ich die Angelegenheit, und er versprach mir, die Sache tunlichst zu befördern. Noch vor dem Abendessen erhielt ich eine Audienz bei I. Kurf. Gn. Der Kurfürst versprach zu tun, was er verantworten könne, und lud mich zur Tafel im Garten ein, was ich gern annahm. I. Kurf. Gn. waren lustig und hatten die schönsten Jungfrauen zum Tanz dahin bestellt.

Über Tisch wurde stark getrunken. Nachher beschieden I. Kurf. Gn. mich zu sich und meinten, so gern sie etwas in der Sache tun würden, stünden sie den Gerichten gegen-

---

[2]) Offenbar ist Brühl gemeint, wo der Erzbischof von Köln ein Jagdschloß hatte.

über machtlos da, weil diese auf ihren Eid Recht sprächen. Übrigens liege eigentlich durchaus kein Grund für ihn vor, I. F. Gn. große Freundschaft zu erweisen. Denn erstlich seien I. F. Gn. ein Ketzer, und zum andern bekämpften sie die katholische Religion.

Obgleich diese Antwort meinem Herrn wenig Hoffnung bot, luden mich I. Kurf. Gn. zum Dableiben ein. Das tat ich und war an jenem Abend recht lustig und guter Dinge, tanzte und ließ mich nichts anfechten. Am nächsten Morgen war keine Audienz weiter zu erlangen.

I. F. Gn. waren über diesen Ausgang in großem Kummer und gingen alsbald mit drei Dienern zu Wasser zum Herzog von Cleve. Inzwischen sollte ich bei dem Gesinde bleiben. Derweil waren aber die acht Tage verstrichen. Alsbald kamen die Gerichte und wollten alles untersuchen. So geschah es denn auch. Alle Truhen wurden aufgeschlossen und nur die Briefe ungelesen herausgegeben. Danach wollten sie auch die Pferde abschätzen. Nach Landesbrauch werden die Tiere dabei an die Staupsäule[*]) gebunden und hier abgeschätzt. Das wollte ich aber um keinen Preis zugeben. Ich trat vor die Tür und erklärte laut, ich würde den niederschießen, der das erste Pferd aus dem Stall zöge. Mit guten und harten Worten brachte ich es denn auch zuwege, daß die Pferde im Stalle und nicht am Pranger abgeschätzt wurden. Die Rosse und Kutschen allein kamen höher zu stehen, als die ganze Schuldsumme betrug. Bis aber die Sache gerichtlich ausgetragen war, mußte der Wirt Gesinde und Pferde unterhalten.

---

[*]) Der Pranger oder die Staupsäule befand sich in der Nähe des Rathauses und wurde zu Ehrenstrafen des Prangerstehens oder zum Staupen mit Ruten verwandt. Es ist also wohl verständlich, daß Schweinichen die herzoglichen Pferde nicht an diesem Schandpfahl abgeschätzt sehen wollte.

Zu der Zeit, da wir noch in vollem Flor lebten, hat sich folgendes Stückchen zugetragen. Nicht weit von unserm Quartier war ein Nonnenkloster mit Namen St. Marien. Die Bewohnerinnen waren lauter Gräfinnen oder Damen von niederem Adel. Nach der Kirche pflegten sie ihr Klostergewand abzulegen und trugen sich weltlich. Von Zeit zu Zeit hat auch eine von ihnen geheiratet. In dies Kloster hab' ich Zutritt erhalten und daselbst häufig verkehrt. I. F. Gn. wären nun gar zu gern selbst bei den Nönnchen zu Gaste gekommen. Wie war das einzurichten? Ich mußte der Frau Äbtissin einen Mummenschanz ansagen. Die war's gern zufrieden. Darauf ließen I. F. Gn. aus Taft eine Mummerei anfertigen, die Männer in italienischer Tracht und die Jungfrauen spanisch. Zu drei Paaren sind wir auf den Abend hoch zu Roß nach dem Kloster gezogen, mit prächtiger Musik. Ein jeder von uns hatte aber eine spanische Jungfrau hinter sich sitzen. Meine Dame war der Herzog selber. Wie ich nun nahe an die Nonnen geritten kam, die uns mit der Äbtissin entgegengegangen waren, da wollte ich meinen Gaul gern einen schönen Sprung machen lassen. Aber o weh! Dabei werfe ich die spanische Jungfrau, d. h. den Herzog, der hinter mir aufsaß, mit all seinem Geschmeide in eine Pfütze, so daß I. F. Gn. aussahen wie ein Eber in seiner Bucht. Als I. F. Gn. sich gesäubert hatten, kamen wir wieder und sind den Abend mit den Nonnen recht lustig und guter Dinge gewesen, haben auch tüchtig getanzt und getrunken.

Damals ist eine große Pestilenz in der Stadt Köln gewesen; fast in allen Häusern sind die Leute gestorben, unserm Wirt allein zehn Personen, teils Kinder, teils Gesinde. Ich habe aber wenig danach gefragt und keine Furcht gehabt, sondern meine Seele Gott befohlen, in dem festen Vertrauen, daß es mir sicherlich nicht be-

Hans v. Schweinichen   6

stimmt sei, hier zu sterben. Dennoch war ich so vorsichtig, des Morgens, sobald ich aufstand, etwas Weinessig mit geröstetem Brot zu genießen. Bald danach pflegte ich alsdann einen tüchtigen Rausch daraufzusetzen. So hat der Herr mich und das ganze Gesinde des Herzogs behütet, und nicht eine einzige Person ist ums Leben gekommen. Nur einmal war ich in großer Gefahr, krank zu werden. Mit mir im Quartier lag nämlich ein Junker von Barleben. Der hatte sich eines Abends ein junges Frauenzimmer auf den Kirchhof bestellt, der an unserem Hause lag. Denn dort gab's versteckte Plätze genug. Nun hatten am selbigen Tage die Mönche eine große Grube gemacht. Da hinein warfen sie die Toten, welche tagsüber an der Pestilenz gestorben waren. Oben drauf legten sie etwas Gestrüpp. Am Abend aber kommt unser Barleben mit seiner Liebsten und fällt ahnungslos mit ihr in die Grube zu den Toten. Und er hätte bis zum nächsten Morgen dableiben müssen, wenn die Mönche nicht ihre Leiter da unten liegen gelassen hätten. Wie der Junker aber herausgekrochen ist, kommt er geradeswegs in unser Quartier und legt sich zu mir ins Bett. Des Morgens erzählt er, wie es ihm ergangen sei. Ich erschrak sehr und wurde von solchem Entsetzen gepackt, daß mich ein kalter Frost schüttelte und ich zwei Tage lang im Bett liegen blieb. Den von Barleben wollte ich um keinen Preis länger bei mir haben. Wie leicht hätte er mir den Tod bringen können!

Zu der Zeit schickten I. F. Gn. den Landsknechtshauptmann Georg Lirche nach Utrecht. Das war ein kahlköpfiger, versoffener Kerl. Aber er hatte daselbst einen Kaufmann zum Freunde, der I. F. Gn. eine Summe Geldes zu leihen angeboten hatte. Wie Lirche nun mit einem untersiegelten fürstlichen Kredenzschreiben nach Utrecht kommt, will weder der Rat noch sein Freund,

der Kaufmann, es glauben, daß sein Brief echt sei, weil ihnen das Siegel viel zu klein vorkam. Auch war Lirche für seine Person an dem Orte verschuldet. So nehmen sie ihn beim Kopfe, damit sie von ihm wenigstens ihr Geld bekommen.

Das war für I. F. Gn. ein gefundenes Fressen. Mit einem Beglaubigungsschreiben vom Rat in Köln schickten I. F. Gn. eine Beschwerdeschrift nach Utrecht und beklagten sich bitter über den Schimpf, den man ihm angetan habe. Auch drohen I. F. Gn. mit ihrem Bestallungsschreiben gegen Frankreich und lassen furchtbare Rachepläne durchblicken.

Jetzt fährt der Schreck denen zu Utrecht denn doch in die Glieder. Sie halten sich schon eines Überfalls gewärtig, wie dies in den Niederlanden nicht selten vorkam. Alsbald bitten sie I. F. Gn. demütig um Verzeihung und wollen gern die Hand zum Vergleich bieten, I. F. Gn. sollten nur einen Gesandten schicken.

Das war so recht eine Aufgabe für mich. Die Stadt Utrecht empfängt mich und meinen Begleiter denn auch aufs allerbeste. Am nächsten Morgen beginnen die Verhandlungen. Darauf fordere ich unter Heranziehung vieler Exempel das Vergleichssümmchen von 40000 Kronen. Am nächsten Morgen meinten die Ratsherren, die von uns geforderte Summe sei denn doch etwas hoch gegriffen, das stände in keinem Verhältnis zum Vermögen der Stadt. Wenn ich mit 4000 Kronen zufrieden sei, würden sie nichts dawider haben. Ich wollte zunächst nichts davon wissen und erhärtete meine Forderung mit immer neuen Gründen, fiel aber dann von 40000 auf 30000, von da auf 20000 bis herab auf 10000. Die Stadt aber kam mir nur bis auf 8000 Kronen entgegen, wovon 4000 Kronen sofort und die andere Hälfte nach einem halben Jahre zu bezahlen sein sollte. Schließlich versprach ich, die Sache

6*

bis zum folgenden Morgen in Überlegung zu ziehen. Aber was geschah? In derselben Nacht überfallen die Spanier das Kastell und beschießen die Stadt mit großem Geschütz. Überall herrschte Jammer und Not. Da waren all mein Anschläge zu Wasser geworden. Wir mußten noch Gott danken, daß wir mit heiler Haut und guten Vertröstungen fortkamen. Auch daraus ist aber nachher nichts geworden. Die Stadt hat sich drei Tage später den Spaniern ergeben. Da brauchten sie vorm Herzog von Liegnitz keine Angst mehr zu haben. So geht's aber oft genug: wer sich an einem Kleinen nicht genügen läßt, bekommt auch das Große nicht.

Nachdem also auch dieser Plan mißlungen war, wurden I. F. Gn. Anschläge immer abenteuerlicher. Sie wollten mich von Köln aus nach England schicken. Da sollte ich im Namen meines fürstlichen Herrn um die Hand der Königin Elisabeth werben. Nebenher sollte ich dann versuchen, sie um 50 000 Kronen anzugehen. Nun wäre ich freilich gar zu gern einmal nach England gegangen. Aber derlei Werbungen auszuführen, wobei es sich um die Hand der Königin[4]) handelte, hatte ich denn doch Bedenken. Daher fragte ich I. F. Gn., wie sie denn auf solche Narrheiten geraten wären, wo sie ein ehelich Gemahl zu Hause hätten, was doch der Königin nicht unbekannt sei. Wohin wollten I. F. Gn. denn die Frau Gemahlin tun? Derartige Reden behagten

---

[4]) Die Königin Elisabeth von England war allerdings eine der umworbensten Frauen jener Zeit. Vom Könige Philipp von Spanien bis zum Moskowiterzaren Iwan hatten fast alle Fürstenhäuser einen Bewerber um ihre Hand hinübergesandt. Herzog Heinrichs Berufung auf die Doppelehe des Landgrafen Philipp von Hessen ist allerdings ein sehr schwaches Argument, vergl. darüber die Arbeiten von Rockwell 1904 und Karl Wencks kleine Studie in der oben zitierten Jubiläumsschrift (Sastrow Kap. 13 Anm. 2.

85

I. F. Gn. durchaus nicht, sie meinten: „Du bist ein Narr, hat denn der Landgraf nicht auch zwei Gemahlinnen gehabt?" Meine Gegengründe fruchteten wenig. Aber ich blieb dabei, daß ich die Gesandtschaft nicht auf mich nehmen könnte. Es stünde zu befürchten, daß mir eines Tages das Haupt fehlen würde, um meinen Hut darauf zu setzen. Darüber wurden I. F. Gn. zornig und schmollten ein paar Tage mit mir. Die Reise nach England ist aber unterblieben.

8. Kapitel

Abenteuerliche Kreuz- und Querzüge im Reich

Nachdem wir unter Trompetenschall und in Begleitung von 54 Rossen die gute Stadt Köln verlassen hatten, ging die Reise zunächst rheinaufwärts. Von da sind wir über Marburg nach der Festung Ziegenhain zum Landgrafen Wilhelm[1]) von Hessen gereist. Der schickte uns sechs Pferde als Geleite. Demungeachtet mußten wir zwei Stunden vor dem Tore der Festung warten, ehe I. F. Gn. eingelassen wurden. Und dennoch war der Herzog allem Anscheine nach ein recht gern gesehener Gast. Am Abend sitzen I. F. Gn. mit dem Landgrafen zur Tafel. Landgraf Wilhelm war ein wunderlicher Herr, dazu ein Sterngucker und etwas kurzsichtig. Über Tisch fängt er an und erzählt einen Fall, der ihm vor wenigen Tagen begegnet sei. Es habe nämlich jemand seinen Kammerjunker in der Festung ermordet. Wenn er den zu fassen kriegte, wüßte er schon, wie er mit ihm umspringen werde. Bald darauf fragt der Landgraf meinen Herrn, was für Diener er mit sich führe, und wie sie

---

[1]) Landgraf Wilhelm IV. war der bedeutendste Sohn des Landgrafen Philipp. Dieser hatte durch sein unseliges Teilungsgebot die Macht seines Hauses auf das schwerste geschädigt. Wilhelm war ein musterhafter Regent. Aber auch in der großen Politik spielte er eine nicht unrühmliche Rolle als Vermittler zwischen dem strengen Luthertum und dem reformierten Bekenntnis, dem er selbst angehörte. In der Astronomie, die er vor allem auf dem Zwerehnerturm zu Kassel betrieb, besaß er nicht geringe Kenntnisse.

hießen. Dabei weist er besonders auf mich, der ich I. F. Gn. eben beim Trunk aufwarte, und fragt: „Wie heißt der Lange?" Der Herzog sprach: „Ew. Liebden, das ist ein Schlesier." „Wie heißt er, wie heißt er?" Mein Herr sagt: „Er ist ein Schweinichen." Darauf fing der Landgraf an: „Dann ist er ein guter Mann, ich kenne sein Geschlecht." Bald darauf sagte der Landgraf zu mir: „Das gilt dir, ist's nicht wahr, du bist ein guter Mann?" Wie konnte ich da von mir selbst anders aussagen, als mit „Ja". Darauf sagte der Landgraf: „Solche Leute hab' ich lieb, die geradezu sprechen. Ich habe noch einen anderen Schlesier an meinem Hofe, einen Bock, so werden nun der Bock und die Sau zusammenkommen." Unter solchen Scherzen befiehlt er dem Marschall: „Laß ihm Essen und Trinken genug geben und was er fordern wird." So bekam ich einen gnädigen Herrn und wußte nicht wie. Der Marschall selbst verwunderte sich und sagte, er hätte kaum je gehört, daß der Landgraf sich gegen einen Fremden so redselig gezeigt hätte.

Es dauert aber nicht lange, da fragt der Landgraf von neuem, wer denn der wäre, der gegenüber an der Tafel säße. Es war aber Hans Schramm, der Kanzler, der erst unterwegs aus Schlesien zu I. F. Gn. gestoßen war. Da sagte der Herzog: „Es ist mein Kanzler Hans Schramm." Darauf der Landgraf: „So mag er den letzten Bissen fressen, er muß am Galgen baumeln." I. F. Gn., Schramm und ich erschraken und wußten nicht, was das heißen sollte. Da fing mein Herr an, Schramm sei aus Schlesien und von adligem Geschlecht, es müsse ein Irrtum vorliegen. Darauf gab sich der Landgraf zufrieden und sagte, es sei auch einer mit Namen Schramm gewesen, der ihm den Kammerjunker totgeschlagen hätte. Nun aber sei er beruhigt. Er bat alsdann den Kanzler um

Verzeihung. Der aber wollte hernach nicht mehr bei Hofe erscheinen.

Weil aber der Landgraf große Gnade auf mich geworfen hatte, so mußte ich eines Nachts mit ihm auf den Turm steigen. Da sah er die Sterne an und stellte das Horoskop. Alsdann wiesen I. F. Gn. mir die Sterne: „Das ist der, das ist jener Stern." Ich verstand nichts davon und sagte nur immer „Ja". Dabei ließ er's denn auch bewenden.

Es geschah aber, daß sich zwei starke Bengel vor I. F. Gn. Zimmer bis aufs Blut schlugen. Am andern Morgen wollten I. F. Gn. dem, der angefangen hatte, den Kopf abhauen lassen. Ich fand aber Gnade vor dem Landgrafen, daß ich ihn losbitten konnte. Er wurde freilich des Landes verwiesen. So strenge Justiz hielt er in der Festung.

Einige Monate später kamen wir nach Emmerich. Allda zogen I. F. Gn. in eine für sie bestellte Herberge. Darin waren zwei alte Jungfrauen, welche I. F. Gn. das Haus vermieteten. Nachtlager und Zimmer waren daselbst vortrefflich. I. F. Gn. ließen selbst einkaufen, und es war kein teures Leben. Mit fünf Talern reichte man täglich aus, und dabei hatte man über 50 Personen zu speisen. Allda ist's I. F. Gn. ergangen, wie jetzt folgt:[*]

[*] Die nun folgende Erzählung von dem Hausgeist gehört zu den merkwürdigsten Stellen des ganzen Buches. Man muß wohl annehmen, daß alles Gesehene eine Ausgeburt der weinseligen Träume des Verf. gewesen ist. Jedenfalls enthält der Bericht einen förmlichen Niederschlag von allem, was über Kobolde z. T. noch heute in der Volksüberlieferung vorhanden ist. Jakob Grimm in seiner deutschen Mythologie, S. 367, erblickt in ihnen die alten heidnischen Gottheiten, welche in christlicher Zeit zu bösen Spukgeistern herabgesunken sind. Wuttke, „Deutscher Volksaberglaube", stellt fest, daß sie stets mit einem bestimmten Hause verknüpft sind, Mannhardt in seiner germanischen Mythologie denkt an die Seelen Verstor-

Zwei Tage vor der Ankunft I. F. Gn. hatte ein Geist oder Ungeheuer alle Zimmer rein gewaschen und auch sonst im ganzen Hause aufgeräumt, dabei alle Betten selbst gemacht. Das war mir gleich anfangs gemeldet worden. Es war aber in der dritten Nacht, da erschien dieses Ungetüm vor meinem Bette, welches auf Rollen stand. Es hatte einen Kolben, wie ihn die Narren tragen, und wehrte mir überm Kopf die Fliegen ab. Wie ich erwache und das sehe, entsetze ich mich darüber und will schon schreien. Weil aber I. F. Gn. schliefen, ließ ich's bleiben und befahl mich Gott dem Allmächtigen. Das Ungetüm verläßt mich darauf und tritt grinsend in einen Winkel. Am Morgen sage ich es I. F. Gn., die wollen's mir nicht glauben. Die folgende Nacht habe ich einen Rausch und schlafe fest. Da kommt das Ungetüm zu Heillung, der bei mir im Bette lag. Der schreit: „O hilf mir, du liebe, heilige Maria!" Ich hörte ihn wohl schreien, tat aber, als schliefe ich, und sagte nichts. Das Ungetüm aber kommt jetzt auch auf meine Seite und lacht hell auf. Dann verschwand's, ohne daß man sah, wo es blieb.

Am andern Morgen sage ich es den Jungfrauen, die im Hause wohnten, und bitte sie, das Gespenst doch abzuschaffen. Denn falls das nicht geschähe, so könnte ich nicht dafür einstehen, daß das Ungetüm zu Schaden käme. Da sie das hörten, wurden sie froh, daß ich es gesehen hätte, und sagten, ich müsse ein Glückspilz sein, weil es mir zuerst erschienen sei. Ich solle ihm nichts tun und dafür sorgen, daß ihm kein Leid geschehe. Denn

---

bener und bringt die Hausgeister mit den überirdischen Naturwesen in Feld und Wald in Verbindung. Elard H. Meyer endlich stellt fest, daß dieser Glaube in Dänemark noch heute lebendig ist. Art und Auftreten des Kobolds schildern alle Berichterstatter ganz genau wie unser Schweinichen.

solange es sich sehen ließe, hätten ich und mein Herr Glück. Wie ich solches vernahm, war ich zufrieden.

Wenn nun in der Folge der Koch in der Küche Kessel und andere Dinge unaufgewaschen stehen ließ, dann waren sie allemal am nächsten Morgen auf das schönste gesäubert und gereinigt. Die Jungfern sagten mir, ich solle ihm zu trinken geben. Das tat ich denn auch und hab' ihm gewöhnlich ein Getränk aus Milch oder Bier hingesetzt, das mit Honig und Zucker gemischt war. Gelegentlich ist es dann herangetreten, hat das Getränk zu sich genommen und mit dem Kopfe genickt. Oft hab' ich auch bemerkt, daß es mir, während ich im Bett lag, eins zugetrunken hat. Und solange sich das Gespenst sehen ließ, haben I. F. Gn. und wir alle gutes Glück und Wohlergehen gehabt, und keine Widerwärtigkeit ist uns zugestoßen. Ich habe mich auch, vom ersten Male abgesehen, nie entsetzt. Nur einmal ist es dennoch geschehen, und das war das letzte Mal, wo ich es gesehen habe. An jenem Tage haben I. F. Gn. früh aufstehen wollen, um zu schreiben. Sie rufen mir zu, ich solle Licht schlagen lassen und einen Jungen wecken, welcher ihm morgens die Limonade machte. Nun lagen die Jungen in der Kammer über I. F. Gn. Da hinauf führte eine enge Wendeltreppe aus der Schlafkammer. Wie ich nun mitten auf der Treppe bin, begegnet mir das Ungetüm. Da entsetzte ich mich gewaltig und wußte nicht, womit und wie ich ihm begegnen sollte. Ging aber stracks weiter und berührte es dabei. Da fing es zu lachen an und sprach: „Du kennst dein Glück nicht, du wirst's erfahren, wie es dir ergehen wird!" Danach ist es ferner von niemand mehr gesehen worden. Und wie hier gemeldet, hat sich alles zugetragen. Nachdem sich aber das Ungetüm verloren hatte, ist bei I. F. Gn. und mir fortan wenig Glück gewesen.

Indessen kam ein Bote von Liegnitz nach Emmerich mit Briefen über die Zustände daselbst. Der hatte sein Schreiben in einer langen Röhre aus Liegnitz fortbringen müssen, so sehr hatte man ihm dort nachgestellt. Aus diesem Briefe ging wieder klar genug hervor, daß dem Herzog Friedrich das Fürstentum Liegnitz eingeräumt sei. Was war da zu tun, und wie sollte man Geld aufbringen, um mit einem Fähnlein Reiter nach Liegnitz zu ziehen? Oder, wenn das nicht anging, wo war der Herrscher, der I. F. Gn. Unterhalt gewährte, bis sie nach Liegnitz ziehen konnten? Denn fast alle Herren waren schon vorher von I. F. Gn. mit Geldborgen ausgesogen, und es stand auch kaum zu hoffen, daß von anderen Herren etwas zu erhalten sein werde an Geld oder gutem Rat. Daher faßten I. F. Gn. den verzweifelten Entschluß, sie wollten unerkannt ins spanische Lager reiten.[3]) Vielleicht möchte es ihnen glücken, beim Könige von Spanien Bestallung zu bekommen. Wenn das gelänge, dann würden I. F. Gn. sich auch um so leichter mit I. Kais. Maj. aussöhnen können. So wurde denn beschlossen, I. F. Gn. sollten mein Knecht und ich sein Junker sein. Eines Morgens sind wir zu Emmerich früh aufgestanden und haben vorgegeben, wir wollten spazieren reiten. Nahmen also unsern Weg aufs spanische Lager, vier Tagereisen von Emmerich. Der Herzog aber mußte die Pferde warten, mich ausziehen, mir die Stiefel putzen und alles gerade so machen, als wenn er mein Knecht wäre. Wenn ich dann oft genug ausgeforscht wurde, wer ich sei, gab ich Bescheid, ich wäre ein Kriegsmann und suchte Bestallung. Dann ließ man mich passieren. Wie wir nun aber allgemach das spanische Lager erreichen, komme ich in

---

[3]) Die Spanier lagen damals im Kampf gegen die aufständischen Niederlande.

ein Quartier geritten. Da kennt die Magd mich. Die redet mich auf gut Niederländisch an: „Schweinichen, will-kommen!" Darüber erschrak ich gar sehr und winkte ihr, sie solle den Mund halten. Das hat sie denn auch bald verstanden. Danach gab ich ihr eine Krone Schweige-geld, und sie versprach heilig und teuer, den Mund zu halten. Wäre ich erkannt worden, so hätte es geschehen können, daß ich an einem Baum hätte baumeln müssen, und daß der Herzog in ewige Gefangenschaft gekommen wäre. Es war also die höchste Zeit, daß wir umkehrten. So kamen wir wohlbehalten nach Emmerich zurück, ohne daß jemand um unser Reiseziel gewußt hatte.

Das neue Jahr 1577 ließ sich bös an, denn I. F. Gn. fehlte es gänzlich an Geld, und guter Rat war teuer, woher man das Geld nehmen sollte, um nur die täg-liche Nahrung zu bestreiten. Da machten I. F. Gn. ins-geheim einen Anschlag, zum Bischof von Bremen und anderen Herren zu ziehen, bei denen sie zuvor noch nicht gewesen waren. Davon wurde mir kein Sterbenswört-chen gesagt. Ganz heimlich wird ein Schifflein bestellt, und am 4. Januar, in aller Frühe, machen I. F. Gn. sich mit fünf Personen auf den Weg. An jenem Morgen hatte ich gerade etwas länger geschlafen. Nach dem Aufstehen gehe ich zu I. F. Gn. aufs Zimmer, um mit ihnen zu sprechen. Aber da war kein Mensch. Niemand wollte wissen, wo I. F. Gn. seien. Anfangs meinte ich, I. F. Gn. wären, wie so oft schon, spazieren gegangen. Aber auch zur Essenszeit war kein Herzog zu sehen. Zuletzt finde ich in I. F. Gn. Stube auf dem Tisch einen Zettel, von I. F. Gn. eigenhändig geschrieben, des Inhalts:

„Lieber Hans, hier hast du inzwischen dies Kettlein. Mach damit, was du kannst. Ich will sehen, daß wir heute oder morgen wiederkommen. Laß die Kette ab-wägen, sieh auch zu, ob du die Pferde gegen bar Geld

261

verkaufen kannst. Ich will meinen Kopf nicht sanft ruhen lassen, bis ich mit Gottes Hilfe Geld schaffe, damit wir aus diesem bösen Land und von seinen Bewohnern loskommen. Hiermit einen guten Morgen, herzlieber Hans."[*]

Wie ich den Zettel finde und lese, sehe ich nur zu gut, was die Uhr geschlagen hat, und erkenne, daß I. F. Gn. nicht so bald wiederkommen würden. Das Kettlein gehörte Heillung und war 40 Gulden wert. I. F. Gn. waren nirgends anzutreffen. Von Dortmund kam freilich ein Bote mit einem Schreiben, und da begehrten I. F. Gn., ich möge doch bei dem Gesinde bleiben, sie wollten mir ganz gewiß in sechs Tagen Geld schicken. Dableiben mußte ich ja wohl, aber die Zeit ist mir recht lang geworden, und Geld habe ich auch keins mehr bekommen.

Es hielt sich damals bei mir ein gewisser Martin Seidenberg auf. Der war im übrigen ein ganz guter Geselle, aber er war ein Freund von lustigen Streichen. Der sprach, ich sollte mich um nichts bekümmern, er wollte mir schon Geld herbeischaffen. Wie ich ihn aber frage, woher und wie, meint er, ich solle nur zu den Juden nach Imgel schicken, damit sie mir 500 Taler auf Pfand liehen. Aber ein Pfand hatte ich nicht, so sagte ich, das sei vergeblich. Er blieb aber steif und fest dabei, ich sollte es nur tun. Schließlich schicke ich denn auch zu den Juden, die mir schon von früher wohlbekannt waren, mit dem Begehren, mir 500 Taler auf Pfand zu leihen. Dazu waren sie geneigt und erboten sich, mir das Geld auf den Morgen um neun Uhr zu bringen. Mein Seidenberg aber reitet frühmorgens auf einem weißen

---

[*] Dieser Brief ist ein förmlicher Beweis dafür, daß der Herzog eine offene, ehrliche Natur war, denn ungeschickter konnte kein Sextaner lügen, der seinen Lehrer durch ein Entschuldigungsschreiben betrügen wollte.

Rosse hinaus. Ich mache mir keinerlei Gedanken darüber.
Aber was geschieht? Der Bursche färbt sein Roß dunkel,
vermummt sich und legt sich in den Hinterhalt in einem
Wäldchen, das der Jude passieren muß. Jetzt sprengt er
auf den Juden los, der die 500 Taler in verschiedenen
Säcken in einem Holzbottig auf dem Rücken trug. Der
Seidenberg nimmt nun einen Sack nach dem andern auf
sein Roß. Darüber erhebt der Jude ein Mordsgeschrei,
und weil es nahe vor der Stadt war, so läuft das Volk
herbei und verfolgt den Seidenberg. Dabei war ihm ein
Sack Geld wieder vom Roß gefallen, den andern aber
muß er aufbinden, und sobald als Leute nahe an ihn
herangekommen, wirft er Geldstücke hinter sich, damit
die Leute sie aufsammeln mußten. Damit hatte er sie
aufgehalten und entwischte auf diese Weise, so daß kein
Mensch merkte, wohin er entkommen war. Danach hat
er das Pferd wieder abgewaschen und ist noch vor dem
Juden in die Stadt gekommen. Ich aber wußte gar nichts
von alledem. Nicht lange nachher kommt mein Jude
und klagt mir, wie es ihm ergangen sei. Er bittet mich,
ich möchte ihm doch einige Pferde geben, um den Gesellen im Walde zu suchen. Damit war ich einverstanden.
Seidenberg selbst aber erbot sich, mit suchen zu helfen.
Ich fragte den Juden, ob er das Pferd auch wieder-
erkennen würde, wenn er's sähe. Er sagte: Ja, es sei
ein Grauschimmel gewesen. Nun war aber unter I. F. Gn.
Rossen kein einziges der Art. Mein Seidenberg hat nun
freilich tüchtig mit suchen helfen, aber den, der dem
Juden das Geld abgenommen, hat er nicht finden können,
war er es doch selbst gewesen. Am andern Morgen
kommt Seidenberg und wirft mir einen Beutel Geld aufs
Bett. Ich frage ihn, wo er den hergenommen habe. Anfangs macht er allerlei Ausflüchte. Schließlich aber, als
ich nicht nachlasse, bekennt er, daß er ihn dem Juden

abgenommen, und wie es dabei zugegangen sei. Ich wollte das Geld aber um keinen Preis annehmen. Weil ich aber gar übel angezogen war, so gab er mir 20 Taler für ein Gewand, das andere, es mochten wohl etwa 80 Taler sein, behielt er und ist I. F. Gn. damit nachgezogen. Ich aber blieb fürder in meinem Elend.

Am 22. Februar 1577 habe ich mich ganz leise aus dem Staube gemacht nach Schlesien.

9. Kapitel
Heimkehr Herzog Heinrichs

Wie ich so etwa auf eine Meile bis Leipzig gekommen bin und so recht von Herzen froh war, bald wieder in mein Vaterland zu kommen — denn mein Geld ging stark zur Neige —, da begegnete mir ein Liegnitzer Bote, Zeune mit Namen. Der war von den Meinigen ausgeschickt, mich zu suchen. Als er mich aber so wunderbar getroffen hat, bringt er mir die herzbrechende, betrübte Kunde, daß mein geliebter Herr Vater, Jorge von Schweinichen, am 27. Januar 1577 zu Mertschütz das Zeitliche gesegnet habe. Darüber bin ich zum höchsten erschrocken. Ich war ganz stumm und habe kein Wort hervorbringen können. Kam doch dieser Jammer zu all dem Kummer, den ich bereits hatte tragen müssen in dieser letzten Zeit. Ich meinte, ich sollte vor Angst zerspringen. Und bei diesem einen Schmerz ist's dann nicht verblieben. Ich mußte vielmehr hören, daß auch das Gut verloren sei. Christoph Schweinitz hatte es dem Vater um Michaelis 1576 abgenommen, und der Gram darüber hat ihm das Leben gekostet. Zwei Stunden lang habe ich auf einem Stein am Wege sitzen bleiben müssen, dann erst war ich kräftig genug, um nach der Stadt Leipzig zu reiten. Der allgewaltige Gott wolle meinem lieben Herrn Vater eine selige Ruhe und fröhliche Auferstehung am jüngsten Tage geben und verleihen. Amen.

Während nun Herzog Heinrichs Verhandlungen auf Wiedereinsetzung hin und her gingen, habe ich mich wieder nach Hause begeben und mich um meine und

meiner Brüder Sachen bekümmert, bin auch dem Weidwerk und der Landwirtschaft obgelegen.

Inzwischen aber wurden Herzog Heinrichs Briefe und
Gesuche an mich immer dringlicher, es hieß da wohl:
„Ich möchte dich doch, lieber Hans, recht gern wieder
bei mir haben." Und so kam es denn, daß wir Mitte
September 1577 nach Görlitz gingen, um unsern Herrn
in seinen Landen würdig zu empfangen. Von Zittau aus
hatte er uns geschrieben. Am folgenden Tage sind dann
die drei alten Diener außer mir und 37 Reitern nebst
zwei Trompetern unserem alten Herrn entgegengeritten.
Alle haben gelbe Federn auf den Hüten gehabt. Auch
I. F. Gn. kamen mit stattlichem Gefolge. Als aber I. F. Gn.
nahe an uns herangeritten waren, sind ihre ersten Worte
an uns gewesen: „Nun, hier habt ihr mich, was wollt
ihr mir geben?" Nach einer zierlichen Ansprache und
fürstlichen Gegenrede sind I. F. Gn. von der Kutsche
herabgestiegen und etwa eine halbe Stunde mit mir auf
dem Felde hin und her gegangen. Ich mußte I. F. Gn.
alles erzählen, wie es stände und zuginge. Alsbald erfolgte dann ein gar stattlicher Einzug in Görlitz. Wie
nun I. F. Gn. ihr Quartier bezogen und abgelegt hatten,
ließen sie das ganze Gesinde zusammenkommen und haben
mich feierlich als Hofmeister vorgestellt, dem sie alle
zu gehorchen hätten. Das war vielen nicht besonders
lieb. Am andern Morgen rechne ich mit den Wirten ab
und bringe, altem Brauche gemäß, die Abrechnungszettel
zu I. F. Gn., damit sie auszahlen. Der Herzog aber sprach
mit lachendem Munde: „Mein lieber Hans, du hast mich
bis hierher gebracht. Willst du mich weiter haben, so
löse mich aus, denn Geld hab' ich keins mehr!" Ich
wußte zwar im Augenblick keinen Rat, wollte aber auch
I. F. Gn. nicht gern vor den Kopf stoßen und brachte
deshalb mit Hilfe meiner Vettern bei einem Bürger 300

Hans v. Schweinichen   7

Taler auf, wogegen I. F. Gn. ein Halsband von hohem
Werte zum Pfande gaben.

Als wir nun nach Haynau kamen, sollte eben auf
dem Schlosse eine Hochzeit vonstatten gehen. Der Braut-
vater aber, Heinrich Schellendorf, stand beim Herzog in
Ungnaden, deshalb war zu befürchten, daß I. F. Gn. das
Schloß mit ihrem Gesinde belegen und die Hochzeit dadurch stören würden. Auf meine Bitte aber begnügten
sich I. F. 'Gn. mit einem einzigen Zimmer und ließen
auf dem Walle eine Küche für sich aufschlagen. Nach
solchem bat der von Schellendorf I. F. Gn. zur Hochzeit, und I. F. Gn. haben gern zugesagt. Ich aber mußte
an I. F. Gn. Stelle dem Bräutigam mit 30 Pferden ent-
gegenreiten und ihn in Empfang nehmen. Dann aber
habe ich I. F. Gn. gebeten, mich für zwei Tage nach Hause
zu beurlauben, weil es mir nach dem Ableben meines Herrn
Vaters wohl nicht zieme, auf einer Hochzeit zu sein.
Als ich aber vier Tage später wiederkam, befahlen
I. F. Gn. mir, ein Bankett zu bestellen, denn sie hätten
das neuvermählte Paar und die Verwandten, soweit sie
noch da wären, auf den Abend zu Gaste gebeten. An
diesem Abend war man dann an verschiedenen langen
Tischen recht lustig und guter Dinge.

An demselben Abend werde ich mit der Frau von
Hermsdorf bekannt, sowie mit ihrer Tochter, Jungfer
Margaretha. Ich kam mit der Mutter ins Gespräch. Als
ich aber die Jungfrau Margaretha tanzen sah, sagte ich
zu jener: „Wenn ich einmal eine solche Jungfrau zum
Weibe bekäme, wollte ich Gott danken!" Sie aber erwiderte: „Lieber Schwager, wenn es Gottes Wille ist,
warum solltet ihr nicht eine solche oder eine ihr ähnliche Person zur Frau bekommen?" Die Jungfrau aber
hat späterhin zu ihrer Mutter gesagt: „Mutter, wer war
denn der, welcher mit euch gesprochen hat? War denn

das ein Edelmann?" Darauf sagte ihr die Mutter, wer ich sei. Sie aber meinte: „Der bekommt gewiß keine Adlige zur Frau, sieht er doch gar so greulich aus!"

Nun hatten I. F. Gn. dero Gemahlin zweiundeinhalb Jahre lang nicht zu Gesicht bekommen. Jetzt haben sie mich zu derselbigen aufs Schloß geschickt und sie gebührlich und freundlich grüßen und in das Haus Hans Heilmanns zu Liegnitz holen lassen, mit ihr die Frau Kurzbachin, die sich denn auch beide gern und willig eingestellt haben. I. F. Gn. waren fröhlich und guter Dinge, hielten auch nach Tische einen Tanz. Aller Meinung ging denn auch dahin, die beiden Fürstlichkeiten würden fortan beieinander bleiben.

Als es aber Zeit zum Schlafengehen war, meinten I. F. Gn. zu ihrer Gemahlin: „Euer Liebden werden jetzt schlafen wollen, denn es ist schon recht spät. So wollen Ew. Liebden in Gottes Gnaden wieder nach Hause gehen und sich morgen früh zum Morgenmahl wieder bei mir einstellen." Über diese Rede erschrak die gute Fürstin gar sehr, mußte sich aber darein fügen, obgleich wir alle versucht haben, I. F. Gn. umzustimmen.

Es wurde aber auf das folgende Jahr 1578 dem Herzog Heinrich gemeldet, daß sich Herzog Friedrich gern mit ihm unterreden wollte. Deswegen schickte mein Herr mich nach Liegnitz, um mich mit Herzog Friedrich mündlich darüber zu besprechen. Wenn es aber im Sinne meines Herrn sei, so solle ich Tag, Ort und Stelle zu einer Unterredung festsetzen. So brachte ich denn eine Zusammenkunft zwischen den beiden Herren zustande auf den kommenden Donnerstag, den 29. April. Diese Begegnung hat aber an der Steudnitz, am Kreuzweg, stattgefunden. Herzog Friedrich hegte freilich Mißtrauen und kam mit 15 reisigen Rossen, hatte auch zwei Hakenschützen neben sich laufen. Herzog Heinrich aber hatte

7*

zwölf Rosse, einen Trompeter und zwei Trabanten zur
Seite. Wie nun die zwei Fürsten zusammentreffen, steigen
sie gleichzeitig vom Pferde und empfangen sich freundlich. I. F. Gn. hatten mir befohlen, die Sache mit einer
Rede einzuleiten, weil doch die Herren drei Jahre lang
nicht miteinander gesprochen hatten. So geschah es.
I. F. Gn. Herzog Friedrich aber, obgleich sein Romulus
von Kessel dabeistand, redeten selbst von Dank und brüderlicher Liebe. Es dauerte auch nicht lange, da gingen
die zwei Herren miteinander am Rande des Feldes auf
und nieder, wohl zwei Stunden lang. Was sie da gesprochen haben, weiß ich nicht. Aber das war gewiß,
dem Herzog Friedrich war dabei nicht wohl zu Mute,
wäre er doch gar zu gern Herzog Heinrich los und ledig
geworden. Zuletzt segneten die beiden Herren einander
im Fortgehen, Herzog Heinrich aber sagte: „Bruder, es
wird Euer Liebden gereuen, daß sie das nicht tun, was
ich mit Euer Liebden geredet habe. Denn es könnte eine
Zeit kommen, wo ich nicht mehr ‚Bruder‘ sage; darum
bedenken Euer Liebden sich und folgen nicht den Leuten,
die an mir meineidig geworden sind.“ Herzog Friedrich
aber schwieg still. Darauf schickt mein Herr mich zu
I. F. Gn. und ließen sie nach Haynau zum Frühstück einladen. Aber das wollten I. F. Gn. um keinen Preis tun.
So zogen die Herren im Grunde mehr in Haß als in
Liebe voneinander; das hat freilich kein Mensch gemerkt.
Übrigens hatte Herzog Friedrich eine Rüstung unter dem
Wams und 20 Mann im Hinterhalt.

10. Kapitel

Herzog Heinrich besetzt den Gröditzberg

Bald aber mußte Herzog Heinrich merken, daß es unmöglich sei, länger in Haynau Hof zu halten, weil Herzog Friedrich ihm sein Deputat nicht auszahlte. Beide Teile wandten sich an des Kaisers Majestät; der aber gab keine Antwort, sondern ließ die Sache ihren Weg gehen. Nun wußten I. F. Gn., daß die Bürger von Haynau auf dem Gröditzberg einen großen Vorrat Getreide liegen hatten. Deshalb berieten sich I. F. Gn. mit mir, wie sie den Gröditzberg einnehmen könnten, um so lange dort hauszuhalten, bis von I. Kais. Maj. eine Resolution erfolgte. Nun habe ich inständig darum gebeten, I. F. Gn. sollten es nicht tun. Sie würden sich dadurch um Land und Leute reiten. Doch da war nichts zu machen. I. F. Gn. zogen los und überließen mir derweil das Schloß zu Haynau. Am 8. August, um die zwanzigste Stunde, sind I. F. Gn. auf den Gröditzberg ausgezogen. Wie sie nun am Fuße des Berges in den Wald gekommen waren, haben sie zwei Reiter hinaufgeschickt, als ob sie das Haus besehen wollten. Die sollten Kundschaft einziehen, wer oben sei. Wenn sie es aber befinden würden, daß I. F. Gn. nachrücken könnten, dann sollten sie einen Schuß abfeuern. Es sind aber nicht mehr als zwei Mannspersonen oben gewesen, so haben sie denn ihren Schuß abgegeben. Alsbald sind I. F. Gn. nachgerückt und haben das Schloß in Besitz genommen. Wie ich aber die Nachricht bekam, sagte ich zu den Leuten, die mit mir auf der Kammer lagen: „Dieser Schuß bringt meinen Herrn um Land

und Leute." Einige glaubten darauf, I. F. Gn. hätten den
Herzog Friedrich entführt.

Auf dem Gröditzberg hatte Herzog Heinrich inzwischen eine Guardia von 20 Knechten mit langen Röhren
gebildet, er war jetzt ganz Kriegsmann geworden und
begrüßte seine Gäste mit sechs Trompeten und einer
Kesseltrommel. Um bar Geld zu bekommen, wurde das
Getreide und Kiefernholz, das man oben vorfand, verkauft.
Inzwischen verproviantierte man sich wie zu einer Belagerung. Da wurde Mehl und Salz herbeigeschafft, dazu
ganze Haufen Heidelbeeren und Pilze in Fässern einge-
macht. Es wurden auch zwölf Schweine im Schloß mit
Getreide gemästet, denen der Herzog oft selbst zu fressen
gab, ebenso sechs Ochsen. Zwei Fuhrleute, welche eben
Blei von Breslau nach Leipzig führten, mußten ihre La-
dung auf das Schloß bringen. Außerdem waren bei 150
lange Rohre und Haken oben. Und als eines Tages kaiserliche Kommissare hinaufkamen, wurden die 150 Geschütze durch eine laufende Lunte alle auf einmal in
Brand gesetzt. Die Gesandten hatten dann erzählt, es
sei ein ganzes Fähnlein Knechte droben, und doch hatten
nur ihrer drei Personen die Rohre losgeschossen.

Zum Herbst ist das Leben da oben knapp geworden :
wir haben schauderhaftes Goldbergisches Bier trinken
müssen. Endlich kam die Zeit, wo wir Vögel fangen
konnten. Ich hatte im ganzen Wald umher Dohnen legen
lassen. Nun aber gab's viel Not, denn alle wollten jetzt
in den Wald und selbst Vögel holen. Manchem Junker
habe ich in dieser Zeit Hausarrest geben müssen, und
etliche Knechte kamen in den Turm. Das verbesserte
natürlich ihre Stimmung gegen mich nicht. I. F. Gn. aber
sind alle Morgen hinausgegangen und haben die Vögel
geholt.

Eben damals erhielten I. F. Gn. Kunde, daß der Arns-

dorfer Teich demnächst ausgefischt werden sollte, und daß dann in den Behältern etliche Schock Karpfen ständen. Alsbald befahlen I. F. Gn. mir, etliche Wagen zu bestellen, und ritten mit 15 Pferden selbst in der Richtung auf Arnsdorf. Bei den Behältern aber war niemand als der Teichwärter. Alsbald ließen I. F. Gn. aus den Fischkästen aufladen, was sich mit fünf Wagen wegführen ließ. Dann ging's wieder heim zum Gröditzberg. Es hatte aber der Teichwärter heimlich nach Liegnitz geschickt und die Sache zur Anzeige gebracht.

Am nächsten Tage sollte der Teich vollends ausgefischt werden. Da durfte Herzog Friedrich sich wohl befahren, daß mein Herr wieder Fische holen würde. Deswegen war der regierende Herzog diesmal selbst mit hinausgegangen und hatte einen Hinterhalt von 25 Pferden und 50 Hakenschützen bestellt. I. F. Gn. aber hielten mit sechs Rossen auf dem Damm. Jetzt wurde ich mit einem Ausländer, namens Fuchs, zum Herzog Friedrich geschickt: wir sollten I. F. Gn. freundlich grüßen und versichern, was I. F. Gn. an Fischen vor zwei Tagen weggeführt hätten, das sei aus reiner Not geschehen. I. F. Gn. bäten darum, ihnen deshalb nicht böse zu sein, sondern es auf das übrige Deputat zu verrechnen. Auch bäten I. F. Gn. freundlich, noch einige Fische mehr verabreichen zu wollen. Herzog Friedrich aber sah recht sauer drein. Er bedauerte die Wegführung der Fische vor zwei Tagen und versicherte, es hätte bös werden können, wenn er damals dazugekommen wäre. Neue Fische zu verabfolgen, könnten I. F. Gn. sich nicht entschließen. Einen anderen, besseren Bescheid habe ich trotz dringender Bitten nicht erlangen können.

Mein Herr war mit solcher Antwort gar übel zufrieden. Als er aber vollends vernahm, daß Herzog Friedrich eine Guardia bei sich gehabt, sagte er zu mir: „Hans,

wir müssen ihm einen Schabernack spielen. Wieviel
Pferde können wir aufbringen? Wir wollen hinunter und
Herzog Friedrich am Arnsdorfer Teich einen Schreck ein-
jagen!" Umsonst versuchte ich I. F. Gn. davon abzu-
bringen. Am nächsten Morgen machte sich die kleine
Mannschaft auf den Weg.

Wie I. F. Gn. aber in Barschdorf ankamen, kriegten
sie Kundschaft, daß Herzog Friedrich auf einem kleinen
Kahne in den Teich gefahren sei. Darauf sagten I. F. Gn.
zu mir: „Jetzt ist's Zeit, Hans, rücke vor!" Nun hatte
Herzog Friedrich an der Spitze des Dammes eine Schild-
wache aufgestellt. Sobald die etwas bemerkte, sollte ein
Schuß die Losung sein. Wie dieser Schuß nun auf der
Seite des Gegners ertönt, lasse ich einen Trompeter blasen,
dann einen nach dem andern und zuletzt alle drei zu-
sammen. Da hat sich — so habe ich nachher gehört —
eine große Aufregung erhoben unter den Dienern Herzog
Friedrichs, und jeder hat nach seiner Rüstung geschrieen.
Auch Herzog Friedrich selbst hatte es im Teich mit der
Angst bekommen, man hat ihn nur mühsam ohne einen
Ohnmachtsanfall ans Land bringen können. Denn zuletzt
war er aus dem Kähnlein gesprungen und im Schlamm
weitergewatet, so daß er ganz außer Atem kam. Auf dem
Damm stoßen sie alsbald auf die drei Vorreiter Herzog
Heinrichs, und es entspinnt sich ein Wortwechsel. Inzwischen hatten sich die Hakenschützen Herzog Fried-
richs längst verlaufen und waren unter die nahen Sträuche
gekrochen. Wie der Herzog nach ihnen schreit, ist kein
Mensch da. Das schoß ihm denn doch in die Krone.
Flugs wirft er sich mit seinen Leuten auf sechs Klepper
und fort geht's in der Richtung auf Liegnitz. Wie das
die anderen sehen, reitet ein jeder, wohin er Lust hat.
Nur etwa neun Berittene bleiben bei den Fischbehältern,
darunter der von der Saale und Romulus Kessel, der

Burggraf. Wie nun I. F. Gn. an sie herangeritten kommen, ziehen sie die Hüte. I. F. Gn. begrüßen sie gnädig und fragen, wo denn ihr Herr sei. Sagen sie drauf, das wüßten sie nicht. Hierauf I. F. Gn., er sei nicht als Feind gekommen, sondern als Bruder. Ihn gelüste es' aber, die Liegnitzischen Schützen zu sehen. Die anderen aber sagen, von Feindschaft und Kriegsrüstung sei ihnen nichts bekannt. Darauf der Herzog: „Nun, das mag sein Bewenden haben." Jetzt aber bitte er um einige Fische; da sein Herr Bruder nicht da sei, werde er sie sich aussuchen. Anfangs will der von Kessel es nicht dulden. Aber schließlich werden mit Hilfe der Bauern vom Herzog eigenhändig etliche Fische in die Fässer geladen.

Ähnlich ging's einige Zeit später mit der Wolle auf dem Weißen Hofe zu Wandriß. Auch hier war mein Herr rascher als Herzog Friedrich. Wir waren über unseren Raub gar lustig und guter Dinge.

11. Kapitel

Neue Ausreise Herzog Heinrichs und feierliche Wiedereinsetzung in Liegnitz

Am 16. Oktober 1578 sind wir dann von neuem aufgebrochen in der Richtung auf Wittenberg. Unterwegs kamen wir auch nach Wolfenbüttel. Obwohl nun I. F. Gn. dem Herzog Julius[1]) vorher ihre Ankunft gemeldet hatten, wollte der Braunschweiger sie dennoch nicht einlassen, wie I. F. Gn. vor die Heinrichsstadt gekommen sind, sondern es wurde ihm ein Bote ans Tor entgegengeschickt mit dem Befehl, mein Herr solle zunächst seinen Hofmeister hereinschicken. So hab' ich denn neben einer Guardia zu Fuß hineinmarschieren müssen im knietiefen Kot. Wie ich aber die Festung Wolfenbüttel betrete, lassen I. F. Gn. mich vor sich kommen. Zuerst fragen sie mich, wer ich sei. Da sagte ich, daß ich ein Schweinichen wäre, aus Schlesien. Wie ich denn mit Vornamen hieße? „Hans,'' sage ich. Ob ich Hofmeister sei? Ja. Ob ich denn des langen Schweinichen Sohn wäre, der bei Herzog

---

[1]) Herzog Julius von Braunschweig regierte von 1568 bis 1589, er gehört zu den hervorragendsten Territorialfürsten des XVI. Jahrhunderts. In erstaunlicher Weise hat er die inneren Schätze seines kleinen Landes nutzbar gemacht durch Anlegung von Straßen und Kanälen, durch Förderung des Bergbaus und Errichtung von Fabriken. Die in Wolfenbüttel aufgestapelten Schätze mögen wohl die spaßhafte Münchhausiade mit der Bratwurst hervorgerufen haben. Helmstedt machte er zum geistigen Mittelpunkt seines Landes. In seinem Hauswesen regierte er mit Milde und Gerechtigkeit. Die Nachwelt gab ihm mit Recht den Beinamen des „Weisen''.

Georg, seinem geliebten Schwager, gewesen sei? Ja.
Darauf bot er mir die Hand und sprach: „Du bist sicher-
lich ein ehrlicher Mann." Nun fragt er weiter nach
meinem Herrn, wo er herkomme, und was er denn eigent-
lich wolle? Das wüßte ich nicht. Wo er denn weiter
noch hinwolle? Ich antwortete, I. F. Gn. wollten nach
Mecklenburg und Lüneburg ziehen. „Wie stehen denn
I. F. Gn. mit dem Könige von Dänemark und mit Herzog
Georg in Schlesien?" Über Dänemark konnte ich gute
Auskunft geben, denn unlängst erst hatte der König
I. F. Gn. zwei Pferde geschickt. Darauf I. F. Gn.: „Gut!"
Jetzt fragte der Herzog noch nach der Zahl der Begleiter
I. F. Gn., und ob er in irgend welchem Verbündnis mit
der Stadt Braunschweig stehe. Es zog sich die' ganze
Unterredung bis an den Abend hin. Endlich wurden
I. F. Gn. in die Heinrichstadt und Festung Wolfenbüttel
eingelassen.

    I. F. Gn. ritten also hinein, wir aber mußten wieder
durch den Kot marschieren. Wie nun mein Herr aufs
Schloß kommt, heißt ihn der junge Herzog mit einer
lateinischen Rede willkommen. Dabei bittet er um Entschuldigung, daß der alte Herr I. F. Gn. nicht entgegengegangen sei, er wäre nicht recht wohl. So kamen I. F. Gn.
ins Zimmer, und man war recht guter Dinge. Am nächsten
Morgen schickt Herzog Julius zu mir und läßt mich zu
sich fordern. Wie ich aber zu ihm aufs Zimmer geführt
werde, sitzt er da mit einer hohen Mütze auf dem Kopf,
wie ein großes Ungeheuer. Er sah einem Affen ähn-
licher als einem Fürsten. Er spricht zu mir: „Nun, wie
gefällt's Euch hier? Glaubt Ihr wohl, daß mir die Braunschweiger auf den Hals kommen werden?" Ich sagte:
„Nein, I. F. Gn. sitzen hier, weiß Gott, sicher, die werden
wohl vorher ein paarmal absatteln müssen." Mit diesem
Worte hatte ich's getroffen, denn I. F. Gn. sagten: „Du

hast recht gesprochen; aber nun sag mal, was will Dein Herr denn eigentlich?" Ich bat nun im Namen I. F. Gn. um eine freundliche Audienz. Darauf Herzog Julius: „Hat er ausgeschlafen, so laß ihn kommen." Nun war meines Herrn Anliegen nichts weiter, als die Bitte um ein Empfehlungsschreiben an I. Kais. Maj. in ihren Angelegenheiten. Das mußte ich vorbringen, so gut es gehen wollte, und I. F. Gn. bewilligten es nicht allein sofort, sondern sie wollten daneben I. F. Gn. ihren Gesandten mitgeben. Nachher luden sie meinen Herrn auf ihr Zimmer zu Gaste: dabei mußte ich mit aufwarten und an der Tafel sitzen, und es gab einen recht anständigen Trunk. Nach Tische zeigte er I. F. Gn. die Zeug- und Provianthäuser, sowie viele andere Schätze, wie ich sie zuvor nie gesehen hatte. Unter anderem habe ich eine Bratwurst gesehen, die ist dem Maße nach eine Viertelmeile lang gewesen. Dazu gab's eine große Menge von geräuchertem Fleisch. Ferner hat er uns einen Vorrat Blei gezeigt, der ist in Haufen aufgeschichtet gewesen, so hoch wie kleine Berge. War er doch damals willens, die ganze Stadt Wolfenbüttel mit Blei zu pflastern, anstatt mit Steinen. Würde man es dann in der Not gebraucht haben, so hätte man's bloß wieder aufzunehmen brauchen. Eine Darleihung von 200 Talern, um die mein Herr bat, hat er nicht bekommen, ebensowenig die Erlaubnis, nach Braunschweig zu I. F. Gn. Feinden zu ziehen.

Auf unserer Weiterreise sind wir auch nach Mecklenburg gekommen. Da muß ich doch erzählen, wie's meinem Wirte in Wolgast[¹]) ergangen ist. Gemeldeter Wirt, der zuvor ein reicher Mann gewesen war, hatte vor vier Jahren

---

¹) Wolgast war die Hauptstadt von Pommern-Wolgast und eine eine alte Seestadt — es lag an der Peene, nur 17 km aufwärts von ihrer Mündung in die Ostsee.

ein Schiff nach Lissabon ausgerüstet. Die ganze Befrachtung aber war ihm auf 80 000 Taler zu stehen gekommen. Wenn das Schiff zur rechten Zeit, nach Jahr und Tag, wiedergekommen wäre, hätte er sich dessen wohl getrösten können und wäre dabei ein reicher Mann geworden. Das Schiff bleibt aber ganze vier Jahre fort, so daß unser Kaufmann schließlich alle Hoffnung, es jemals wiederzusehen, aufgeben mußte. Er meinte, es sei gewiß untergegangen oder sonstwie ins Elend gekommen. Durch solchen Verzug gerät der Mann in große Armut. Er, der zuvor große Häuser besessen hat, muß jetzt in einem Wirtshaus sein Leben fristen, und es steht zu befürchten, daß er sein ganzes Leben in Armut zubringen müsse. In den Tagen, wo ich bei ihm zu Gaste lag, gedachte er häufig seines Schiffes und des früheren Reichtums. Das hat ihn allemal so betrübt, daß er Tränen vergoß. So sind wir denn manchmal drei- oder viermal am Tage an die See gegangen und haben zugesehen, was für Schiffe da anlegten. Das ist nun freilich sehr lustig anzuschauen, denn es vergeht kaum eine Stunde, ohne daß nicht Schiffe ankommen aus aller Herren Ländern. Und wenn nun diese Schiffe so ankamen, dann seufzte der Mann und sprach: „Ach, wenn doch mein eigenes Schiff auch einmal so angefahren käme!" An dem Sonnabend aber, als der Herzog von Pommern in Wolgast erwartet wurde, ging mein Wirt wieder einmal mit mir am Meere spazieren und sieht plötzlich von der hohen See ein großes Schiff heraufkommen, wohl eine halbe Meile weit vom Ufer. Da spricht er zu mir: „Wenn ich einen Eid darauf leisten sollte, so möchte ich sagen, daß das mein Schiff ist." Dabei ist er vor Eifer ganz blaß geworden. Er spricht aber weiter: „Herr, falls das, wie ich bestimmt glaube, mein Schiff ist, so will ich Euch den schönsten Portugalöser verehren, der darauf zu finden ist; bitte,

wartet eine halbe Stunde hier mit mir an der See." Das habe ich getan. Das Schiff kam inzwischen immer näher, schon konnte man die Fahne und das Wappen erkennen. Darüber wurde der Wirt so froh, daß er vor Freude niedersank und in Ohnmacht fiel. Durch kaltes Wasser erholte er sich wieder und hatte eine große Freude, denn er kam zu derselbigen Stunde wieder in den Besitz von über anderthalb Tonnen Goldes. Am andern Tage führte er mich auf das Schiff, das mit lauter Pfeffer und süßen Weinen und sonst mit vielen seltenen welschen Früchten beladen war. Er gab dem Herzog, seinem Herrn, eine Verehrung von 1200 Talern und hatte doch tags zuvor kaum für 1000 Heller Kredit besessen. Mir aber verehrte der freundliche Mann einen schönen Portugalöser und noch mehr gute Dinge, wofür ich ihm von Herzen dankbar bin. Darum soll man niemals an Gottes Gnade und Segen verzweifeln.

Im Jahre 1573 wurde die Lage meines Herrn zu Prag immer unerträglicher. Schon wollten Fleischer und andere Leute nichts mehr liefern. Am 22. Dezember mußte der Vorhang vom Bett versetzt werden um sechs blanke Taler, damit ich nur Essen schaffen konnte. Schließlich wurde die Herzogin mit ihren Töchtern ausgesandt, um im Böhmischen Geld zu borgen. Der guten Fürstin ging es unterwegs so knapp, daß sie einen Becher und eine kleine, breite Schnur um einige Taler versetzen mußte. Der Herr von Neuhaus zu Tillisch, bei dem das Gesuch angebracht werden sollte, war lahm und wurde auf einem Stuhle hereingetragen, der ganz von Silber war, auch die Stangen, daran man ihn trug, sind eitel Silber gewesen. Anstatt der erbetenen Summe gab es auch hier bloß eine kleine Verehrung.

Inzwischen haben I. F. Gn. dem Kaiser täglich ihre Aufwartung gemacht und sind abends und morgens an

den Hof geritten, haben sich also in jeder Beziehung als ein gehorsamer Fürst gegen I. Kais. Maj. erwiesen. Als aber die Not zum äußersten kam und im Quartier wenig Unterhalt vorhanden war, da zogen I. F. Gn. es vor, zum Mittagessen bei Hofe zu bleiben. Ich aber mußte dafür sorgen, daß die Herzogin und die Fräulein etwas zu essen bekamen. Meine Stellung in all der Not war schwer genug. Ich möchte es auch keinem jungen Manne raten, sich so wie ich im Dienste eines Herrn in Sorgen und Gefahren zu bringen. Ich werde das bis in mein hohes Alter zu spüren haben — falls der Herr mich so lange am Leben läßt. Und was habe ich davon gehabt? Auch nicht so viel, um ein einziges Quart Wein davon zu zahlen. Alles habe ich als getreuer, gehorsamer Untertan vollbracht. Ich möchte fast glauben, daß es mir von oben eingegeben ist, daß ich es nicht über mich gebracht habe, meinen Herrn zu verlassen, so gern ich es gewollt hätte. So ist das Jahr 1579 zu Prag in allerlei Sorgen und Kummer dahingegangen.

Und auch im folgenden Jahre ging unsere Angelegenheit in Prag kaum besser. Zwar hatten I. Kais. Maj. Herzog Friedrich gezwungen, einen Teil des fälligen Deputats an dero Bruder auszuzahlen. Aber das ging bald an die Gläubiger drauf. Von Tag zu Tag stieg die schmähliche Armut. Es war schon so weit gekommen, daß man nicht mehr ordentlich zu essen bekam. Die Herzogin und die Fräulein mußten mit zwei Gängen zufrieden sein. Die Diener aber vollends mochten zusehen, was sie zu essen bekamen. I. F. Gn. neun Pferde aber hatten schon auf den zwölften Tag kein Futter bekommen. Kein Mensch wollte mehr borgen, alles war versetzt.

I. F. Gn. waren nicht bloß tief bekümmert, sondern wurden schon geradezu zum Gespött der Leute. Ich aber sollte Hofmeister sein und konnte nichts leisten. Was

Wunder, daß man aufhörte, mir zu gehorchen? Wäre
es nicht so kümmerlich gewesen, man hätte lachen mögen!

Immer wieder wurden die beiden Fürsten auf I. Kais.
Maj. endlichen Bescheid und Resolution vertröstet. Noch
einmal mußte Herzog Friedrich meinem Herrn 400 Taler
auszahlen. Da gab's wieder was zu essen. Aber die
Pferde hatten inzwischen ihre Krippe aufgefressen, drei
sind vor Hunger draufgegangen, zwei habe ich I. F. Gn.
abgekauft. Aber das eine ist trotz bester Pflege eingegangen.

Bald war die Not so groß wie zuvor. Da habe ich
I. F. Gn. vorgeschlagen, die Pfänder, auf die man von
den Juden den dritten Pfennig geliehen hatte, jetzt gänzlich zu verkaufen. Zunächst wollten I. F. Gn. freilich nicht
recht was davon wissen. Dann mußten sie es dennoch
geschehen lassen.

Wie aber die Saite am allerhärtesten tönte, kamen
I. F. Gn. auf den verzweifelten Einfall und schrieben
eigenhändig einen Brief an den päpstlichen Nuntius und
haben ihn um 200 ungarische Gulden angesprochen. Der
kurze Bescheid des Herrn Nuntius lautete: I. F. Gn. wären
kein Anhänger des Heiligen Vaters und seiner Religion.
Sollte es aber geschehen, daß sie noch jetzt die alte,
katholische Religion annehmen und das Versprechen
leisten wollten, sie in ihrem Lande fortzupflanzen, dann
sollten nicht bloß zweihundert, sondern tausend und aber
tausend Gulden folgen. Auch sollten I. F. Gn. dann ohne
weiteres in ihr Herzogtum wiedereingesetzt werden. Unter
anderen Bedingungen könne er den Feinden seiner Religion nicht beispringen; das dulde der Heilige Vater, der
Papst, nicht. War das nicht eine teuflische Versuchung,
ähnlich derjenigen, die unsern Herrn Christus auf dem
hohen Berge betroffen hatte? Aber so groß die Not
war, in der I. F. Gn. sich befanden, dennoch wollten sie

in der Religion um keinen Fuß breit zurückweichen, sondern sprachen: „Was liegt mir an dem losen Pfaffen! Will er mir kein Geld leihen, so mag er's bleiben lassen. Wenn der Teufel den Pfaffen geholt hat, wer wird mich dann in mein Fürstentum wieder einsetzen?"

Auf den 28. September ist von I. Kais. Maj. ein Tag angesetzt worden zur Entscheidung der ganzen schwebenden Sache zwischen den beiden herzoglichen Brüdern. Darüber waren I. F. Gn. von Herzen froh. Auf das fleißigste haben I. F. Gn. Ihrer Kaiserlichen Majestät und den Herren Offizieren aufgewartet. Abends und morgens waren sie bei Hofe zum Dienst. Ich aber mußte fast alle Herren am kaiserlichen Hofe um Beistand bitten. Ich werde die Prager Treppen bis in mein höchstes Alter spüren. Wie nun der große Tag herbeikam, da haben sich all die Herren, die ich um Beistand gebeten hatte, bei I. F. Gn. im Quartier eingestellt, 56 an der Zahl. Alle sind sie alsdann mit I. F. Gn. aus der Altstadt zum Schloß hinaufgeritten. Das alles hat I. F. Gn. ein recht stattliches Ansehen verliehen. Man erzählt, selbst I. Kais. Maj. habe lobend gesagt: „Der Herzog von der Liegnitz ist bei Gott ein echter Hofmann." So zogen I. F. Gn. mit ihrem Beistand in das Wartezimmer. Inzwischen war auch die ganze Guardia angetreten. Da kam Herzog Friedrich hinein. Der hatte bloß Wenzel Kreischelwitz und einen Doktor aus Glogau bei sich. Kaum eine halbe Stunde später erschien der Kaiser mit seinen Herrn Offizieren, und Ihrer Majestät Sitzung nahm ihren Anfang. Und jetzt gibt der Herr von Perstein, als oberster Kanzler, I. Kais. Maj. Abschied kund, welcher kurz dahin lautete: Es sollten beide Herren von Liegnitz sich nach Hause begeben, I. Kais. Maj. hätten bereits dem Oberamt in Schlesien Befehl erteilt, wie sich ein jeder Herr zu verhalten hätte. Weil aber Herzog Heinrich bei I. Kais. Maj. emsig und

Hans v. Schweinichen   8

untertänigst um Restituierung in dero Fürstentum ange-
tragen hätte, so wollten I. Kais. Maj. sich seiner unter-
tänigen Bitte geneigt zeigen. Alles andere werde der Herr
Bischof anordnen. Mit diesem Bescheide ist mein Herr
gar wohl zufrieden gewesen und hat sich in einer langen,
zierlichen Rede bei I. Kais. Maj. für ihren gnädigen Rechtsspruch bedankt. I. F. Gn. gingen voll Freude hinunter,
Herzog Friedrich aber mit großer Trauer.

Mit Bezahlung von Schulden in Prag und allerlei
Zurüstungen für den Einzug in Liegnitz, der recht stattlich
werden sollte, sind dann die 300 Taler draufgegangen, die
von der kaiserl. Kammer als Wegzehrung gewährt waren.
Wieder hatte die Herzogin mit einem Halsband aushelfen
müssen. Am 12. Oktober hat die Prager Leidenszeit ihr
glückliches Ende gefunden, und wir sind mit 58 Pferden
aufgebrochen. Zwei Tage lang haben einige Herren vom
Hofe uns noch das Geleit gegeben. Inzwischen aber war
es im ganzen schlesischen Lande ruchbar geworden, daß
I. F. Gn. wieder eingesetzt werden sollten. Da kamen
allerhand Leute an I. F. Gn. herangekrochen, die sich
vorher nicht im geringsten um sie bekümmert hatten.
Jetzt waren sie wieder da wie Nikodemus bei der Nacht.
Und andere gab es, die waren I. F. Gn. zuvor auf das
heftigste entgegengewesen. Die wollten nun auf einmal
lieb Kind sein. I. F. Gn. durchschauten den Kram, ließen die
Leute aber gewähren und haben fünf gerade sein lassen.

Zum großen Einzug in Liegnitz hatten I. F. Gn. sich
etliche Junker vom In- und Auslande verschrieben. So
konnte der Herzog stattlich auftreten mit 75 reisigen
Rossen, er selbst hoch zu Pferde auf einem Gaul, der
400 Taler gekostet hatte. Ich aber hatte den ganzen Einzug bestellt und angeordnet. Unterwegs kam ein Schreiben
vom Herrn Bischof, die Restitution und der Einzug müßten
aus wichtigen Ursachen um acht Tage verschoben werden.

Dahinter steckte Herzog Friedrich mit seinen Räten. Die hätten die Sache gar zu gern auf die lange Bank geschoben und womöglich gänzlich verhindert. Mein Herr aber wollte sich nicht abschrecken lassen, sondern blieb auf offenem Felde halten. Alsbald schickte er Abgesandte nach Liegnitz an den Herrn Bischof, als den obersten kaiserl. Kommissar, und erklärte, er lasse sich um keinen Preis so abspeisen. Es waren aber bereits eine Menge Leute aus der Stadt ins Feld zu I. F. Gn. hinausgelaufen, etliche freilich aus bloßem Fürwitz, die andern aber in treuer Gesinnung. So lenkte der Herr Bischof ein und bat I. F. Gn. nur darum, diese einzige Nacht noch sich in der Unterstadt zu gedulden, morgen solle geschehen, was die Kommission Befehl habe zu tun. Darein willigten I. F. Gn., freilich mit großem Unwillen. So geschah der Einzug mit 75 Pferden und sechs Wagen. Zur Nacht aber blieben I. F. Gn. mit dero Gemahlin und den Fräulein in Hans Heilmanns Haus am Marktplatz. Ich sollte ein Abendessen für den ganzen Hof zurichten; es war aber in der Eile nichts zu bekommen, und Geld war auch nicht da. In dieser Not schickten Herzog Friedrich und der Rat etliche Fische, Wein, Hafer und einige Stück Vieh. Es ging daher recht lustig zu. Ja, einige Räusche gab es sogar, denn I. F. Gn. hatten des Herrn Bischofs Räte und andere Freunde bei sich zu Gaste.

Am folgenden Morgen ließen der Herr Bischof I. F. Gn. aufs Schloß bitten zur Eröffnung des kaiserl. Befehls. I. F. Gn. bezogen alsbald die oberen Zimmer im Schlosse. In der kaiserl. Resolution aber hieß es: Herzog Heinrich sollte zu Liegnitz residieren, Herzog Friedrich aber zu Haynau. Das Regiment sollte gemeinsam sein, ebenso das Einkommen brüderlich geteilt werden. So übernahmen I. F. Gn. die Schlüssel zum Schlosse und mit ihrem Bruder zugleich die Huldigung der Landschaft.

8*

Indem huben I. F. Gn. die Schlüssel auf und sagten:
„Nun bin ich wieder Herzog von Liegnitz, zuvor war
ich weniger als ein Knecht. Gott verläßt den nicht, der
recht und aufrichtig handelt." Darauf hat er vor der
ganzen Landschaft die Schlüssel in meine Hände gelegt
mit den Worten: „Die will ich hiermit dir befohlen und
überantwortet haben. Du wollest meinen fürstlichen Leib
und das Schloß verwahren und anstatt meiner schaffen
und gebieten!" Alsbald ist auch die Herzogin von mir
aus ihrem Quartier abgeholt und vom Herrn Bischof als
Landesmutter eingesetzt worden. Am Abend aber bei
der Tafel hat es einen tüchtigen Trunk gegeben. Herren
und Diener haben gute Räusche davongetragen. Beide
Brüder haben kräftig getrunken und hatten einander an
diesem Abend sehr lieb.

Wie's Nacht wurde, hat Herzog Heinrich, der ziemlich voll war, gesagt, er müsse doch einmal nachsehen,
ob seine Liegnitzer ihm auch gehorsam wären. So sind
I. F. Gn. auf den Marktplatz geritten und haben Alarm
schlagen lassen. Da mußte ein jeder Bürger sich in bester
Wehr und Rüstung zu I. F. Gn. auf den Marktplatz verfügen. Alsbald kam jedermann herbeigelaufen. Dem Herrn
Bischof aber auf dem bischöflichen Hofe wird angst und
bange dabei. Man weiß doch nicht recht, wie Herzog
Heinrich es meint. Er fordert also seine Hofleute, Berittenen und Fußsoldaten zu sich. Herzog Friedrich, oben
auf dem Schloß, wollte zum Herrn Bischof hinunter-
kommen. Das aber ließ die Schloßgarde nicht zu. Da
wird's auch ihm recht übel zu Mute. Ebenso hat sich
die Landschaft zusammen auf ein Haus begeben, um zu
sehen, was eigentlich daraus würde. Als aber der Herr
Bischof zwei Abgesandte an Herzog Heinrich schickt
mit der Frage, wessen man sich denn von ihm zu versehen habe, antwortet Herzog Heinrich mit lachendem

Munde, die Herren sollten alles Guten gewärtig sein. Er
hätte gemeint, der Herr Bischof wären längst zur Ruhe
gegangen. I. F. Gn. hätten nur nachsehen wollen, ob
seine Liegnitzer noch gehorsam und nicht aus der Übung
gekommen wären. Es scheine alles gut in Ordnung zu
sein. Daher werde er die Mannschaften gleich in Gnaden
entlassen. Ihn aber wollten I. F. Gn. zu einem Nachttrunk
besuchen. Auf diesen Vorschlag ist der Herr Bischof denn
auch eingegangen, und die Herren waren noch eine Stunde
gar lustig beisammen.

In der Folge haben I. F. Gn. viel fremdes Gesinde
und Junker aus dem Reich zu sich gezogen. Als ich
von einer Reise heimkam, mußte ich einen Neuankömm-
ling, Günter Lossen mit Namen, als Hofmarschall angestellt sehen. Dabei sollte ich I. F. Gn. Hofmeister
bleiben, alle hatten mir zu gehorchen, sogar der neue
Hofmarschall. Aber wenn ich gemeint hatte, dadurch gute
Tage zu bekommen, so war ich sehr im Irrtum. Der
Marschall tat wenig oder nichts und wußte kein Ding
richtig anzustellen, sondern lag von einer Mahlzeit bis zur
andern in seinem Hause. Kam aber die Essensstunde,
und der Küchenmeister schrie zum Fenster hinaus: „Herr
Marschall, es ist nichts vorhanden!" so begann er ein
Gefluch und Schelten, daß es wundernahm, wenn dabei
das Schloß stehen blieb. Wie nun der Marschall sah,
daß er nicht aus der Stelle kam, verklagte er mich heimlich beim Herzoge. Einmal habe ich ihn vor I. F. Gn.
einen ehrvergessenen losen Mann genannt. I. F. Gn. sind
ihm aber je länger, je mehr gram geworden, besonders,
wenn es galt, Geld herauszurücken, da brannte es in
allen Gassen.

Bald war alles wieder beim alten. Mit großen Unkosten wurde das Hauswesen bestritten. Was nur geborgt
werden konnte, ging ebenfalls drauf. Auch wurde kein

Gericht abgehalten. Dabei waren I. F. Gn. lustig und
guter Dinge und ließen einen Hund schlafen und sorgen.
Meinten, sie lebten in einem Rosengarten. Täglich mußten
die Trompeten mitsamt der Kesseltrommel zu Tische eins
aufspielen. Dabei gab's bei jeder Gelegenheit Ring-
stechen, Spazierenreiten und sonstige Kurzweil, Tanzen
und Saufen und Lustbarkeiten. Trat aber Mangel ein,
so hieß es: „Hans, schaffe es an, verordne es, bring's
zuwege!" Alsbald lag mir die Mühe auf dem Halse.
Übrigens bin ich dabei auch recht vergnügt gewesen und
habe auf die berührten Vorgänge nicht sonderlich geachtet.

Es lag aber mancherlei in der Luft. Wenzel Kreisel-
witz, den I. F. Gn. mit ehrenrührigen Worten angegriffen
hatten, sagte, der Herzog sei ein verlogener Mann und
hat ein Sprüchlein dazu gedichtet:

Heinz schnappt nach der Maus.

Die Frag: Was fängt er?

Antwort: Einen großen Dreck.

Das hat I. F. Gn. sehr verdrossen. Er sann auf Mittel,
wie er sich an ihm rächen könnte.

Es kam schließlich so weit, daß ganze Adelsfamilien
aus dem Lande flüchteten und andere sich wenigstens
über Nacht nicht in ihren Häusern finden ließen. So
ging es mit der Herrlichkeit Herzog Heinrichs denn allgemach, wie man zu sagen pflegt, auf die Neige.

12. Kapitel
Schweinichens Werbung und Heirat

Auf unserer großen Reise im Jahre 1578 suchte ich eine gute Bekannte auf, die Jungfrau Margaretha Schellendorfin. Zwei Tage bin ich bei ihr verblieben und habe um sie geworben. Ich meinte es ernstlich damit, und das Scheiden ist uns beiden schwer geworden. Sie hat mir damals versprochen, nicht zu heiraten, bis daß ich wiederkäme. So bin ich damals in Gottes Namen fortgezogen.

Der Jungfrau Mutter hat ihr beibringen wollen, sie sollte ihr Herz nicht auf mich setzen, denn ich wäre ein Hofmann und würde sie gewiß betrügen; jetzt zöge ich weg, und wer könne wissen, wann ich wiederkäme. Aber die Jungfrau hat sich nicht bereden lassen und ist beständig geblieben. Wie ich demnach 16 Wochen später von der Reise zurückkam und vernahm, daß Jungfrau Margaretha Schellendorfin ihre Zusage so weit gehalten, daß sie sich mit keinem anderen versprochen hatte — und es waren schönere und reichere genug dagewesen — da gefiel mir das ausnehmend. Ich reite also von Haynau aus hinüber und war bei Mutter und Brüdern ein gern gesehener Gast. Wie ich aber nachher mit der Jungfrau zu einer Aussprache komme, frage ich, ob sie ihre Zusage auch gehalten habe. Da antwortet sie: Ja! Sie hätte sich keinem zugesagt, und wenn ich drei Jahre draußen geblieben wäre. Davon ist mein Liebe um so stärker entbrannt. Die Mutter aber traute mir noch immer nicht recht, ließ es sich aber nicht merken und tat schön mit mir. Ich habe meine volle Absicht an jenem Abend noch nicht offenbart.

Wir haben uns dann noch verschiedene Male gesehen. Zwar habe ich mir des öfteren vorgenommen, von der Jungfrau abzulassen. Es ging aber nicht, mußte ich doch immer wieder spüren, wie ihre Liebe zu mir beständig blieb.

Am 24. Dezember 1580 habe ich an meine Freunde, die Herren Gladis auf Gorpe, geschrieben und sie ernstlich um Rat gefragt, ob ich auf Hermsdorf heiraten sollte. Darauf haben sie mir den guten Rat gegeben, ich solle es in Gottes Namen nur tun, sie wollten sich mir schon als getreue Freunde erweisen.

So habe ich denn meine Seele Gott befohlen und ihn gebeten, er wolle mein Herz erleuchten, ob ich ledig bleiben oder in den heiligen Stand der Ehe treten solle. Darauf hat denn der allmächtige Gott mein Gebet ohne Zweifel erhört und mein Herz dahin gelenkt, daß ich besondere Lust und Liebe zum Heiraten bekam. War ich doch vier Jahre lang bei der Witwe, Frau Hans Schellendorf zu Hermsdorf, aus und ein geritten. Recht viel Gutes war mir daselbst zuteil geworden. Ich hatte gefunden, daß es vornehme, tugendhafte Menschen waren, gottesfürchtig, auch altadligen Geschlechts. Vor allem aber spürte ich immer mehr an der Tochter Liebe und eheliche Treue. Am Christtag 1580 hatte ich in der Kirche mein Gebet an Gott gerichtet und ihn gebeten, so es sein göttlicher Wille sei, möge er mir eine Antwort ins Herz geben. Nun kann ich mit bestem Wissen sagen, daß es mir noch während der Predigt in mein Herz kam, als hätte mir einer ins Ohr geraunt: „Nimm den Herzog mit und bitte um die Jungfrau und fahre auf dem Schlitten hinaus; wenn du aber nicht bald kommst, so ist dir die Jungfrau nicht beschert." Ich schlug mir den Gedanken aber zunächst aus dem Sinn.

In der folgenden Nacht aber war's mir, als sagte

jemand zu mir: „Ziehe nach Hermsdorf und bitte um die Jungfrau." Die Nacht über hatte es tüchtig geschneit, deswegen ging ich frühmorgens zu Herzog Heinrich, meinem Herrn, und bat I. F. Gn., sie wollten sich so gnädig erzeigen und nach Tische mit mir ausfahren. Weil's aber geschneit hätte, so bäte ich, I. F. Gn. wollten den Schlitten anspannen lassen. Das haben I. F. Gn. mir auch sofort bewilligt, sagten darauf: „Was gilt die Wette, du willst mich zu deiner Liebsten hinführen?" Da hab' ich's eingestanden, daß man mich heute draußen erwarte. I. F. Gn. aber ließen nach Tische vier Jagdschlitten anschirren und zwölf Reiter aufsitzen. So ging's nach Hermsdorf, wo I. F. Gn. ein gern gesehener Gast waren. Nun kann ich's vor Gott bezeugen, daß ich an jenem Tage noch nicht willens war, um die Hand der Jungfrau zu bitten. Es waren aber allerhand fremde Junker draußen, und wieder durchschoß der Gedanke mein Herz: „Falls du heute nicht Ernst machst, so wird sie vielleicht einem anderen zugesprochen." In meiner Herzensangst erzähle ich I. F. Gn. den ganzen Handel und bitte sie gehorsamst um Rat. Der Herzog, der auch sonst gern Ehen stiftete, riet mir von ganzem Herzen, ich sollte es tun. Als ich diese Meinung von I. F. Gn. vernommen hatte, bat ich sie, bei der Mutter meiner Liebsten um ihre Hand zu werben. Das haben I. F. Gn. denn mit großer Freude zugesagt. Unterdessen bin ich zum Tanz gegangen und habe mich amüsiert.

Es dauert aber keine Viertelstunde, da kommen I. F. Gn. zu mir und sprechen: „Hans, sei fröhlich, die Jungfrau gehört dir." Dessen war ich von Herzen froh. Zwei andere Freier mußten gegen mich zurücktreten. Ich hätte nun gar zu gern vor Fastnacht noch geheiratet. Davon aber wollte die Mutter nichts wissen. Man bewilligte mir aber den 28. Januar als Tag zur Ausbitte und Ver-

lobung. So bat ich denn alle Freunde, die ich erreichen konnte, und vornehmlich I. F. Gn., auf den Abend vor der Ausbitte nach Haynau in Georg Schramms Haus. Da hatte ich drei Tische mit adligen Herren zu bewirten. Am folgenden Morgen sind I. F. Gn. mit 24 reisigen Rossen nach Hermsdorf zur landesüblichen Ausbitte gezogen. Bald darauf kam ich selbst mit vier Trompeten und einer Kesseltrommel nebst 18 reisigen Rossen. Es waren aber auch zwei Frauen aus meiner Verwandtschaft dabei. Jene 24 Rosse kamen mir unterwegs entgegen, so daß es aussah, als wollte ich Hochzeit halten. Ich hatte aber meiner Gesellschaft die Losung gegeben, daß sie nach der Ausbitte in die Windmühle schießen sollten, die allda stand; sie haben aber aus Vorwitz nachher über tausend Schüsse abgegeben. Nachdem die Geldgeschäfte geordnet waren, mußte ich, wie landesbräuchlich, bitten. Das dauerte wohl eine halbe Stunde lang, und auch die Verwandten der Jungfrau haben es nachher bezeugt, daß sie niemals eine so umständliche, vernünftige Ausbitte[1]) gehört hätten; die Sache müsse mir doch sehr am Herzen gelegen haben. So ist die Verlobung in aller Pracht und Fröhlichkeit gefeiert worden.

So sehr ich nun bei meiner Schwiegermutter drängte, die Hochzeit auf Fastnacht zu geben, wollte sie doch nichts davon wissen. Als aber I. F. Gn. das hörten, haben sie sich dazu erboten, die Hochzeit selbst in dem fürstlichen Hause zu Liegnitz auszurichten, meine Schwiegermutter aber sollte das Geld dazu geben. Anfangs wollte sie auch davon nichts wissen. Schließlich aber willigte

---

[1]) **Ausbitte** für feierliche Brautwerbung scheint der Lieblingsausdruck von Schweinichen zu sein, denn in Grimms Wörterbuch werden nur Zitate aus Schweinichen für diesen Wortgebrauch herangezogen.

sie in die Summe von 300 Talern zur Hochzeit, und I. F. Gn. erklärten sich bereit, den Rest zu zahlen, ich aber sollte alles, von Anfang bis zu Ende, selbst bestellen und anordnen. Auf diesen Vergleich ward dann die Hochzeit für den 13. Februar 1581 festgesetzt.

Nun galt es, nicht bloß an Essen und Trinken zu denken, sondern auch an alles, womit meine Braut und ich bekleidet werden sollten. Deshalb bin ich nach Breslau zu Adam Mühlpforten gefahren und habe für mich und meine Braut grünseidenen Atlas mit Silberbesatz ausgesucht. Ferner für mich roten Samt zum Rock, der auf deutsche Art gemacht wurde, wie man es damals trug. Die Knechte und Jungen wurden rot und weiß angezogen. Für mich habe ich ferner weiße Kranich- und Reiherfedern zum Federschmuck für die Pferde angeschafft. Das ist mich allein auf 250 Taler zu stehen gekommen.

Am 12. Februar bin ich mit sechs Trompeten und, einer Kesseltrommel, sowie mit 21 reisigen Rossen nach Haynau zu meinen Verwandten geritten. Unterwegs habe ich meine Braut mit ihrer Mutter getroffen und angesprochen; die hielten ganz schlicht ihren Einzug in Liegnitz, und nicht, wie es einer Braut zukommt. Am nächsten Morgen aber hat mir Gott zu meinem eigenen Einzug nach Liegnitz ansehnliche Freunde beschert. Es gab 54 reisige Rosse, 13 Wagen mit Mannen und Frauenzimmern und an Rossen im ganzen 106. Auf seiten meiner Braut waren die vornehmsten, alten Freunde weggeblieben, weil sie mit I. F. Gn. verfeindet waren. Ja, es war das Gerücht entstanden, I. F. Gn. würden den Frauenzimmern auf der Hochzeit all ihren Schmuck abnehmen. I. F. Gn. haben mir 48 reisige Rosse entgegengeschickt. Zum Glogauischen Tore habe ich einziehen müssen, damit I. F. Gn. es recht haben anschauen können. Es war auch mehr Pracht entfaltet, als gemeinhin einem Adligen zukommt.

Oben auf dem Schloß, wohin ich mit meiner Schar gezogen kam, bin ich zum Empfang von I. F. Gn. und meiner Braut in das Frauengemach gewiesen. Darauf sind wir alsbald von I. F. Gn. in den großen Saal zur Trauung geführt worden. Dort gab's ein fürstliches Essen mit allerlei Scherz. Zum Beilager aber, das ich in Freuden und mit Ehren vollführt habe, ist uns von I. F. Gn. das Rosenzimmer eingeräumt worden.

Am folgenden Morgen wurde, wie üblich, eine Predigt gehalten. Obgleich ich nun die fürstlichen Personen eingeladen hatte und sonst üblich ist, daß sie etwas schenken, wurde uns kein Stück verehrt. Nur der Rat von Liegnitz hat meiner Braut einen Türkisring überreichen lassen. Ich aber habe ihr zur Morgengabe ein Halsbändlein im Werte von 56 Talern gegeben mit einem Portugalöser daran. So haben wir den Hochzeitstag mit Freuden und großem Trinken zugebracht. Meine Freunde aber sind von I. F. Gn. gar stattlich bewirtet worden an einer langen fürstlichen Tafel mit zwei Vorschneidern und an acht adligen Tischen außerdem, und jedermann hat vollauf bekommen.

Am vierten und fünften Tage habe ich Gäste bei mir gesehen, im Hause des Herrn von Axleben, der es mir dazu eingeräumt hatte. Besonders am zweiten Tage, wo I. F. Gn. fast allein bei uns waren, sind sie so lustig gewesen wie ein guter Freund. Der Herzog hatte seinen Hut an einen Nagel gehängt und gesagt: „Allhier hängt der Fürst, hier aber sitzt ein guter Bruder!" Die guten Brüder aber sind recht voll gewesen. Nach vierzehn Tagen ruhigen Ehelebens auf meinem Gute haben I. F. Gn. mich wieder zu sich befohlen, und ich habe meinen Dienst getan wie zuvor.

ᛋᛋᛋᛋᛋᛋᛋᛋᛋᛋᛋᛋᛋᛋᛋᛋᛋᛋᛋᛋᛋᛋᛋᛋᛋᛋᛋᛋᛋᛋᛋᛋᛋᛋᛋᛋᛋ

13. Kapitel
Die Belagerung von Liegnitz

Auf den 28. April war ein Fürstentag nach Breslau ausgeschrieben; auch I. F. Gn. waren dazu aufgefordert worden. Sie versahen sich aber keiner guten Behandlung, weil sie beim Kaiser recht schlecht angeschrieben waren. Überdies wurde es ruchbar, daß der Bischof höheren Befehl hatte, I. F. Gn. gefänglich einzuziehen. Deshalb ließ der Herzog sich lieber entschuldigen. Nicht lange danach wurden I. F. Gn. auf ihren Eid nach Prag gefordert. I. F. Gn. entschuldigten sich mit Krankheit, sie hätten starken Husten. Inzwischen mehrten sich die Anschuldigungen gegen Herzog Heinrich bei I. Kais. Maj.: übler Haushalt, keinerlei Justiz, Ungehorsam gegen I. Kais. Maj. und besonders, daß I. F. Gn. mit den Polen in Verbindung stünden und Dinge verhandelten, die I. Kais. Maj. und Schlesien zuwider wären. I. F. Gn. hatten aber unter dem Adel Gegner genug. So sind denn auf I. Kais. Maj. Befehl an einem bestimmten Tage zu Neumarkt Rosse und Fußsoldaten zusammengekommen, um gegen I. F. Gn. die Reichsexekution zu vollführen. Davon hat mein Herzog zunächst keine Ahnung gehabt.

Am 6. Juni zur sechzehnten Stunde hat Herr Wolf von Kittlitz viele Reiter und Kriegsleute nach Neumarkt kommen sehen. Er hat darauf in Erfahrung gebracht, daß die Rüstung Herzog Heinrich von Liegnitz gelte. Nun sind freilich schon alle Straßen nach Liegnitz besetzt gewesen. Er hatte aber genug gesehen und hat davon I. F. Gn. in Liegnitz Bericht erstattet. Anfangs wollter

I. F. Gn. das nicht glauben und bekamen einen mächtigen Schrecken. Deshalb wurde der von Kittlitz aufs neue auf Kundschaft ausgeschickt. Um zehn Uhr ist er wiedergekommen und hat berichtet, daß der Vortrab schon in zwei Stunden vor Liegnitz sein könne. Darauf gaben I. F. Gn. mir die Schlüssel der Stadt und ließen mich die Tore fest zuschließen. Auch wurde dem Rate befohlen, 30 Hakenschützen aufs Schloß zu schicken, ebenso die Stadtwache zu besetzen. Wenn die Alarmtrommel gerührt würde, solle ein jeder mit seiner besten Wehr auf dem Marktplatze erscheinen.

Um zwei Uhr nachts wurde Sturm geschlagen. Ich selbst bin zu Pferde in der Stadt umhergeritten, den Trommelschläger an meiner Seite. Die Bürger lagen eben im ersten Schlummer. Sie haben sich aber dennoch gehorsam erwiesen und sind eine Stunde später auf dem Marktplatze versammelt gewesen, bei tausend Mann stark. Besonders die Mittelgasse hat sich durch Ordnung und Munterkeit ausgezeichnet. Kaum hatte die Trommel zu schlagen begonnen, so hing an jedem Hause eine erleuchtete Laterne, wie es die Stadtordnung befahl. Inzwischen aber haben sich I. F. Gn. vollständig der Sache angenommen: die Geschütze rückten auf den Schloß- und Stadtwall, alles Vieh wurde von I. F. Gn. persönlich mit Hilfe des Hofgesindes von der Karthause und dem schwarzen Vorwerk aufs Schloß gebracht, ferner Getreide und Holz.

Alsdann sind I. F. Gn. um vier Uhr aufs Rathaus gezogen, wo der ganze Rat, die Geschworenen und die Schöffen versammelt waren. Hier haben I. F. Gn. um Hilfe und Beistand in gegenwärtiger Not gebeten. Darauf erklärte sich der Rat bereit, für I. F. Gn., als ihren Herrn, Leib, Ehre, Gut und Blut zu lassen. Auch die Bürger auf dem Markte, die I. F. Gn. in einen Ring zusammen-

treten ließen, schrien mit großer Begierde und Freude: Ja, ja, ja!

Alsdann wurden Befehlshaber verordnet und die Kriegsleute auf den Stadtwall geführt, wo die Geschütze schon aufgefahren waren. Mit Tagesanbruch kamen noch 50 Hakenschützen aus der Stadt Goldberg. Damit die Sache aber einiges Ansehen bekäme, ließen I. F. Gn. auf der Brustwehr am Schloß Zelttücher errichten und dahinter lange Spieße und Hellebarden in richtiger Ordnung aufstellen, so daß die Meinung entstand, es wären Landsknechte dahinter versammelt. Es wurden auch Häute auf Pfähle gesteckt: das gab ein Ansehen, als ob viele Personen dort ständen, wo doch nur eine war. Zwei Kanonen wurden außerdem auf den Schloßturm hinaufgezogen. Auch mußten sechs Trompeter und ein Kesseltrommler da oben eins blasen und schlagen, sobald man den Anmarsch der Fürsten und Stände erkennen könnte. Die mochten dann merken, daß I. F. Gn. ihrer Ankunft unerschrocken entgegensähen.

So war ihr Anschlag mißlungen. Um sieben Uhr am 7. Juni schrien die Türmer: „Sie kommen auf allen Straßen herbeigezogen, schwarz wie die Krähen." Dann sah man, wie der Herr Bischof mit 600 Rossen und 2400 Mann zu Fuß sich an der Karthause auf dem offenen Felde lagerte. Als man dort aber das Blasen und Schießen vom Schloßturme vernahm, hat der Herr Bischof gesagt: „Unser Anmarsch ist kundbar, wir werden wohl nicht viel ausrichten, sondern noch Spott dazu einheimsen und vielleicht sogar Püffe bekommen!" Wie die Herren aber noch miteinander beraten, hat sich folgendes Stücklein zugetragen. Ein Junker hatte zwei Pferde in die Vorstadt zum Schmied geschickt, damit sie beschlagen würden. Die aber hatten das Pulver nicht riechen können. Das eine reißt sich los und läuft in der Richtung auf

die versammelten Fürsten. Der Knecht aber sprengt auf dem andern Pferde hinterdrein. Alles schreit: „Was ist denn los?" Der Knecht aber, ein recht abgefeimter Bursche, ruft: „Der Pauker kommt!" (So wurde nämlich Herzog Heinrich von seinen Gegnern meistens genannt.) „Er hat meinen Gesellen bereits vom Pferde geschossen!" Da ist ein solcher Schrecken unter die Herren gefahren, daß der Kriegsrat ein rasches Ende fand, und jeder nicht schnell genug hat auf sein Roß kommen können. Auch die Landsknechte hat die Angst ergriffen. Viele haben ihre Rüstung von sich geworfen. Ein Schweidnitzer aber ist alsbald vom raschen Laufen erstickt und tot am Platze geblieben.

Dann werden die Zugänge zur Stadt besetzt, aber so schlecht, daß es 50 Hakenschützen aus der Stadt Lüben gelang, vor aller Augen in die Stadt zu kommen.

Gar zu gern hätten I.F.Gn. jetzt wirklich einen Ausfall gemacht. Aber ich habe es ernstlich widerraten. I.F.Gn. sollten doch erst in Erfahrung bringen, was der Fürsten und Stände Begehr sei. Die Kunde ist uns dann bald genug zuteil geworden. Es geschah aber ein langes Hin- und Herreden zwischen Herzog Heinrich und den Gesandten seiner Gegner oben auf dem Schlosse. Diese vermeldeten alsdann, sie hätten Herzog Heinrich voll Mut und zu jeder Unternehmung aufgelegt angetroffen. Er müsse aber ganz gewiß eine starke Reserve haben. Denn im hinteren Schloß wäre ein Geknister und Geräusch gewesen, da lägen ganz gewiß lauter Polacken. Es sind aber keine polnischen Soldaten, sondern vielmehr ein Haufen alte Kühe und Schafe gewesen, die dem Kriegshandwerk sicherlich eine gute Weide bei weitem vorgezogen hätten.

Bei den weiteren Verhandlungen aber wird der Herr Bischof hitzig und befiehlt den Abgesandten, sie sollten Herzog Heinrich anzeigen, nunmehr würde die Exekution

in Kraft treten: sie würden die Vorstädte in Brand strecken und gegen die Stadt Sturm laufen. Und wirklich lassen darauf die kaiserlichen Kommissarien ihr Kriegsvolk in den Glogauischen Hag führen. Hier nehmen sie alsbald Aufstellung wie zum Sturmlauf. Indes ihren Zweck haben sie damit nicht erreicht. I. F. Gn. erschraken sich nicht zum mindesten. Aber denen im Hag wurde so angst und bange, daß manch einer vor Furcht ohnmächtig geworden ist. Denn sie glaubten nicht anders, als daß die Sache ernstlich gemeint sei. Die Kriegsleute auf dem Walle aber sind guten Muts gewesen und haben laut geschrieen: „Nur hero, nur hero, mit frohem Mut!"

Während noch verhandelt wurde, zog am Himmel eine schwarze Wolke auf, und siehe da, es erfolgte ein Donnerschlag, der Blitz aber ging in eine alte Weide nahe bei der Karthause. Darüber wurden die kaiserlichen Kommissarien aufs äußerste bestürzt, haben gefragt, was das denn heißen solle? Man dürfe doch nicht während der Verhandlungen mit großen Stücken aus der Stadt herausschießen! Die Herren Abgeordneten sollten sofort ihrem Herrn den Rat geben, das einzustellen, sonst könne er sich eines anderen versehen. Die Abgeordneten aber antworteten, das ginge weder sie noch ihren Herrn etwas an, sondern dieser Schuß käme von Gott im Himmel, dem die Menschen nicht gebieten könnten. Die Herren möchten sich nur selbst davon überzeugen. Das kam ihnen denn doch recht wunderlich vor. Gegen Abend waren die Verhandlungen so weit gediehen, daß das Kriegsvolk von den Kommissarien entlassen wurde. So ist ein jeder heil und gesund aus diesem gefährlichen Kriege nach Hause gekommen, mit Ausnahme der beiden Personen, die vor Furcht und Angst tot geblieben sind. Es geht eben kein Krieg ohne alles Blutvergießen ab. Der Herr Bischof aber ist mit 350 Pferden in die untere

Stadt gezogen und hat friedliche Quartiere genommen.
I. F. Gn. aber haben dem Herrn Bischof und Herzog
Karl auf den Abend etliche Seekarpfen und große Hechte
übersandt. In dieser Nacht ist die Wache in Stadt und
Schloß mit Trommeln und Pfeifen aufgeführt worden.
I. F. Gn. sind unbemerkt mit mir umhergezogen und
haben die Wache auf dem Marktplatz und im Schloß be-
sucht. So ist der denkwürdige Tag der Belagerung von
Liegnitz zu Ende gegangen.

Am nächsten Morgen wurde hin und her verhandelt,
ob oben auf dem Schloß oder im Hause des Herrn
Bischofs beratschlagt werden solle. Gegen Stellung von
Geiseln bequemten sich I. F. Gn. endlich, hinunterzukommen. Unten haben sich I. F. Gn. dazu verstanden,
sich auf den 1. Juli in Prag einzustellen und I. Kais. Maj.
Entscheidung anzuhören. Inzwischen hatten wir den
Geiseln auf dem Schlosse ein recht lustiges Frühstück dargeboten; dabei wurde so viel getrunken, daß keiner vom
Tische aufstehen konnte. Wie aber I. F. Gn., mein Herr,
hinaufkommen, finden sie uns alle tüchtig angezecht. Sie
hatten aber selber einen guten Rausch mitgebracht. Wir
mußten schließlich die Geiseln auf Wagen setzen und so
zum Herrn Bischof heimschicken.

Am schlimmsten hatten es in diesem Liegnitzischen
Kriege eigentlich die alten Kühe im hinteren Schlosse
gehabt; denn einmal hatten sie nichts zu fressen und
zum andern waren sie ihres Halses nicht sicher gewesen.
Denn neun von ihnen haben daran glauben müssen und
sind von den Landsknechten geschlachtet worden.

14. Kapitel
Herzog Heinrichs Gefangennahme, Flucht und Tod

Am 9. Juli sind wir in Prag angekommen und auf der Kleinseite in ein Eckhaus gezogen, woselbst des Kaisers Fourier I. F. Gn. einlogiert hatte. Am folgenden Tage haben I. F. Gn. sich beim obersten Hofmeister anmelden lassen und sich danach erkundigt, ob I. Kais. Maj. ihre Aufwartung in der Kammer genehm sei. Es hieß, I. Kais. Maj. würden es zu Gnaden aufnehmen. So sind I. F. Gn. am nächsten Tage bei Hofe von allen Herren Offizieren recht freundlich empfangen. Wie aber I. Kais. Maj. zur Tafel gehen, haben sie I. F. Gn. die Hand geboten und sich recht gnädig erzeigt. Ja, I. F. Gn. haben dem Brauche nach vom obersten Hofmeister das Handtuch bekommen, um es I. Kais. Maj. darzureichen. Und so ist es weiter gegangen. Als aber etliche Tage später I. F. Gn. dero Bruder, Herzog Friedrich, erblicken und vollends sehen, daß dieser ein fröhliches Gesicht macht, da hat er das als böses Omen genommen und zu mir gesagt: Das nimmt kein gutes Ende. Ich aber habe das I. F. Gn. zunächst auszureden versucht.

Inzwischen wurde das Geld knapp, und nicht lange danach ging das Gerücht, daß I. F. Gn. von I. Kais. Maj. mit Gefängnis·bestrickt werden sollten. Anfangs wollte der Herzog entfliehen. Ich aber habe I. F. Gn. zu' Gemüte geführt, daß sie sich damit um Land und Leute reiten würden. So unterblieb es damals. Am 12. August aber kommt ein Trabant I. Kais. Maj. mit einem kaiserlichen Kanzleibefehl, der Herzog habe sich am nächsten Morgen

9*

132

um sieben Uhr in der Tafelstube einzustellen, um I. Kais. Maj. allergnädigste Entscheidung entgegenzunehmen. Das schoß I. F. Gn. gewaltig in die Krone. Gar zu gern wären sie über Nacht fortgeritten. Es waren aber heimlich Wachen aufgestellt, sogar im Hause selbst, so daß I. F. Gn. nicht fortkommen konnten. Da galt es, abzuwarten.

Den nächsten Morgen um sieben Uhr sind I. F. Gn., wie es Brauch war, zu Hofe auf den großen Saal geritten. Ich für meine Person ging ins Wartezimmer und wollte mich umsehen, ob dort etwa mehr zu erfahren sei. Wie ich aber dahin komme, was sehe ich? Der Kaiser hat eine feierliche Gerichtssitzung aufgeschlagen, und quer durch den Raum ist eine Schranke errichtet, geradeso wie damals, als I. Kais. Maj. einem Böhmen Leib und Leben abgesprochen haben. Darüber bin ich gar heftig erschrocken und I. F. Gn. noch mehr. So wird es neun Uhr. Die Wache zieht mit Trommeln und Pfeifen auf, was sonst an einem Wochentage nicht gebräuchlich war. Das machte I. F. Gn. noch furchtsamer. Wir mußten alle auf Kundschaft ausgehen, aber es blieb zunächst alles still. Noch einmal wären I. F. Gn. gern entwischt, es war aber nicht möglich. So mußten sie wohl oder übel das Kleid der Geduld anziehen. Schließlich haben I.F.Gn. sich auf das Wartezimmer begeben. Alle waren schon versammelt: die Guardia, Herzog Friedrich und die Gesandten der Landschaft. I. F. Gn. stellten sich an, als wären sie froh und mutig, damit man ihnen die Bangigkeit nicht anmerken möchte.

Bald darauf wird das Zimmer I. Kais. Maj. aufgetan, und der Herr von Rosenberg, der Oberstburggraf von Böhmen, erscheint mit einigen anderen Offizieren. Alsdann nahmen sie Platz zu Füßen des kaiserlichen Sessels. Als aber das Volk umher still geworden war, ist er aufgestanden und hat eine Rede gehalten, in der allerlei gegen

I. F. Gn. angeführt wurde. Zuletzt aber kam der kaiserliche Befehl, I. F. Gn. sollten sich in die Gewalt I. Kais. Maj. begeben und dahin gehen, wohin I. Kais. Maj. befehlen würde. Herzog Heinrich hielt darauf eine Rede, die manch einen höchlichst in Erstaunen setzte, und führte mit starken Gründen seine Unschuld aus. Schließlich standen die Herren Offiziere auf und sagten, sie wollten I. Kais. Maj. solche Entschuldigung ehrfurchtsvoll unterbreiten. Bald aber sind sie mit der kaiserlichen Entscheidung wiedergekommen, es solle einstweilen so verbleiben, I. Kais. Maj. wolle den Fall aber des weiteren in Erwägung ziehen. Herzog Heinrich beteuerte nun zwar weiter seine Unschuld mit herzbeweglichen Worten. Half aber nichts. Der von Rosenberg unterbrach ihn und sagte: „I. Kais. Maj. haben es befohlen." Alsdann hat er I. F. Gn. bei der Hand genommen. Im Gehen aber schrie der von Rosenberg mit lauter Stimme: „Hans Schramm, der Kanzler, soll sich gleichfalls in I. Kais. Maj. Gewalt begeben und dem Schloßhauptmann folgen!" Der wurde auf den weißen Turm geführt. Der von Rosenberg aber verließ mit I. F. Gn. das Wartezimmer und ging über den Platz nach dem großen Saal, dessen Oberzimmer I. F. Gn. bewohnen sollten. Die Zimmer waren wohl mit Teppichen behängt und die Kammer daneben auf das beste mit einem fürstlichen Bette ausgestattet. Hier mußten I. F. Gn. dem Herrn von Rosenberg an des Kaisers Stelle geloben, sich bei seiner fürstlichen Ehre nicht aus den Zimmern hinwegzubegeben bis auf weiteren gnädigen Bescheid von I. Kais. Maj.

Ich habe keine geringe Angst ausgestanden, als ich meinen Herrn gefangen wegführen sah. Deshalb bin ich ihm voll Eifer nachgedrängt, wie Petrus dem Herrn. Aber das Gedränge war groß, und ich konnte auf der Treppe nicht vorwärtskommen.

Eben ist der von Rosenberg die Treppe wieder hinuntergekommen, und ich höre, wie er im Heruntergehen zu seinem Marschall sagt: „Wo ist denn der Schweinichen, des Herzogs von Liegnitz Hofmeister?" Der Marschall spricht: „Gnädiger Herr, er wird nicht weit sein, denn ich habe jetzt eben mit ihm gesprochen." Die Worte sind mir schwer auf die Seele gefallen; ich mußte an meine Herzliebste denken und hätte mich gern hundert Meilen vom Ort gewünscht. Dachte aber: es muß biegen oder brechen, und habe mich zu den Herren hindurchgedrängt. Der Herr von Rosenberg aber hat mir freundlich die Hand geboten und gemeint: „Euer Herr und Ihr selbst tut mir von Herzen leid. Ihr aber braucht keine Angst zu haben. Ich habe Euch eben sagen wollen, daß mein Marschall Euch die Stelle in Küche und Keller anweisen wird, wo Ihr für Euern Herrn Speise und Trank abholen könnt." Über diese gnädigen Worte war ich von ganzem Herzen froh.

Mein guter Herr war zunächst recht traurig. Er faßte sich aber bald ein Herz und hoffte, es würde nicht lange dauern. Weil aber, wer Lust hatte, zu I. F. Gn. gehen konnte, so hatten sie bald stündlich Gäste, die sie trösteten.

Nur mit großer Mühe konnte ich es erreichen, daß I. F. Gn. mich bald darauf nach Liegnitz entließen. I. F. Gn. weinten beim Abschied wie ein Kind. Zu Hause aber mußte ich der Herzogin und den Fräulein über den Zustand I. F. Gn. berichten. Der Schrecken und die Not waren groß. Aber was war zu tun? Man mußte die Sache Gott und der höchsten Obrigkeit befehlen und auf Besserung hoffen.

In der nächsten Zeit habe ich ruhig auf meinem Gute gelebt, und weder der Frau Herzogin Bitten haben mich nach Liegnitz bringen können, noch die Befehle Herzog Heinrichs nach Prag. Nur einmal bin ich nach

Liegnitz gegangen: als nämlich der Herr Bischof dorthin gekommen war, um Herzog Friedrich in sein Regiment einzusetzen. Bei dieser Gelegenheit wurde nämlich für die Frau Herzogin ein wöchentliches Deputat verordnet. Dabei half ich der Fürstin, um gleich darauf wieder heimzuziehen.

Damals wurde auch ein scharfes Strafgericht über die alten Diener Herzog Heinrichs abgehalten wegen eines Spottgedichtes gegen verschiedene Räte Herzog Friedrichs. Mir aber haben sie weder zu Prag noch in Liegnitz etwas anhaben können. Ob das mehr auf Rechnung meiner Ehrlichkeit oder meiner Dummheit kommt, will ich unentschieden lassen.

Fast ein Jahr lang sind I. F. Gn. dann noch in Prag geblieben und all die Zeit über wohl gehalten worden. Hernach aber, im Jahre 1582, haben I. Kais. Maj. den Herzog nach Breslau in ein fürstlich Gefängnis abführen lassen. Hier haben I. F. Gn. Zimmer auf der kaiserlichen Burg bekommen. Auch erhielten die Frau Herzogin und die Fräulein von I. Kais. Maj. Erlaubnis, nach Breslau zu ziehen, damit man beieinander hausen könnte. Jahrelang haben sich sodann die Verhandlungen über Herzog Heinrichs Schulden hingezogen.

So kommt das Jahr 1585. Da bricht eine große Pest in Breslau aus, so daß die Herzogin mit den fürstlichen Fräulein die Stadt verlassen und nach Liegnitz ziehen muß. Als aber die Pestilenz in Breslau überhandnimmt, so daß alle Welt — sogar der kaiserliche Präsident — sich flüchtet, bitten I. F. Gn. Se. Kais. Maj. untertänigst, von Breslau abziehen zu dürfen für die Zeit der Pestilenz. Aber es verstrich ein Monat, ohne daß Antwort erfolgte, dabei wurde die Pestilenz immer ärger. Deshalb trachteten I. F. Gn. danach, wie sie entwischen könnten. Auf der Burg war jetzt außer dem Torwächter nur noch die

Guardia, welche dem Herzog als Wache zugeordnet war.
Nun haben I. F. Gn. die Guardia vorgenommen und ihnen
das Rezept gegeben, in solchen Sterbensläuften gäbe es
kein besseres Mittel, als sich tüchtig vollzusaufen. So läßt
er denn den Burschen einen Tag oder mehrere hintereinander ordentlich Schöps[1]) geben. Davon bekommen
sie so viel zu trinken, wie sie wollen. Schließlich geben
weder die Wachen noch der Türhüter auf I. F. Gn. acht.
Während nun die Wachen sich einen tüchtigen Rausch
geholt hatten, taten I. F. Gn., als seien sie krank und
könnten nicht bei Tische erscheinen. Indem lassen I. F. Gn.
eine Mietskutsche mit zwei Pferden auf eine bestimmte
Stunde vor der kaiserlichen Hofburg halten. Man erzählte im Hause, ein Diener solle fortgeführt werden.
Das wird auch der Guardia ordnungsgemäß gemeldet.
I. F. Gn. packen unterdessen ihre besten Sachen ein und
lassen sie an den Wagen bringen. Die Wachen hatten
noch immer kein Arg daraus; sie tranken in einem fort
Bier. Schließlich fielen sie auf die Bänke und schliefen
ein. Am Tage zuvor hatten I. F. Gn. sich auf der kaiserlichen Kammer ihr Deputat auf vierzehn Tage voraus-
zahlen lassen; auf die Weise war genug Wegzehrung da.

Wie aber I. F. Gn. jetzt an das Tor herunterkommen,
erkennt der Torwächter sie und will nicht aufschließen,
sondern schickt sich an, ein Geschrei zu erheben. Aber
die anderen Diener halten ihn fest, so daß er nicht fort
kann. Unterdessen entreißt man ihm den Schlüssel und
öffnet das Tor. Alsbald sind I. F. Gn. auf und davon
gegangen und über die Oderbrücke ins Trachenbergische
gefahren, jedoch nicht auf dem geraden Wege, damit man
I. F. Gn. nicht nachjagen könne.

[1]) Schöps ist nach K. Weinhold, Beiträge zu einem schlesischen
Wörterbuch, Wien 1835, der Name für ein berühmtes Schweidnitzer Bier, das übrigens noch heute gebraut wird.

Bald genug erhebt sich in der Stadt Breslau ein Geschrei, Herzog Heinrich sei entronnen. Alsbald schicken
die Herren vom Rate in Breslau Reiter und Schützen aus,
um I. F. Gn. nachzueilen und sie zurückzubringen. I. F. Gn.
aber hatten folgende List angewandt. Der Kutscher war
mit Geld und guten Worten überredet worden und hatte
die Landstraße verlassen. In einem kleinen Walde, nur
zwei Meilen von Breslau, haben sich I. F. Gn. abseits
von der Straße über Tag und Nacht aufgehalten. Die
Verfolger sind oft so nahe gewesen, daß I. F. Gn. sie
haben sehen können, sind aber dennoch entkommen.
Wegen dieser Flucht herrschte in ganz Schlesien ein
gewaltiger Schrecken, besonders beim Herzog Friedrich und im Liegnitzer Lande, fürchtete man doch
einen Einfall und Rachezug von I. F. Gn. mit Hilfe der
Polen. Darum wurde an der Grenze gut Wache gehalten,
und überallhin hat man Kundschafter gesandt. Die Liegnitzischen Edelleute aber flüchteten in hellen Haufen in
die Stadt und ließen auf ihren Gütern Wachtposten zurück.

Während so ganz Schlesien in Angst schwebte, ließ
sich Herzog Heinrich gar nichts ankommen, sondern lag
ganz still bei Herrn Opalinski in Polen. Er schickte aber
ein Rechtfertigungsschreiben an I. Kais. Maj. Inzwischen
bäten I. F. Gn. um weitere Auszahlung des Deputats,
damit sie nicht genötigt wären, es sich zu holen. Denn
I. F. Gn. wären in einem fremden Lande und bei einer
fremden Nation und könnten nicht vom Winde leben.
Auf dieses Schreiben haben I. Kais. Maj. dem Herzoge
keine Antwort gegeben.

1587 sind I. F. Gn. mit einer polnischen Gesandtschaft
nach Schweden gezogen. Mit dem neu gewählten Könige
Sigismund sind I. F. Gn. wieder nach Polen gekommen
und nochmals vom Könige in seiner Residenz Krakau
gar fürstlich unterhalten worden.

An den polnischen Kämpfen in Schlesien haben indes
I. F. Gn. keinerlei Anteil gehabt. Zeitweilig sind sie
willens gewesen, nach Moskau zu ziehen und die Tochter
des Moskowiter Großfürsten zu heiraten, nachdem ihre
eigene Gemahlin gestorben war. Im Jahre 1588 haben
sie noch bei der feierlichen Krönung König Sigismunds
in Krakau aufgewartet.

Damals ist es geschehen, daß I. F. Gn. sich auf dem
Wege vom Königshofe in ihr Quartier krank fühlten. Bald
ist ein starkes, hitziges Fieber hinzugetreten und eine so
große Mattigkeit, daß I. F. Gn. Leben in Gefahr kam.
Der König schickte I. F. Gn. alsbald seinen Hofmedikus
und befahl, den besten Fleiß anzuwenden und alle Arz-
neien zu geben, die heilsam sein könnten. Aber die Krankheit nimmt nur noch mehr zu. Am dritten Tage tritt
von neuem große Hitze ein; die war gar nicht zu dämpfeg
und zu löschen. Deswegen begehren I. F. Gn. ein Glas
frische Milch, um sich zu kühlen. Sobald aber I. F. Gn.
die Milch getrunken haben, sind sie rasch schwächer geworden und zwei Stunden später unter Anrufung Gottes
in aller Ruhe, ohne schweren Todeskampf selig eingeschlafen und verschieden. Den Trost der Religion hat
ihnen kein evangelischer Prediger geben können. Man
meint ganz bestimmt, es sei I. F. Gn. Gift beigebracht
worden, und alle Anzeichen sprachen dafür.

Dem König von Polen ist der tödliche Abgang Herzog Heinrichs recht zu Herzen gegangen. Er hat ihn
Herzog Friedrich angezeigt, mit dem Ersuchen, die fürstliche Leiche in die Heimat abholen zu lassen. In Schlesien hat übrigens über diesen Todesfall mehr Freude
als Trauer geherrscht.

Die Nachricht von I. F. Gn. Tod wurde im ganzen
Lande verbreitet, und Herzog Friedrich hatte schon An-
ordnung getroffen, die Leiche abholen zu lassen. Bereits

haben I. F. Gn. sich mit mir unterredet, und ich hatte aus treuem Herzen und untertänigem Gemüte gern darein gewilligt, meines alten Herrn Leiche zu holen. Aber Herzog Heinrich, der schon im Leben viele Feinde besaß, mußte das auch nach seinem Tode erfahren. Denn es sind Leute gekommen, die haben Herzog Friedrich zugesetzt, er dürfe keineswegs dero Herrn Bruder abholen lassen, ohne vorher I. Kais. Maj. gnädigsten Willen zu hören. I. Kais. Maj. aber haben erklärt, die fürstliche Leiche könne um keinen Preis aus Polen nach Schlesien gebracht werden, denn Herzog Heinrich wäre gegen sein fürstliches Wort I. Kais. Maj. zum Trotz aus dem Gefängnis entronnen und hätte sich als rebellischer Fürst zu I. Kais. Maj. Feinden begeben. Das aber sei zuvor von keinem schlesischen Herzoge geschehen. So wenig I. Kais. Maj. hätten dulden können, daß Herzog Heinrich bei seinen Lebzeiten nach Schlesien gekommen wäre, noch viel weniger sollten I. F. Gn. als Leiche dorthin gebracht werden.

So haben I. F. Gn. Herzog Friedrich nach Krakau schreiben müssen, die fürstliche Leiche könne aus wichtigen Gründen nicht abgeholt werden und müsse daher zu Krakau beigesetzt werden.

I. Kön. Maj. aber waren höchlichst unwillig darüber und erklärten, sie wollten ganz und gar nichts mit dem Begräbnis zu tun haben. Da ergriff die guten Diener des Herzogs große Bekümmernis, hatten sie doch keinen Platz, um ihren Herrn zu bestatten, dazu kein Geld und keinen Auftrag.

Überdies haben sich die katholischen Priester geweigert, I. F. Gn. zu begraben, oder ihn auch nur in eine ihrer Kirchen aufzunehmen. Zuletzt aber, als kein Mensch zu raten wußte, hat sich die Zunft der Weißgerber der Sache angenommen. Das sind meistenteils Schlesier gewesen, und manche darunter waren aus Liegnitz gebürtig.

Die haben mit den Mönchen vom Bettelorden verhandelt und es erreicht, daß die fürstliche Leiche in ihrer Klosterkirche so lange aufgestellt würde, bis man eine bessere Gelegenheit zur Beerdigung fände.

Die Weißgerber haben alsdann 70 Taler zusammengeschossen und mit ihrer ganzen Zunft, mit Manns- und Weibspersonen, die Leiche in die Klosterkirche getragen. Ein schwarzes Londoner Tuch war darüber gedeckt, die Zeremonien sind ganz schlicht gewesen.

Ein Jahr später sind zwei Mönche aus diesem Kloster nach Schlesien gekommen und haben gedroht, entweder solle man die fürstliche Leiche jetzt anderswohin schaffen, oder die Mönche würden sie wieder hinaustun und auf die Gasse setzen. Darauf ist zwischen dem Kloster und den schlesischen Herzögen ein Vergleich zustande gekommen. Es sollte zwar die fürstliche Leiche allda über der Erde ihr Grab behalten; die Kapelle aber müsse um und um fest zugemauert werden. Herzog Heinrichs alter Trabant ist mitgeschickt worden, damit alles in seinem Beisein von den Mönchen ausgerichtet würde. Der Orden hat dafür 100 Taler empfangen.

Weiß Gott, der fromme, weise Herzog Heinrich hat auf dieser Erde viele Not und Widerwärtigkeit ausstehen müssen. Gestorben ist er im Elend, auf fremder Erde, und es ist fast ein Mirakel zu nennen, daß sich auch nach seinem Tode die Erde nicht über ihm geschlossen hat. Unbegraben muß er noch heute stehen nach Gottes Vorsehung. Warum das geschieht, das weiß Gott allein. Der Herr aber sei seiner Seele gnädig und verleihe ihm am jüngsten Tage eine fröhliche Auferstehung! Amen!

Was aber mein Verhältnis zu Herzog Heinrich angeht, so habe ich zwar achtundeinhalb Jahre viel Sorge, Kummer, Kreuz, Widerwärtigkeit und Gefahr mit ihm

ausgestanden. Wie schlimm es mir manchmal ergangen ist, das läßt sich kaum schildern. Das aber muß ich trotz alledem sagen: Herzog Heinrich ist mir stets ein gnädiger Herr gewesen. Wenn ich ihn mit Ernst zu etwas überredet habe, hat er es stets getan.

Und wenn I. F. Gn. einen Heller gehabt haben, so habe ich ihn auch besessen. Ich wüßte mich auch in all den achtundeinhalb Jahren keiner Gelegenheit zu erinnern, wo I. F. Gn. länger als eine Stunde einen Groll auf mich geworfen haben. Zwar Fuchsschwänzer hat es genug gegeben, die mich bei meinem Herrn haben anschwärzen wollen. Denn so geht's bei Hofe, zumal wenn einer in hohen Gnaden steht. Aber I. F. Gn. gaben allemal zur Antwort: „Das glaube ich von meinem Hans nicht, ihr wollt ihn bloß bei mir in Ungnade bringen. Das kriegt ihr aber nicht fertig. Denn er verrichtet mir meine Sachen und alles, was ich ihm auftrage, sehr gut." So gereut mich die viele Unlust nicht, die ich seinetwegen getragen habe. Junge Leute müssen sich in der Welt umsehen, sie sollen sich aber auch früh ans Unglück gewöhnen, damit sie es im Alter ertragen können. Darum danke ich Gott, der mir einen so frommen Herrn beschert hat.

15. Kapitel
Schweinichen im Dienste
Herzog Friedrichs IV. von Liegnitz

Eines Tages hat mich Herzog Friedrich IV. zu sich nach Liegnitz fordern lassen. Allda wurde ich sehr gnädig aufgenommen. Hernach aber hat der Rittmeister Hans von Zedlitz mit mir geredet und an mich das Ansinnen gestellt, ob ich I. F. Gn. Rat und Marschall werden wolle. Darüber habe ich mich nicht wenig gewundert, denn I. F. Gn. haben mich zuvor nicht gern gesehen, ja, sie mochten nicht einmal meinen Namen aussprechen hören. Ich habe das aber als eine göttliche Fügung angesehen und die angebotene Gnade zu gehorsamem Dank angenommen. Nur vierzehn Tage Bedenkzeit hab ich mir ausgebeten.

Am 7. März 1589 habe ich mich alsdann bereit erklärt, I. F. Gn. Bestallung anzunehmen. Über meine Bezahlung sind wir bald einig geworden. Es wurde abgemacht, daß ich alles unter meinem Befehl haben sollte: Küche, Keller, Backhaus und Stall, die ganze Rentkammer mit Einnahmen und Ausgaben, mit Vorwerken und Teichen. Der Burggraf solle nichts vornehmen und tun ohne mein Vorwissen. Etliche Leute aber sind erschrocken, als meine Bestallung ruchbar wurde. Denn sie hatten selbst auf die Stelle gehofft. Sie haben es sich aber nicht merken lassen. Es gab vielmehr Leute, die mich vorher nicht angesehen hatten, die wollten mich jetzt schier auf den Händen tragen. Am 14. Mai habe ich mein Amt beim Herzoge angetreten.

Bei meiner Einführung, drei Tage später, hat der Hauptmann Samson Stange die zierlichen Worte gebraucht, Gott habe in besonderer Schickung I. F. Gn. einen tapferen, feinen, ehrlichen und verständigen Mann beschert, der des Hofwesens und seiner Ordnung wohl kundig sei. Ich aber — so hieß es weiter — sollte in meinen Sachen recht handeln und niemand scheuen noch schonen. Am Schluß haben sie mir die Hände gegeben und Glück gewünscht. Ich hatte aber ein schweres Amt auf mich genommen, denn ich mußte stündlich bei I. F. Gn. sein, mußte auch bei allen Mahlzeiten den Vorsitz führen, wie es einem Marschall gebührt. Ferner lag es mir ob, mit dem Küchenmeister den Küchenzettel zu beraten, das Bier zu brauen und mich um den Einkauf von Wein und Fleisch zu bekümmern. Alle Sonntage aber galt es, eine Wochenübersicht über die Einnahmen und Ausgaben zu machen. Ferner mußten der Burggraf und alle Vögte von den Vorwerken herbeikommen und mir Bericht erstatten. Dann war der Voranschlag für die kommende Woche fertig zu machen. Aber auch auf Reisen hatte ich mit I. F. Gn. zu gehen. Dabei setzte es starke Trünke. Waren aber Frauen dabei, so hatte ich auch für diese zu sorgen. Alle Augenblicke gab es Mahnungen, Klagen und Entscheidungen bei Leuten, die wegen I. F. Gn. Schuldwesen kamen. Viel Ruhe hat's dabei nicht gegeben. Gott aber ist mein Beistand gewesen, so daß ich es alles zu I. F. Gn. Wohlgefallen habe verrichten können.

Am 16. August war ich in Haynau, da gab's eine Mauer vor dem Schloß zu verdingen, außerdem ein gewölbtes Tor und ein Torhäuslein. Da sollte die holsteinische Fürstin wohnen. Das ist mein erster Bau gewesen. Am 23. August wieder mußte ich auf dem Gröditzberge Bäume verkaufen.

Schon Anfang Frühling waren nämlich zwei Herren

vom Hofe nach Holstein geschickt, um die Heirat mit
Herzog Hansens Tochter vollends abzuschließen. Am
26. August sind die Herren Gesandten wieder heimgekommen. Die galt es zu empfangen und nach Liegnitz zu
führen. Bei ihrem Einzuge sind sie mit Freudenschüssen
aus großen Kanonen begrüßt worden. Auf den Türmen
aber sind Kesselpauken und Trompeten im Gange gewesen. Abends wurde das übersandte Bildnis betrachtet
und dazu ein Bankett abgehalten mit Musik und großer
Sauferei. Am folgenden Morgen haben die Gesandten
Bericht erstattet. Die Sache schien zum allerbesten zu
stehen, und alle Welt meinte, I. F. Gn. würden eine überaus schöne Fürstin bekommen, dazu mit Geld und Überfluß an allem. Und wieder hat man den Fall recht tüchtig
mit einem Gelage gefeiert.

Weil aber der Herzog von Holstein das Fräulein
I. F. Gn. erst nach einem halben Jahre haben zuführen
wollen, so hat man I. F. Gn. den Rat gegeben, selbst
nach Holstein zu ziehen. Bei unserm Durchzug durch
Brandenburg hatte der Sekretär in seinem Ansuchen das
einzige Wort „lebendiges" Geleite vergessen. Die Folge
davon war, daß wir durch die ganze Mark unsere Zehrung
selbst haben bezahlen müssen, was uns auf bare 674 Taler
zu stehen kam. In Dänemark ging es uns besser; da hatte
der König für freies Geleite gesorgt. Aber am Strom
bei Sonderburg ist Herzog Hans von Holstein I. F. Gn.
über das Wasser entgegengekommen. Hernach hat sich
die ganze Gesellschaft auf ein schönes Schiff gesetzt. Das
ist mit uns allen bis ans Schloß gefahren. Allda hat
das fürstliche Fräulein neben ihrer Frau Mutter, der
Fürstin, gestanden. Nun waren freilich I. F. Gn. über den
Anblick der fürstlichen Braut nicht besonders erfreut, denn
von Schönheit war an ihr nicht viel zu spüren. Der
Maler muß demnach arg geschielt haben, oder er hat

schönere Farben genommen. I. F. Gn. mußten sich aber
wohl oder übel zufrieden geben. Es ging ja nun einmal
nicht anders, und bei Leuten, die über Land freien, ohne
einander vorher zu sehen, gilt allemal das Sprichwort:

Wer ein Weib nimmt, die er nicht kennt,
Der bleibt ein Narr bis an sein End'!

Ich will damit um Himmels willen nicht gesagt haben,
daß I. F. Gn. der „Narr" gewesen seien oder seine Abgesandten, die um das Fräulein geworben haben; ich
spreche nur so gemeinhin von Leuten, die ohne Besinnen und rechte Erkundigung freien. Das gerät selten
wohl. Mein Herr aber ist recht zufrieden gewesen und
hat fünf gerade sein lassen.

Man wird leicht ermessen können, was das für ein
Gesaufe war in Sonderburg. Des Morgens, wenn man
aufgestanden ist, hat das Essen schon auf dem Tische
gestanden. Und getrunken wurde zwischendurch bis zum
Mittagessen und hernach bis an den Abend. Wer nun reif
war, fiel vom Stamme. Recht gute Rheinweine hat es
übrigens gegeben.

Darauf ist man übereingekommen, die Hochzeit alsbald in Holstein abzuhalten. Ob man Angst vor bösem
Liebeszauber hatte, oder was sonst der Grund war, hat
niemand recht zu erfahren bekommen. Schließlich haben
I. F. Gn. eingewilligt.

So gern man mich nun in Holstein hat behalten wollen,
mußte man mich doch jetzt nach Hause schicken, damit
ich I. F. Gn. Sachen daheim in die Hand nähme, auch
I. F. Gn. Kleider und Kleinodien von Liegnitz nach Holstein zur Hochzeit schickte. Auch sollte ich den Landtag abhalten und eine Kontribution von Geld, Hafer und
Hühnern bei den Landständen zuwege bringen, weiterhin die Einladungen an die Fürsten in Schlesien ergehen
lassen und im Regiment und Haushalt nach dem Rechten

Hans v. Schweinichen   10

sehen. Alles dies habe ich, so gut es ging, besorgt und in Ordnung gebracht.

Es haben sich übrigens für die Heimführung am 8. Januar fast alle schlesischen Fürstlichkeiten entschuldigen lassen, mit Ausnahme der zwei fürstlichen Fräulein. Als ich aber am 9. Januar meinem Herrn beim Einzuge in Liegnitz entgegengeritten bin, habe ich 124 Rosse und fünf Kutschen bei mir gehabt, alle schön geputzt. Draußen auf offenem Felde hat Herr Hauptmann Stange I. F. Gn. und die neu ankommende Fürstin mit einer zierlichen Rede empfangen. In der Stadt selbst aber haben die Bürger in ihren Rüstungen vom Haynischen Tore an in langen Reihen gestanden bis zur Schloßbrücke. Oben auf dem Schloß aber hat ein Fähnrich, mit 50 Knechten zur Seite, Aufstellung genommen. Auch der ganze Rat, die Geschworenen und Schöppen haben sich draußen bei der Scheune eingefunden. Hinter dem Rate ist dann die ganze Schule und die Priesterschaft gefolgt und wurde gleichfalls von I. F. Gn. begrüßt. Die Schüler haben alle weiße Hemden über ihren Kleidern angehabt. Daneben sind sie mit goldenen Ketten, Mützen und sonstigem Schmuck geputzt gewesen. Das hat einen schönen Anblick dargeboten. Die Herzogin aber ist schier verwundert gewesen, daß die Knaben in der Kälte so bloß gegangen sind. Denn einen derartigen Aufzug hatten I. F. Gn. nie zuvor gesehen. Bei diesem Empfang sind 24 Trabanten, alle einfarbig gekleidet, von beiden Seiten an den fürstlichen Wagen herangetreten und haben aufgewartet. Weiter sind sie die ganze Stadt hindurch zu beiden Seiten des Wagens einhergeschritten.

Als aber alles vorbei war, sind auf dem Stadtwalle etliche Böllerschüsse losgegangen. Gleichzeitig haben die Trompeter geblasen, und die Kesselpauke ist geschlagen. Indem hat sich der Zug ganz langsam nach dem Gold-

bergischen Tore zu in Bewegung gesetzt: voran der ganze
Rat und alle Schüler, sowie die Geistlichkeit, bis man
vors Schloß gekommen ist.

Am Goldbergischen Tore hat sich eine Musika eingefunden von Lauten, Harfen und anderen Instrumenten,
aber alle in Vermummung; die sind die ganze Stadt
hindurch neben dem Wagen der Frau Herzogin herge-
zogen und haben ihre Instrumente ertönen lassen, auch
dazu gesungen. Das ist gar lieblich, zierlich und schön
gewesen. Auch seitwärts am Marktplatz, den Herings-
buden gegenüber, haben Musikanten gestanden, die auf
allerlei Instrumenten musizierten. Da haben I. F. Gn. den
Wagen eine Viertelstunde lang stillhalten lassen, um zu-
zuhören.

Im Schlosse hat sich dann 'das Schießen und Trommeln
und Trompeten von neuem erhoben. Außerdem haben
46 weibliche Personen, Frauen und Jungfrauen vom Adel,
der Herzogin den Empfangsgruß dargeboten.

Die Herzogin ist nach solchem von meinem Herrn
in ihre Zimmer geführt worden unter Begleitung der
Frauenspersonen. Freilich, die gute Fürstin ist ganz und
gar nicht schön gewesen. Aber es hat ihr sehr wohlgetan,
daß man so freundlich mit ihr tat. Sie hat sich über
all die Pracht schier verwundert.

Und ebenso ist es den Gesandten ergangen, die mit
ihr aus Holstein gekommen waren. Sie haben ein übers
andere Mal beteuert, daß sie dergleichen bei keinem hol-
steinischen Fürsten, ja selbst beim dänischen Könige nicht
gesehen hätten.

Abends habe ich mit zwölf Trompeten und der Kesselpauke bei Tische eins aufspielen lassen. Es wurde aber in
der großen Hofstube gespeist; an der Haupttafel sind drei
Vorschneider tätig gewesen. Daneben hat der Adel an
zwölf Tischen gegessen, und alles ist höchst stattlich

10*

hergegangen, als würde erst jetzt die fürstliche Hochzeit
abgehalten. Da ist wohl kein Mensch nüchtern davongekommen. Nach Tische aber ist auf dem großen Saale
ein Tanz abgehalten, und nachher hat man Zuckerwerk
und Muskateller aufgetragen.

Zwei Jahre sind dahingegangen, in denen ich I. F. Gn.
als Rat und Marschall treu gedient hatte, so daß I. F. Gn.
keinerlei Mangel gespürt haben und allezeit gnädig und
zufrieden gewesen sind. Und doch geschah es, wie es
so oft an Höfen geht, daß ich verfuchsschwänzert wurde,
und man mir etwas anzuhängen suchte. I. F. Gn. ließen
sich von meinen Gegnern bereden und haben mir am
9. April 1591 den Dienst aufkündigen lassen. Es geschah
mit der Versicherung allergnädigster Gesinnung, nur weil
I. F. Gn. seine Hof- und Haushaltung einschränken müßten.

Auf einer Reise nach Brandenburg, die ich noch auf
I. F. Gn. Ersuchen und dringendes Bitten als Hof- und
Reisemarschall mitmachte, bin ich mit I. F. Gn. wegen
eines Jungen hart aneinander gekommen. Das kam folgendermaßen: Im Wegziehen von Spröttchen sah ich,
daß mein Junge, der sonst auf der Kutsche saß, nebenher-
laufen mußte. An seiner Stelle erblickte man einen Trompeter, der vorher zu Pferde gesessen hatte, er hatte sich
nämlich vollgesoffen. Dies verdroß mich sehr, ich meinte,
daß es mir zum besonderen Spott geschähe. Als ich daher
mit meiner Kutsche am Wagen I. F. Gn. vorbeifuhr, habe
ich halten lassen, bin abgestiegen und an I. F. Gn. Wagen
herangetreten. Dann habe ich gefragt, ob der Trompeter
mit I. F. Gn. Wissen und Willen den Platz meines Jungen
einnähme? Darauf fuhren I. F. Gn. mit den Worten
heraus, ich sollte doch gefälligst wissen, daß I. F. Gn.
mehr an dem Trompeter gelegen sei, als an meinem
Jungen. Darauf ich: „Daraus kann ich ja leicht den
Schluß ziehen, daß Euer Fürstl. Gnaden nach mir eben-

sowenig was fragen. Wenn ich dessen aber gewiß wäre, wollte ich I. F. Gn. nicht länger zur Last fallen. Ich würde schon zusehen, wie ich auf dem nächsten Wege nach Liegnitz käme. I. F. Gn. aber sollten hiermit wissen, daß ich mir keinen Spott antun lasse. Mir sei das Hofgesinde untergeben, und so wollte ich den Trompeter wieder auf seinen Klepper jagen und meinen Jungen dafür aufsitzen lassen." So gab ein Wort das andere. I. F. Gn. wurden aufs äußerste erzürnt und wollten mit dem Rapier auf mich losspringen. Ich aber deckte mich und ging keinen Schritt zurück, sondern ich hielt das Rapier im Anschlag und hätte mich um keinen Preis schlagen lassen; denn ich hatte meiner Meinung nach keine Veranlassung dazu gegeben. Die Herren aber, die mit I. F. Gn. in der Kutsche saßen, wollten den Herzog nicht herauslassen, sondern hielten ihn fest und ermahnten mich gleichfalls, ich sollte doch überlegen, was ich täte. Es hat aber nicht lange gedauert, da haben I. F. Gn. mich wieder an ihre Kutsche herankommen lassen und mir gute Worte gegeben. Alsbald haben sie mir eine halbe Flasche Wein zugetrunken.

Bei meiner Abdankung am 14. Juni 1591 haben alle erklärt, ich hätte als ehrlicher Mann gedient, und keiner wüßte anderes als Ehrenhaftes von mir auszusagen. Auch haben sie I. F. Gn. gebeten, mich im Amte zu belassen. Ich aber habe mich mehrfach gegen I. F. Gn. entschuldigt, daß ich das Amt fürder nicht mehr auf mich nehmen möchte.

Im Jahre 1593, während ich in Prag war, hatten I. F. Gn. Herrn Leonhard Krenzheim, den Superintendenten in Liegnitz, des Landes verwiesen, weil er im Verdachte des Kalvinismus stand. Nach meiner Rückkehr sind am 24. April um zehn Uhr 300 Frauen vom Adel und aus der Bürgerschaft in der Sankt Peterskirche zu-

sammengekommen und in geordnetem Zuge nach dem
Schlosse gezogen. Aber sie trafen I. F. Gn. bei Tische
und die Tore verschlossen. Als aber I. F. Gn. angesagt
wurde, es stünde ein großer Haufe Weiber draußen
auf der Schloßbrücke, die I. F. Gn. zu sprechen wünschten, erschraken sie darüber aufs äußerste und meinten,
es würde in der Stadt ein Aufruhr ausbrechen. Und es
war auch nicht allzufern davon. Deswegen haben I. F. Gn.
mich vom Tische weg auf die Brücke geschickt. Ich sollte
von den Weibern erfahren, was ihr Vornehmen und Begehren sei. Darauf gaben sie mir am Gitter zur Antwort,
sie wollten und müßten I. F. Gn. sprechen. Ich suchte
ihnen nun klarzumachen, daß I. F. Gn. jetzt nicht zu
sprechen seien. Sie würden überhaupt niemals in einer
solchen Anzahl empfangen werden und sollten deshalb
zunächst ruhig nach Hause gehen. Nach Tische könnten
sie dann mit vier oder sechs Personen wiederkommen,
da würde ich ihnen vielleicht eine Audienz zuwege bringen. Sie wollten sich aber nicht so abspeisen lassen, und
erst ganz zuletzt sagten sie, ihre Absicht sei gewesen,
vor I. F. Gn. einen Fußfall zu tun und I. F. Gn. untertänigst zu bitten, daß Lenhardt Krenzheim allhier Pfarrer
bliebe. Als sie nun ohne eine fürstliche Antwort nicht
vom Platze weichen wollten, haben ihnen I. F. Gn. sagen
lassen, sie könnten ihr Gesuch dergestalt keineswegs an-
hören und ließen ihnen bei Leibesstrafe anzeigen, daß
eine jede nach Hause ginge und ihres Rockens warte.
So mußten sie unverrichteter Sache ihres Weges ziehen.
I. F. Gn. aber dankten Gott, daß sie die Weiber los-
geworden waren.

Am 2. Juli ist die Frau Herzogin Dorothea an einer
Fehlgeburt schwer erkrankt. Zwar haben die Doktoren
und vernünftige Frauen beratschlagt, wie das tote Kind
zu erlangen sei, damit die Mutter dadurch errettet würde.

Aber es sind so heidnische Mittel und greuliche Wege
gewesen, daß wir Räte, als I. F. Gn. uns deswegen be-
fragten, nicht dazu haben raten können. Am 6. Juli hat
die Herzogin alle Räte zu sich kommen lassen und sich
mit besonderen Worten bei uns bedankt für die Treue,
welche wir ihr bewiesen hätten. Sie hat uns auch um
Verzeihung gebeten, falls sie jemand von uns zu nahe
getreten sei. Mich haben I. F. Gn. noch mit einer
besonderen Rede bedacht, darauf haben sie mir schwei-
gend die Hand gegeben. Eine Viertelstunde später sind
I. F. Gn. sanft und still aus dieser Welt geschieden. Mein
Herr aber ist durch den Tod seiner geliebten Gemahlin
heftig betrübt gewesen.

Drei Jahre später, am 6. April 1596, ist mein Herr
seiner Gemahlin im Tode gefolgt. I. F. Gn. sind gar
ungern gestorben und haben vor ihrem Abscheiden zwei
Stunden lang ein Glas voll Haynauschen Bieres in den
Händen gehabt und mir zum öfteren daraus zugetrunken.
Aber I. F. Gn. haben es nicht völlig austrinken können.
Sein letzter Schluck ist Haynauisch Bier gewesen. Genau
so war es beim Tode seines Herrn Vaters zugegangen.

᠀᠀᠀᠀᠀

Als Rechtfertigung dafür, daß wir Schweinichen an
dieser Stelle das Wort entziehen, kann dasselbe angeführt
werden, was wir am Schluß des 1. Teiles dieses Bandes
(Sastrow) gesagt haben. Auch Schweinichen verliert sich
in eine Unmenge von häuslichen Einzelheiten, die jedes
Interesses ermangeln. Über sein späteres Leben vergleiche
unsere Einleitung.

Satz und Druck von Oscar Brandstetter in Leipzig

�ⴊ�ⴊ�ⴊ�9999999999999999999999999999999999